Harmon H. Bro, docteur en philosophie

EDGAR CAYCE
LES RÊVES ET LA RÉALITÉ

Traduit de l'anglais par Paul Kinnet

Sous la direction de
Hugh Lynn Cayce

Directeur de l'Association
pour la Recherche et les Éclaircissements (A.R.E.)

Editions de Mortagne

Édition:
Les Éditions de Mortagne
171, boul. de Mortagne
Boucherville (Québec)
J4B 6G4

Distribution:
Tél.: (514) 641-2387

Titre original:
"Edgar Cayce on dreams"
by Harmon H. Bro
"This edition published by arrangement with
Warner Books, Inc., New York"

Dépôt légal:
Bibliothèque nationale du Canada
Bibliothèque nationale du Québec
1er trimestre 1983

ISBN: 2-89074-071-4

3 4 5   90 89 88

IMPRIMÉ AU CANADA

Sommaire

Introduction

Qui était Edgar Cayce?

Les neuf livres qui ont été écrits sur Edgar Cayce se sont vendus au total à plus d'un million d'exemplaires. Beaucoup d'autres livres ont consacré des chapitres à sa vie et à ses aptitudes. On a parlé de lui dans des dizaines d'articles de revues, dans des centaines d'articles de journaux, de 1900 à nos jours. Qu'avait-il donc de si extraordinaire?

Cela dépend des yeux avec lesquels on le regarde. Un bon nombre de ses contemporains connaissaient Edgar Cayce, en état de veille, comme un photographe professionnel très doué. Un autre groupe — composé surtout d'enfants — l'admiraient en tant qu'enseignant de l'École du Dimanche; c'était un professeur aimable et chaleureux. Quant à sa famille, elle le considérait comme un admirable époux et un merveilleux père.

L'Edgar Cayce «en sommeil» était un personnage complètement différent : un médium connu par des milliers de gens appartenant à toutes les classes de la société et qui lui étaient reconnaissants de son aide. En effet, nombre d'entre eux croyaient qu'à lui tout seul, il avait «changé» leurs vies ou les avaient «sauvés» quand tout semblait perdu. L'Edgar Cayce «en sommeil» était un diagnosticien médical, un prophète et un fervent défenseur des enseignements de la Bible.

En juin 1974, l'Université de Chicago éprouvait à son égard assez de respect pour accepter la thèse d'un docteur en philosophie basée sur sa vie et son œuvre. Dans cette thèse, l'auteur le considérait comme un «voyant religieux». La même année, la revue illustrée pour enfants, *La Maison du Mystère*, lui décerna le titre impressionnant d'«Homme le plus mystérieux d'Amérique»!

Déjà lorsqu'il était enfant, dans une ferme près d'Hopkinsville, Kentucky, où il était né le 18 mars 1877, Edgar Cayce manifestait des pouvoirs de perception qui semblaient s'étendre au-delà de la portée des cinq sens. À six ou sept ans, il disait à son père ou à sa mère qu'il était capable de voir et de parler à des «visions», parfois de parents qui étaient morts récemment. Ils attribuèrent ce phénomène à l'imagination superactive d'un enfant solitaire qui avait été influencé par le langage dramatique des réunions pieuses, courantes dans cette partie du pays. Plus tard, en dormant avec la tête sur ses livres scolaires, il développa une sorte de mémoire photographique qui lui fit faire de grands progrès à l'école du village. Mais ce don disparut, et Edgar ne put réussir que sa dernière année primaire avant de devoir chercher sa propre place dans le monde.

À vingt-et-un ans, il était devenu vendeur pour une société de papeterie en gros. À cette époque, il se mit à souffrir d'une paralysie progressive des muscles de la gorge qui le menaça de perdre la voix. Les docteurs furent incapables de trouver la raison physique de cet état. On essaya l'hypnose, mais cela ne donna aucun effet permanent. En dernier ressort, Edgar demanda à un ami de le replonger dans la même sorte de sommeil hypnotique qui, dans son enfance, lui avait permis de mémoriser ses manuels scolaires. Son ami lui fournit la suggestion nécessaire, et une fois qu'il se trouva en état de transe volontaire, Edgar put affronter son propre problème. Il recommanda des médicaments et une thérapeuthique manipulative qui lui rendit sa voix et restaura son système nerveux.

Un groupe de médecins d'Hopkinsville et de Bowling Green, au Kentucky, profita de ses dons exceptionnels pour établir des diagnostics sur leurs propres malades. Ils découvrirent bientôt qu'il suffisait de donner à Cayce le nom et l'adresse d'un patient, où qu'il se trouve, pour qu'il puisse s'accorder télépathiquement à l'esprit et au corps de cet individu aussi aisément que s'ils s'étaient trouvés tous les deux dans la même pièce. Il n'avait besoin d'aucune autre information sur aucun patient, et on ne lui en donnait aucune.

L'un de ces jeunes médecins, le Dr Wesley Ketchum, soumit un rapport sur cette peu orthodoxe procédure à une société de recherches cliniques de Boston. Le 9 octobre 1910, le *New York Times* publia deux pages d'articles et d'illustrations et, à partir de ce jour, les gens qui étaient en difficulté, à travers tout le pays, cherchèrent à obtenir l'aide de «l'Homme miraculeux».

Lorsque Edgar Cayce mourut le 3 janvier 1945 à Virginia Beach, en Virginie, il laissait plus de 14.000 rapports sténographiques sur les communications de voyance télépathique qu'il avait faites pour plus de six mille personnes pendant une période de 43 ans. Ce sont ces documents que nous appellerons «interprétations».

Les interprétations constituent l'un des plus vastes et des plus impressionnants ensemble de perception psychique émanant d'un seul individu. Avec leurs documents justificatifs, la correspondance et les rapports qui les accompagnent, ils ont été indexés sous des milliers de références et mis à la disposition des psychologues, des étudiants, des écrivains et des chercheurs qui, en nombre toujours croissant, viennent les examiner.

Une association, connue sous le sigle A.R.E. (Association for Research and Enlightment, Inc. Boîte postale 595, Virginia Beach, Virginia 23451) a été fondée en 1932 pour conserver ces interprétations. En tant que société d'études ouverte à tous, elle continue à indexer et à cataloguer les informations, les enquêtes originales et les expériences, à mettre sur pied des conférences, des séminaires et des colloques. Jusqu'à présent, les découvertes qu'elle a publiées ont été mises à la disposition de ses membres grâce à ses propres moyens de publication.

Ceci est le quatrième volume d'une série d'ouvrages populaires traitant de sujets tirés des Interprétations d'Edgar Cayce.

Le présent volume contient les informations extraites de plus de six cents de ces interprétations.

Harmon H. Bro, Dr en philosophie, a travaillé avec Edgar Cayce pendant presque une année, de 1943 à 1944. Il observa l'horaire régulier des séances quotidiennes d'interprétation. Venu en sceptique à Virginia Beach, il se livra à des interrogatoires inquisiteurs, interviewa des gens qui venaient pour les interprétations et lut la correspondance. Ses notes soigneusement détaillées devinrent la base de la thèse de doctorat qu'il présenta plus tard à l'Université de Chicago. Constatant, comme l'avaient fait de nombreux étudiants des Interprétations, qu'Edgar Cayce plaçait surtout l'accent sur la valeur de l'étude de ses propres rêves par un individu, le Dr Bro a tenu à examiner et à indexer complètement des centaines d'interprétations de rêves.

Ceci constitue sa première étude profane de ces interprétations. Elle n'est pas seulement destinée à présenter les nouvelles et audacieuses conceptions sur les rêves contenues dans cette insolite approche psychique du sujet, mais aussi à permettre au lecteur d'appliquer ses idées à l'étude de ses propres rêves quotidiens.

À mon avis, il s'agit ici de la meilleure et de la plus importante étude que l'on ait faite des Interprétations d'Edgar Cayce.

Hugh Lynn Cayce

1ère partie

Les rêves d'une jeune femme

Chapitre I

Le sujet

Elle était jeune. Elle avait à peine vingt-et-un ans. Elle était séduisante et fière de sa silhouette. Issue d'une importante famille du Mississipi, elle était ambitieuse. Elle était brillante et possédait un diplôme d'un collège huppé de jeunes filles.

Et maintenant, elle était mariée. Elle avait jeté son dévolu sur un banquier de Pennsylvanie, de huit ans son aîné, qu'elle avait rencontré dans un lieu de villégiature. Elle savait que ses associés lui prédisaient un avenir prometteur, et elle l'imaginait un jour à Wall Street.

Elle ne pouvait guère deviner qu'en quatre ans, il ne serait pas seulement banquier à Wall Street, mais millionnaire : un financier-miracle, même au sein des bruyantes et prospères années 20.

Mais en ce moment, à peine mariée, elle se trouvait confrontée à un sérieux problème. Comment pouvait-elle justifier auprès de ses parents l'intérêt que son mari accordait à un moyenâgeux médium de l'Ohio nommé Edgar Cayce ? Elle leur avait parlé de Cayce : à ses parents, à sa sœur, à la plupart de ses oncles, de ses tantes et de ses cousins. Mais ils étaient demeurés sceptiques. Elle pouvait comprendre pourquoi.

Cayce manquait d'instruction. Il n'avait pas en ce moment de profession avouable, quoiqu'il eût été un très bon photographe en Alabama deux années auparavant mais en 1923 il avait déménagé pour l'Ohio. Il n'avait pas d'argent, quoiqu'il eût possédé il n'y avait pas si longtemps un million de dollars en propriétés pétrolières que ses dons psychiques avaient localisées pour sa Cayce Petroleum Company. Mais il avait tout perdu dans des forages hasardeux et dans des catastrophes financières. Il n'avait même pas une maison à lui, et le mari de cette jeune femme accordait un soutien financier à Cayce pour qu'il puisse emménager avec sa famille à Virginia Beach, en Virginie, où la source psychique de Cayce lui affirmait depuis longtemps qu'il serait le plus productif.

Il n'y avait que peu de choses qu'elle pût dire à ses parents en faveur de Cayce.

C'était un sudiste, de bonne souche du Kentucky, et il pouvait faire remonter ses ancêtres jusqu'en France comme le pouvaient certains de ses propres parents du Deep South. Il avait une épouse du Sud, petite mais royale, un fils en 3ème primaire et un autre au collège. Il enseignait à l'école du dimanche de la Christian Church, une Église semblable à l'Église Baptiste qui était très répandue dans le Sud. Et il aidait son mari, Aaron, à devenir riche.

Elle avait entendu Aaron lui expliquer comment Cayce les entraînait, lui et certains hommes d'affaires de l'Ohio, à utiliser leurs dons psychiques naturels pour devenir riches. Cayce ne faisait pas de miracles, car il ne donnait des conseils d'affaires qu'à ceux qui étaient déjà actifs — et efficaces — dans leur domaine : des fabricants, des agents immobiliers, des dirigeants de société, des créateurs de produits, des distributeurs, des agents de change, des agents d'assurances et des banquiers comme son mari. Même à leur égard, elle savait que ses conseils étaient limités. Car s'il pouvait manifestement voir un surprenant ensemble de faits par sa seule vision psychique, il ne se servait de ce don que pour aider les autres à exploiter les leurs : leurs intuitions, leurs impressions, leurs instigations et leurs rêves. Mais il avait convaincu son mari que c'était la seule aide dont il avait besoin, car il s'enrichissait rapidement, comme beaucoup de ses associés — particulièrement deux frères qui étaient agents de change.

Cayce était sûr, lui avait affirmé Aaron, que les capacités psychiques constituaient un potentiel normal chez toute personne saine et créatrice. Il considérait qu'il s'agissait d'une excroissance de la personnalité qui pouvait être développée comme on s'exerce dans les activités musicales ou philosophiques, ou dans l'art de diriger.

Frances était surtout fascinée par ce que Cayce pouvait tirer des rêves. Elle savait que pendant des mois, son jeune époux avait présenté ses rêves à Cayce pour qu'il les interprète, surtout en matière d'affaires, mais aussi sur le sexe, l'agressivité, la santé, les traits de personnalité, les craintes, la religion, le comportement envers ses associés, les hobbies, la mort, et même sur le genre d'épouse que pourraient devenir ses petites amies. Maintenant, il essayait de la convaincre de raconter à Cayce ses rêves à elle.

C'est ainsi que Frances, mariée depuis une semaine, rédigea le récit de quelques uns de ses rêves les plus récents et les envoya à Edgar Cayce pour qu'il les interprète dans les séances de transe qu'il tenait deux fois par jour.

Elle inaugura ainsi l'un des chapitres les plus colorés de l'histoire de l'interprtation des rêves au XXème siècle, un siècle qui avait commencé avec le monumental ouvrage de Freud, *L'interprétation des songes*, mais qui, jusqu'en son milieu, laissa l'étude des rêves entre les mains d'analystes, avant que les premiers «laboratoires de sommeil» ne commencent à apparaître dans les campus universitaires.

Les rêves de Frances interprétés par Edgar Cayce pourront n'apparaître plus tard que comme une nouveauté du siècle qui a redécouvert les songes, ou ils pourront constituer une voie nouvelle pour le traitement des rêves, pour le conditionnement des rêveurs et pour la détermination de ce qu'il est bon de rêver.

Pendant une période de quatre ans, elle soumit à Cayce, principalement par courrier, 154 rêves qu'il traita de façon plus ou moins étendue dans cinquante-cinq de ses «séances d'interprétation», dont presque toutes eurent lieu durant les trois premières années. Trois autres personnes seulement, dont Cayce lui-même, soumirent une collection de songes aussi étendue à son analyse psychique. Pendant les deux décennies, après 1924, où il interpréta des songes, d'autres cherchèrent également à se faire guider dans le domaine de leurs rêves. Au total, ils furent 69 jusqu'à la mort de Cayce en 1945. Dans l'ensemble, 1650 rêves furent soumis à Cayce pour qu'il les interprète dans quelques sept cents séances, soit une sur vingt parmi les milliers qui furent enregistrées et sauvées au cours des quarante années de ses travaux psychiques.

Quel genre de rêveuse était Frances? Quelle sorte de vie éveillée cachait-elle derrière ses songes?

Pendant la période où Cayce agit comme analyste de ses rêves et l'incita à apprendre à les interpréter elle-même, elle connut des périodes calmes et des temps difficiles. Ses songes reflétaient les unes et les autres.

Elle vivait bien, dans une maison cossue de New-York City, avec des domestiques pour répondre à ses moindres désirs. Elle voyageait en Europe, se rendait souvent dans la maison de son enfance au Mississipi de même qu'à Virginia Beach, à Palm Springs, en Floride et à Chicago. Elle achetait de belles robes. Elle lisait beaucoup, elle s'occupait avec acharnement de ses loisirs, et elle trouvait encore le temps de s'abandonner aux paresseux souvenirs de son enfance et au rappel de vieilles aventures amoureuses.

Elle tomba en extase lorsque Cayce lui annonça qu'elle aurait un enfant qui serait un intellectuel, et un chef spirituel de son époque. Puis elle eut une fausse couche dont Cayce et ses rêves l'avaient prévenue. Elle quitta l'hôpital juste à temps pour assister aux funérailles de sa mère. Puis, finalement, elle eut son fils, mais avant qu'elle ne quitte l'hôpital avec lui, son père mourut soudain au Mississipi. Frances connut la souffrance aussi bien que la joie pendant tout le temps où elle travailla avec Cayce sur ses rêves.

Les rapports sur ses songes montrent qu'elle s'était disputée avec sa belle-mère, mais pas très sérieusement, et qu'elle s'était toujours réconciliée. Elle avait aussi des disputes avec Aaron. Elle était apparemment jalouse de ses capacités intellectuelles et psychiques, et lui avait tendance à se montrer condescendant à son égard. Mais ils paraissaient fondamentalement épris l'un de l'autre, et leur mariage se déroula fort bien sur le plan sexuel et sur le plan social jusqu'au moment où il subit une série de chocs qui ressemblaient à des séismes et qui tous avaient été pressentis dans ses rêves.

Huit ans après avoir épousé Aaron, elle divorça.

Il ne semble pas que Frances ait été névrosée, quoique ses rêves montrent qu'elle pouvait être instable, mauvaise langue, obstinée et même égoïste. Dans la plupart de ses rêves, elle paraissait être une jeune personne assez normale qui supportait les adaptations et les durs réveils d'un mariage précoce et de la maternité. Mais elle subit aussi différents chocs qui mirent sa personnalité à nu dans ses rêves.

D'abord, elle connut le problème du transfert, si familier aux psychanalystes. Elle en vint à considérer Cayce non seulement comme une figure de père, mais presque comme un prophète. Pourtant, il insistait sans cesse pour qu'elle adresse ses dévotions à la divinité plutôt qu'à lui. S'identifiant à Cayce, elle ressentait la familière ambivalence amour/haine. Un jour, elle espérait pouvoir tenir des séances d'interprétation comme il le faisait. Elle bouda lorsqu'il n'eut pas le pouvoir magique d'empêcher sa fausse couche. Sa résolution de transfert se durcit, comme c'est souvent le cas en analyse, car elle subit une rupture décevante et presque permanente avec Cayce lorsque son mari (qui avait son propre problème de transfert) se disputa avec Cayce à propos du financement de son hôpital, pendant la Crise, et s'abstint de toute aide et de tout contact.

En second lieu, Frances ressentit l'effondrement de sa sécurité, vers la fin de sa série de rêves, lorsque son mariage commença à se briser.

En troisième lieu, elle subit un changement d'orientation religieuse, lent mais énergique. Elle était juive, comme son mari, mais dans cette tradition assez libérale, quoique familiale, qui appelait le lieu du culte un «temple» plutôt qu'une synagogue ou une «schul». Le maniérisme et le style Yiddish lui étaient familiers, et ils l'aidaient à défendre sa dignité en tant que membre d'une minorité vulnérable dans la société américaine. Elle et ses parents se rendaient dans des lieux de séjours juifs, et ils y trouvaient du plaisir, comme le montrent ses rêves.

Mais elle ne supportait pas de voir Edgar Cayce, quoique tolérant en état de veille, s'en tenir fermement, en état de transe, à la conviction que Jésus était le meilleur modèle que puissent suivre les hommes, quelle que puisse être leur appartenance religieuse. Elle savait que Cayce ne la poussait pas à fréquenter l'église et qu'en fait il encourageait ses espoirs d'élever son fils pour en faire un dirigeant spirituel en Israël. Mais la puissance du respect qu'il accordait à la figure du Christ la rendait intérieurement nerveuse et augmentait sa tension extérieure avec ses parents.

En quatrième lieu, Frances développait ce qui semblait être, dans une certaine mesure, des capacités psychiques qui lui étaient propres. Elle ne se tournait pas vers les affaires comme son mari, quoiqu'elle développât, comme lui, ses capacités dans ses rêves. Elle se tournait vers le monde féminin de la famille et des relations, recherchant des impressions sur la santé, les attitudes, le bien-être et les potentialités de son fils, de son mari et de ses parents. Si grand que fût l'intérêt de son mari pour les sujets psychiques — et il s'y intéressait davantage encore qu'à faire de l'argent, à quoi il travaillait dur — elle découvrit qu'elle ne pouvait pas vivre uniquement dans son atmosphère. Il fallait qu'elle ait des rapports avec des amis et des parents qui entraient dans sa vie et qui en sortaient, et qui se moquaient souvent de son intérêt pour le psychisme et pour les histoires qu'elle racontait. Son ego, normal en d'autres circonstances, était ainsi soumis à une tension anormale et ses rêves montraient qu'elle s'interrogeait sur ce qu'elle devait penser d'elle-même et de son intérêt pour le psychisme, en face de ses pairs, en dépit de sa richesse et de sa situation sociale.

Frances subit quatre coups, assénés en pleine force, en quatre ans de mariage, sans compter la mort de ses père et mère. Il n'est pas surprenant que ses rêves aient révélé non seulement les tensions habituelles, mais une poussée principale qui a dû compenser sérieusement les coups subis dans son existence de veille. Elle commença à avoir des visions vivaces de sa mère décédée dont elle se mit à sentir, avec l'assistance de Cayce, qu'elle vivait au-delà du tombeau.

Dans ces expériences, elle trouva une source de respect et d'admiration, de même qu'une guidance pratique ce qui, comme nous le verrons, avait pour elle une énorme importance.

Elle ne se remaria jamais. Plus tard, dans la vie, elle subit une défaillance émotionnelle, comme ses rêves avec Cayce le lui avaient fait prévoir. Elle s'en tira en servant son fils avec dévotion et en menant une carrière d'infirmière péniblement acquise. La résolution qu'elle avait montrée dans ses premiers rêves sembla mûrir au cours des années suivantes en une force compatissante qui aurait pu faire d'elle une femme à connaître et à chérir.

Chapitre II

Les niveaux du rêve

Interprétant des rêves dans des centaines de séances de transe, et parlant de la fonction du sommeil et des rêves dans quelques conférences en forme d'essais, Edgar Cayce énonça ses vues sur la manière dont les rêves agissent.

Ils agissent, disait-il pour accomplir deux choses : d'abord pour résoudre les problèmes de la vie consciente et éveillée du rêveur. Ensuite pour accélérer le développement, chez le rêveur, de nouveaux potentiels qu'il est en droit de revendiquer pour lui-même.

Pourquoi rêve-t-on?

En décrivant les rêves comme un moyen de résoudre les problèmes, Cayce était avant tout en avance sur les découvertes des laboratoires de sommeil qui n'allaient exister qu'un quart de siècle après le temps où il conseillait Frances.

Tout en notant que certains de ses rêves exprimaient des tensions corporelles, il ne considérait pas qu'ils lui apportaient une satisfaction destinée à remplacer ses tendances sexuelles ou agressives. Ses rêves étaient bourrés de sexe et d'agressivité, avec des implications qui les rendaient agréables. Mais de tels rêves, ajoutait-il, avaient un convenu bien plus vaste : ils comportaient des suggestions sur la manière d'évaluer et de diriger ces aspirations fondamentales. Ses rêves, soulignait-il, ne traitaient de tendances primitives que lorsqu'elles commençaient à constituer pour elle un problème ; alors, elles étaient captées par les rêves, comme n'importe quel autre problème, et les solutions possibles — à la fois réalistes et irréalistes — y étaient pesées et adaptées.

Quoique n'utilisant pas le terme employé par les chercheurs modernes lorsqu'ils travaillent en laboratoire sur des sujets humains normaux, Cayce décrivit le processus appelé maintenant «effet persévératif». C'est le processus qui se produit chaque fois qu'une personne est impliquée dans un problème ou dans une tâche : elle tend à y persévérer jusqu'à son parachèvement. La recherche moderne en matière de rêves montre que les gens normaux continuent à vivre au cours de la nuit les problèmes qui les ont absorbés pendant le jour, non seulement en ce qui concerne leur rôle et leur situation par rapport aux autres, mais pour des questions tout à fait pratiques d'argent, d'études, de voyages, de nourriture, d'aptitudes, et même sur la manière de savoir comment faire pour dormir assez.

En caractérisant une grande partie des rêves comme un moyen de résoudre les problèmes, Cayce a également mis l'accent sur le genre de rêves qui a longtemps intéressé les artistes et les inventeurs : le rêve d'«incubation». C'est le rêve qui apporte une solution surprenante à un problème ou à un projet sur lequel le rêveur a travaillé, ou qui le place, au réveil, dans un état d'esprit tel que la solution qu'il recherche lui saute aisément à l'esprit. Ici aussi, Cayce se trouve en parallèle avec le travail des laboratoires modernes de sommeil et de rêves dont certains, aujourd'hui, n'explorent pas seulement la capacité qu'a l'esprit d'une incubation créatrice dans les rêves, mais aussi l'utilisation de la perception extrasensorielle dans le sommeil comme résolution des problèmes.

Mais par ailleurs, lorsque Cayce affirmait que les autres rêves significatifs poussent le rêveur vers ses propres potentialités humaines, il se rapprochait du point de vue des différentes écoles de psychanalyse.

Sans cesse, il soulignait la manière dont les rêves signalent au rêveur qu'il est temps pour lui d'assumer de nouvelles responsabilités, ou de développer des valeurs plus mûres, ou d'étendre le champ de sa pensée. De tels rêves, disait-il, ne servent pas seulement à résoudre des problèmes pratiques. Ils aident le rêveur à se développer.

Selon ses dires, des cycles entiers de rêves sont destinés à développer une nouvelle qualité chez le rêveur : la patience, l'équilibre, la virilité, l'altruisme, l'humour, la réflexion, la piété. Il considérait que certains de ces rêves de remodelage viennent des efforts faits par la personnalité du rêveur pour se redresser après un échec. C'est ce que les psychanalystes recherchent chaque jour dans les rêves de ceux qui sont étendus sur leurs divans. Pour d'autres rêves de ce genre, Cayce les considérait comme des représentations spontanées et saines qui se produisent lorsque vient le temps d'un nouvel épisode de croissance dans la vie du rêveur.

Pendant les quatre années où elle fut aidée par Cayce, Frances accumula des preuves éclatantes que ses rêves agissaient à la fois pour résoudre ses problèmes et pour développer en elle de nouvelles potentialités.

Des tas de problèmes pratiques se reflétaient dans ses rêves. Beaucoup se rapportaient à des discussions avec ses parents ou son mari. Certains concernaient des projets de voyage. L'un d'eux concernait un refroidissement dont avait souffert son mari. Deux autres se rapportaient à une servante qui lui avait volé quelques vêtements. Beaucoup d'entre eux étaient relatifs au régime qu'elle suivait et aux exercices qu'elle pratiquait pour se préparer à la maternité. Un certain nombre reflétait ses particularités et son style de vie comme les autres pouvaient les voir. Il y avait même des rêves qui l'incitaient à ne pas s'en remettre trop exclusivement à Cayce, comme il le souligna lui-même en les interprétant.

Cependant, mêlés à ces rêves de «solution de problèmes», et en faisant même parfois partie, on trouvait des matériaux qui tendaient vers un autre but : celui d'éveiller en Frances un moi plus riche et plus mûr. Ces rêves semblaient l'inviter à utiliser plus systématiquement ses facultés spirituelles pour l'étude. D'autres l'incitaient à se consacrer davantage à son bébé plutôt que de l'abandonner aux soins de sa nurse. Quelques-uns la mettaient en face de remarquables expériences religieuses. Dans l'optique de Cayce, près de la moitié d'entre eux contenaient quelques références ou quelques défis relatifs à l'orientation de son existence, à ses valeurs et à ses engagements ultimes tels qu'ils se manifestaient dans sa prosaïque vie quotidienne.

Il ne lui permettait pas d'utiliser ses rêves comme un élément nécessaire pratique de divination.

Ce qui pouvait sembler le présage d'une maladie future, disait-il, pouvait simplement refléter une attitude maladive dans le comportement actuel du rêveur. Ce qui pouvait paraître un conseil pour une vente avantageuse de valeurs n'était peut-être qu'un « inventaire » fait par le rêveur de lui-même ou d'un ami. Un terrifiant barbu apparaissant dans un rêve pouvait aussi bien être la sévère conscience du rêveur que le messager céleste qu'il croirait y voir. Cayce soulignait clairement qu'on ne peut pas simplement considérer les rêves comme les messages venus d'un monde supérieur. « Il est important, expliquait-il, de faire la différence entre l'absorption spirituelle et la conception consciente qui apparaissent dans les rêves ».

Cependant, Cayce insistait auprès de Frances sur le fait que les rêves incarnaient souvent des domaines de conscience plus étendus qu'en état de veille, sinon plus élevés. « Ils peuvent, disait-il, aisément se servir de toute perception extrasensorielle que le rêveur possède naturellement ou pour s'y être exercé, afin de lui indiquer des éléments de solution de problèmes tirés du futur, du passé, du domaine privé, même à distance ».

« Ensuite, disait-il, il y a aussi ces rêves qui peuvent mettre, plus facilement en jeu que la conscience de l'état de veille, certaines structures qui sont d'une grande importance pour le rêveur ». Dans ses rêves, Frances pouvait prendre contact avec le meilleur d'elle-même ou avec son moi le plus élevé ; elle pouvait même atteindre quelque chose qui la dépassait et que Cayce appelait « Les Forces

25

Créatrices, ou Dieu». Cayce traitait ce contenu des rêves avec un grand respect, pas comme dans les laboratoires modernes ou sur le divan des psychanalystes. Tout en ne considérant qu'une petite partie des rêves comme l'incarnation d'un contact direct et explicite avec un moi supérieur, ou avec la divinité, il n'hésitait pas à en identifier certains de cette manière. C'est pourquoi son interprétation des rêves est parfois mise en question en un siècle qui a redécouvert les songes dans les laboratoires et dans les cliniques, mais non à l'église.

Souvent, il résumait la fonction des rêves avec les mêmes mots que ceux qu'il utilisait envers un homme d'affaires qu'il incitait à consulter ses rêves «pour sa propre édification, et pour l'édification d'un moi mental et spirituel autant que financier.»

Lorsqu'il conseillait Frances et d'autres à propos de leurs rêves, Cayce considérait clairement que ceux-ci provenaient de différents niveaux en eux. À cet égard, le rêveur est quelque peu semblable à un navire.

Le niveau du corps

Un navire est une vaste machine. Il a une coque, des moteurs, des hélices, des ponts, un gouvernail, des ancres. Une partie de ses équipements doit être actionnée par l'équipage. Certains autres, comme les bouées de sauvetage, peuvent être utilisés par les passagers. Certains fonctionnent pour en faire marcher d'autres, comme les régulateurs, les circuits de secours, les systèmes de graissage et les pilotes automatiques.

Dans les rêves, selon Cayce, le corps du rêveur présente des problèmes de fonctionnement exactement comme la machinerie d'un navire occupe ceux qui le gouvernent. Le corps a besoin d'exercice, de sommeil, d'un régime équilbré, de jeu, de dur travail, de saines éliminations, de soins médicaux, d'orgasmes sexuels, de calme méditation. Pour Cayce, tous ces éléments lui semblent peupler la scène des rêves, comme expression de ce qu'il appelle «le domaine physique». Il est vrai, dit Cayce, que certains rêves nés du corps sont simplement hallucinogènes et ne valent pas qu'on les interprète. Ils sont produits par la même chimie corporelle que celle qui provoque les visions d'un alcoolique, les mirages dans le désert ou les phantasmes d'un homme lourdement fatigué.

Mais selon Cayce, d'autres rêves nés du corps sont des produits du corps agissant sur lui-même, comme une partie de la machinerie du navire sert à mettre d'autres appareils en action.

Lorsque Frances lui demanda de lui rappeler un rêve qu'elle avait oublié, comme il le faisait souvent, il répondit «que celui-ci était une simple manifestation du corps qui n'exigeait ni étude ni interprétation».

«Cependant, ajoutait Cayce, d'autres rêves montrent que le corps demande une aide que ses propres mécanismes ne peuvent lui apporter». Frances avait rêvé ceci :

J'ai vu le navire Leviathan, *et mon cousin Ted ainsi que sa femme très malade ; et il m'apparut que quelque chose n'allait pas chez Ted, et il était mort, car sa femme était en vêtement de deuil.*

Cayce fit remarquer qu'elle avait projeté de faire une croisière et qu'elle s'était demandée si elle souffrirait du mal de mer... Et si Ted, qui était malade à l'époque, n'en souffrirait pas davantage encore. Cette vision des choses emplit le corps de la crainte du mal de mer (quelque chose d'assez semblable à ce que peut faire la suggestion hypnotique) et c'est cette crainte qui provoque le rêve (fort heureusement, Cayce ne se contenta pas d'interpréter le rêve, mais il prescrivit à France un très bon médicament composé qu'il avait donné à d'autres pour éviter le mal de mer, avec d'étonnament bons résultats, considérant qu'il fallait en chercher la cause dans un psychisme inconscient et mal éduqué). La machinerie corporelle de Frances reçut l'aide qu'elle semblait avoir réclamée.

27

Le niveau du subconscient

Un navire est manœuvré par un équipage. Celui-ci est entraîné à le faire naviguer jour après jour, et les hommes agissent souvent de manière automatique. Parfois, leurs ordres sont en conflit, et ils doivent aplanir leurs différences dans le service et dans la routine. Il arrive qu'ils aient à recevoir du frêt ou des passagers qu'ils ne sont pas entraînés à manipuler et ils doivent affronter cette charge. Parfois, ils sont mis en échec par les machines ou par la tempête, et ils doivent appeler à l'aide une autorité supérieure. Parfois, on leur donne de nouveaux compagnons dotés d'aptitudes ou d'équipements dont ils ignoraient l'existence.

Cayce faisait allusion au «subconscient», ou aux «forces subconscientes» un peu comme on pourrait se référer à l'équipage d'un navire. Il considérait que ces forces étaient très communes dans les rêves, soit qu'elles présentent des problèmes relatifs à leur propre fonctionnement, soit qu'elles apportent une information spéciale qu'ils ont recouvrée par leur propre radar de perception extrasensorielle. Il considérait le langage de ces forces comme typiquement «emblématique» un peu comme les piquants dialectes et les figures de style des marins. Le subconscient du rêveur — ses structures cachées, ses habitudes, ses contrôles, ses mécanismes, ses complexes, ses formules — utilise pour accomplir les choses les images particulières de la propre mémoire du rêveur et ses particularités de langage.

Parfois, l'équipage du subconscient, dans la conception de Cayce, donne libre cours dans les rêves à la machinerie du corps pour la préparer à un développement futur.

Frances avait eu une fausse-couche et elle avait éprouvé la crainte de donner le jour à un enfant, lorsque ses rêves lui apportèrent l'éclatante expérience suivante. C'était un peu plus de neuf mois avant la naissance du bébé. L'interprétation du rêve par Cayce comportait un défi selon lequel elle avait décidé maintenant d'être enceinte, et la promesse d'un heureux dénouement. Son rêve, déclara-t-il, avait été provoqué par son subconscient qui, selon ses vues, avait pris en charge toutes les fonctions vitales, donnant à sa «conscience corporelle cette expérience de la condition par laquelle passe l'entité pour atteindre l'enfantement»

Son équipage faisait chauffer la machinerie de l'instinct sexuel et maternel. Frances expliqua :

Je souffrais d'un trouble interne qui m'empêchait d'avoir un bébé. Les médecins m'avaient dit que, pour le corriger, je devrais subir une légère opération. Je m'y opposai en disant que je ne pourrais le supporter. «Oh, si, vous le pouvez» dirent-ils. Et je me retrouvai sur la table d'opération après avoir été anesthésiés. Lentement, je me sentis perdre conscience sous leur influence. Je sentais que le toucher de leurs doigts se faisait plus léger, et que leurs voix semblaient s'éloigner de plus en plus. Je n'avais pas conscience de perdre conscience, ni de ce qui se consomma ensuite. Puis je revins à moi, je repris conscience, l'opération ayant été faite. Je dis à l'infirmière que je supposais qu'il m'était impossible maintenant d'avoir un bébé. Elle répliqua que je le pourrais, très bientôt. Je désirais me lever et sortir.

En interprétant ce rêve qu'il trouvait très positif et encourageant, Cayce ne se contenta pas du thème de la maternité, mais il releva, comme l'aurait fait n'importe quel analyste, le mot «consommer» que Frances avait utilisé pour décrire l'opération. Il lui fit valoir que le mot ne se rapportait pas seulement à l'enfantement comme consommation de sa préparation à la maternité mais à la libération sexuelle : elle pouvait l'assumer avec tout l'agrément et toute la sécurté suggérée dans le rêve par l'attouchement des doigts et le glissement dans l'inconscience.

Son équipage avait mis la machine en route.

Les rêves de Frances montraient le souci constant qu'elle avait des gens qui lui étaient proches. Ils montraient qu'elle ne luttait pas seulement sur le plan des relations personnelles qu'elle entretenait avec eux, mais aussi avec leurs propres problèmes. Ce qui les tracassait la tracassait aussi, parce qu'elle portait dans sa *psyché* comme un navire transporte ses passagers.

Elle savait, par exemple, que son mari souhaitait vivement avoir une expérience psychique directe avec son père décédé. Dans le souci qu'elle se faisait à propos de ce désir, elle connut sa propres expérience psychique, unique, un petit rêve agréable mais secret qui se révéla prophétiquement exact : « *J'ai vu cinq chrysanthèmes sur la tombe du père de mon mari.* »

Cayce répondit que dans cinq semaines, son mari constaterait que son père défunt lui enseignerait quelque chose en rêve et qu'il en éprouverait l'une des plus grandes joies de son existence. Cinq semaines plus tard, exactement au moment prévu, Aaron eut en effet ce rêve.

Frances avait parlé tout haut des fleurs, dans son sommeil, et Cayce commenta également cet événement. «Le même subconscient, dit-il, qui lui avait fait voir d'avance le contenu des rêves de son mari l'avait aussi poussée à en parler à haute voix et à interpréter le rêve». Mais le son de sa propre voix l'avait réveillée tandis qu'elle parlait. «Elle pourrait s'entraîner, poursuivit-il, à laisser son subconscient prendre plus d'initiative, de sorte que de telles expériences puissent devenir de petites interprétations spontanées pour ceux dont elle se préoccupait. Le fait de parler à haute voix dans son sommeil ne serait pas très différent de ses propres transes et constituerait de temps en temps l'expression très naturelle de ce qui se passait dans ses rêves». Frances essaya, avec un certain entrain, d'encourager son équipage subconscient à prendre les choses en mains de cette manière.

La prochaine fois qu'elle parla à haute voix dans son sommeil, ce fut pour conseiller à son mari de ne pas changer de pâte dentifrice! Modeste conseil, mais sain, selon Cayce. Plus tard, ses spéculations l'entraînèrent beaucoup plus profondément quoique ses expériences ne fussent pas très fréquentes. L'une des plus importantes la trouva en train de parler à haute voix de ses propres préoccupations à propros de son aspect, de son visage et de sa silhouette, un thème dont Cayce déclara que c'était un motif central de sa personnalité, à cause de ses implications avec son pouvoir sur les hommes.

Tous les passagers du navire de Frances n'étaient pas faciles à manipuler, comme Cayce le fit remarquer à propos d'un autre rêve qu'elle lui avait envoyé.

Chacun de nous, ma belle-mère, ses amis, mon mari et moi-même étions de retour chez nous au Mississipi, revenus au bon vieux temps où nous vivions dans les faubourgs. Nous nous apprêtions à nous rendre à Sandy Beach pour l'été. L'amie de ma mère déclara qu'elle ne voulait pas y aller, mais qu'elle rentrait chez elle à White Plains, dans l'État de New-York. Mrs. B., une autre amie, dit qu'elle voulait retourner à la plage avec nous. Nous nous engouffrâmes tous dans des voitures et nous partîmes. Puis ma belle-mère devint furieuse et irritable avec moi, comme elle l'avait été l'été précédent. C'était très désagréable.

Cayce affirma que le subconscient de Frances (ou ce qu'on pouvait appeler son équipage) avait pris dans sa perception extrasensorielle la réponse qu'elle recevrait de parents et d'amis, dans un proche avenir, à certaines choses qu'elle allait dire ou faire. Il la pressa de se préparer à ce désagrément et de ne pas permettre qu'il la trouble indûment.

Le niveau de la conscience

Dans de nombreux rêves, Cayce voyait des appels à la décision et à l'action consciente. Le procédé ressemblait à celui de l'équipage qui demande ses ordres au capitaine.

Lorsqu'il commença à discuter du rêve de maternité dont on a déjà parlé, Cayce déclara que quiconque qui peut rêver et s'en souvenir est capable de tirer un enseignement de ses rêves, capable d'ajouter un aperçu et un comportement conscients à l'impact inconscient de l'expérience. « Car, comme nous le constatons, ajoutait-il, chaque individu doté de la faculté de visualiser les diverses conditions des expériences qui traversent les différentes consciences d'un individu — il entendait par là les divers niveaux actifs dans les rêves — est capable d'en tirer les leçons et les vérités : celles-ci sont la vérité révélée à l'individu à travers les diverses phases de sa conscience. »

Quiconque rêve est capable d'interpréter ses rêves et d'en tirer les leçons.

L'équipage de chaque homme a un capitaine qui doit agir comme tel lorsque l'équipage s'approche de lui dans les rêves.

Parfois, l'équipage peut en appeler au capitaine contre le capitaine !

Au cours des premières semaines de son mariage, lorsque Frances était sous l'ivresse des interprétations de ses rêves par Cayce et de sa conception globale de l'existence, elle se plongea dans des études de psychisme et d'occultisme ; comme son impatient mari, elle aurait voulu comprendre toute l'affaire d'un seul coup de manière à pouvoir commencer à interpréter ses propres petits événements psychiques. Puis elle rêva :

Je me vis tomber dans l'eau avec une grande cascade. Elle s'élargit comme j'approchais du fond et se divisa en deux branches. Quelqu'un dit : « Il y a quatorze pieds de profond là où vous tombez. Qu'allez-vous faire dans ce cas ?

Cayce fit observer que France recevait un avertissement à l'intérieur d'elle-même : on la prévenait que les « forces mentales » — son propre capitaine ou sa conscience — la poussaient sous sa propre profondeur, à un moment où elle commençait à peine à comprendre « les conditions élémentaires » du développement psychologique. Si elle voulait prendre le temps d'avancer « pas à pas », dit-il, son esprit s'élargirait de manière tout à fait saine, lui montrant de nouvelles avenues où dépenser ses énergies, comme le rêve le montrait par cette chute qui allait s'élargissant. Mais si elle forçait son développement par voie de « volonté », elle introduirait en elle des « forces destructives ».

Le capitaine devait tracer une route prudente.

Dans l'optique de Cayce, le capitaine de la conscience possédait aussi des pouvoirs définitifs pour déterminer le frêt que l'équipage devait manipuler. Il considérait le subconscient comme un élément hautement actif, modelant et formant tout ce qui était confié à ses soins. Il ne cessait de répéter que les «pensées sont des choses», que les «pensées sont des faits» à cause de leur impact sur le subconscient.

Frances vivait dans un milieu social où le bridge et les conversations futiles occupaient de nombreuses heures de la journée, construisant une médiocrité sous-jacente que l'on ne percevait pas toujours, jusqu'au jour où une partie du joueur de bridge devenait une harpie menaçante. Ce rêve le lui montra parfaitement :

En regardant une partie de bridge, j'aperçus la Reine de Trèfle qui se tenait dans la pièce en face de moi, vivante et réelle. Je m'effrayai et me réfugiai près de mon mari.

Cayce expliqua que tout ce qui soutient la conscience est emmagasiné dans le subconscient ou «estampé sur les forces subconscientes» jusqu'à prendre corps et forme pour vivre sa propre vie indépendante.

Un nouveau personnage avait rejoint l'équipage de Frances dans ce rêve, un monstre de Frankenstein créé à la table de bridge où jouait et bavardait le capitaine.

Le niveau du superconscient

Pour manœuvrer efficacement, un équipage a besoin de recevoir des informations extérieures au navire. Il peut s'en procurer un certain nombre au moyen de ses propres appareils. Dans le passé, les marins prenaient des relevés sur les étoiles, calculaient le temps sur le soleil et recevaient des nouvelles des navires qu'ils croisaient.

Cayce devait répéter souvent que le subconscient avait la capacité de prendre ses relevés sur des éléments pratiques au moyen de sa propre perception extrasensorielle. Il déclara à Frances que c'était son propre talent psychique naturel qui amenait des éléments inconnus dans nombre de ses rêves, depuis la pâte dentifrice jusqu'au comportement futur de ses parents.

Mais dans l'optique de Cayce, une autre source d'assistance est également disponible. Il l'appelait le superconscient qu'il décrivait comme un domaine plus élevé du subconscient.

Les marins modernes pourraient en venir à quelque chose de semblable en demandant par radio à leur port d'attache de les faire guider par un institut maritime équipé d'ordinateurs et qui pourrait leur donner immédiatement les dernières informations sur les courants océaniques, sur les marées, sur le temps, sur les autres navires, sur leurs passagers et même sur les marchés dans les ports vers lesquels ils se dirigent.

Cayce insistait sur l'existence de ce qu'il appelait les «Forces Universelles» que l'individu peut contacter selon ses besoins et sa capacité de s'en servir. Ces forces peuvent lui fournir des informations illimitées avec les directives de conduite appropriées. Ce sont en effet les courants créatifs de la divinité elle-même, se déplaçant au milieu des affaires humaines comme quelque grand Gulf Stream invisible.

Dans les rêves, on peut aller bien au-delà de ses propres facultés pour se brancher sur ces Forces Universelles à travers son propre superconscient.

Dans la première période de ses études de rêves avec Cayce, alors qu'elle ignorait encore ce qu'elle devait penser des conceptions religieuses de Cayce, Frances nota le rêve suivant :

J'ai rêvé que j'avais mal aux oreilles et que j'attendais ma mère devant la pharmacie de mon ancienne petite ville natale. Ma mère arriva, et l'oreille me faisait si mal que je lui demandai de m'emmener chez le docteur. «Tu n'as pas besoin de médecin», dit-elle. «Tu peux surmonter cela toute seule». C'est ce que je fis, et j'en fus tellement surprise que je me rendis chez mon amie C. pour lui raconter toute l'histoire. «Ce qu'il te faut, dit-elle, c'est la Science Chrétienne. Tu devrais l'essayer, car c'est la Science Chrétienne. Deviens une Savante Chrétienne». «Non, répliquai-je. J'ai ma propre science. La Science Juive. Je me suis guérie, tout naturellement.»

En interprétant ce rêve, Cayce ne manifesta aucune surprise devant ces maux d'oreille, car Frances lui avait déjà présenté un rêve prémonitoire relatif à un ancien état de mastoïdien. Et il ne s'étendit pas longuement sur la manière dont la guérison s'était faite dans le rêve. Une telle assistance du superconscient était aussi réelle pour lui que l'aide des médicaments qu'il lui avait déjà prescrits pour son oreille. Mais il s'attarda sur la question de savoir si une telle aide du superconscient est la propriété privée de quelque foi religieuse. «Son rêve, dit-il, lui montrait que de telles forces et de telles énergies sont des réalités objectives qui peuvent être découvertes et utilisées par quiconque en accepte les conditions, y compris la foi dans la force divine qui se manifeste chez un individu, comprenez-vous?» Il l'incita à étudier les lois d'une telle assistance dans le domaine de la guérison, sans se préoccuper de savoir qui prétend en avoir le monopole ni si elles paraissent agressives à ses parents et à ses amis. « L'homme peut répartir ses théories en traditions, fit remarquer Cayce, mais l'homme parle de lois qui ne peuvent être morcelées car elles demeurent une unité, qu'elles viennent des Juifs, des Gentils, des Grecs ou des païens».

L'équipage a des ressources d'énergie et de conduite qui vont au-delà de tout le reste dans un navire, s'il sait comment prendre contact avec son port d'attache et s'il en a réellement besoin.

Le niveau de l'âme

Un navire est manœuvré par l'équipage qui travaille sous les ordres du capitaine. Mais le capitaine est lui-même tributaire d'ordres qu'il ne peut violer qu'à son propre péril. Il est responsable devant le propriétaire du navire.

Dans l'optique de Cayce, contrairement à celle de certaine psychologie moderne, l'image de la personne totale n'est pas complète si elle n'inclut pas le propriétaire, le meilleur moi, ou l'âme. Cette partie de la personne, bien distincte de la conscience, porte ses véritables idéaux et ses propres engagements, qu'ils aient été ou non formulés verbalement. Elle donne du caractère et du parfum à sa conscience (une fonction du subconscient, selon Cayce), mais l'âme ne se limite pas à la conscience. C'est également une structure plus durable que la conscience, ce capitaine de la vie quotidienne, car l'âme survit à la mort et la conscience non.

L'âme détermine pour combien de temps et dans quelle mesure le capitaine et l'équipage poursuivront leur tâche. Elle trace pour eux leur route générale tout en leur laissant la manœuvre quotidienne du navire. Elle peut, en tant que propriétaire du bateau, faire au capitaine ses propres remarques au moyen des rêves. Mais ses désirs peuvent être compromis par le capitaine, car la décision et l'action — donc la croissance — lui appartiennent au cours du voyage de la vie.

Après la naissance du bébé de Frances, et après qu'elle eût surmonté les tensions critiques de la maternité, elle devint insouciante de son régime, des laxatifs, de la physiothérapie, de son humeur et d'autres sujets dont elle avait cependant conclu, dans son étude des rêves avec Cayce, qu'ils étaient importants pour sa propre santé et pour la paix de son esprit aussi bien que pour ceux du bébé. Puis elle fit le rêve suivant :

Il semblait que je devais épouser le cousin William, mais lorsqu'on en vint là, j'hésitai parce qu'il était mon cousin et que j'avais eu tellement d'ennuis. Ainsi, je tergiversai et j'hésitai, ne sachant que faire.

Cayce la mit en garde : son «véritable moi intérieur», son «meilleur moi» protestait parce qu'elle avait négligé de tenir les promesses qu'elle s'était faites (un «parent» qu'elle aimait). Il caractérisa ses manquements comme aussi sérieux que le manquement d'une promesse de mariage. Et il souligna le défi en montrant l'avertissement qu'elle devait tirer d'un rêve qu'Aaron avait fait des semaines auparavant, dans lequel il avait constaté que sa femme devait prendre un purgatif pour ses évacuations. Elle l'avait admis alors, mais maintenant, elle était devenue insouciante et l'allaitement de son bébé souffrait de ses hésitations.

Dans ce rêve, le propriétaire avait réprimandé le capitaine parce qu'il suivait une route peu sûre.

Bien avant cela, alors qu'elle était enceinte avant sa fausse couche, Frances avait également eu un contact, en rêve, avec son meilleur moi, ou si l'on préfère, avec son âme, dans ce songe plein d'une vive anxiété :

J'ai rêvé que je ne pourrais jamais avoir d'enfant — qu'il ne m'en viendrait jamais aucun — que je ne donnerais jamais le jour à un être.

Cayce lui déclara tout bonnement qu'un jour elle aurait un enfant (comme ce fut le cas en réalité, mais non celui qu'elle portait alors). Il lui dit d'oublier toute interprétation littérale du rêve. Au lieu de quoi, il l'incita à prendre note des précautionneux préparatifs qu'elle faisait en vue de la maternité : régime, physiothérapie, attitudes, exercices. Ils constituaient «le plus haut service qu'elle pouvait rendre au Créateur et à celui qu'elle chérissait», son mari. Par réflexion, elle pouvait voir pourquoi le rêve considérait ces préparatifs courants de la naissance comme un symbole de purification et de la discipline qui lui étaient nécessaires non pour le bébé mais pour son propre moi le plus élevé qui devait occuper une plus large place dans son existence. C'était cela, la naissance qui était en jeu, non celle du bébé. C'était cela, l'enfant son plus haut moi qui deviendrait un jour le plus beau cadeau à son rejeton qui grandissait.

Un propriétaire de navire peut négocier l'échange de son bateau pour un nouveau bateau.

La réincarnation de l'âme, qui faisait des voyages successifs à travers les vies de la terre, de longue ou de courte durée, faisait partie des conceptions de Cayce. Chaque voyage est destiné à enrichir et à élargir la créativité totale de l'âme d'une manière plus ou moins spécifique.

Aucune des affirmations de Cayce ne lui aliéna autant de monde au cours de son existence.

Durant des années, il n'avait utilisé ses dons que pour donner des conseils médicaux. Puis il y avait ajouté des conseils non seulement sur les puits de pétrole, mais sur les affaires des nations. Par tous ses conseils psychiques, jusqu'à ce qu'il atteigne l'âge de quarante-cinq ans, il était resté une curiosité psychologique : une merveille pour certains, une source de désillusion pour d'autres. Mais peu avant que Frances et son mari n'apparaissent dans sa vie, il avait prétendu, en état de transe, que les gens revivent sur terre plusieurs fois. À partir de ce moment, il ne fut plus seulement une curiosité, mais quelqu'un qui devait être évité par ceux-là même qui, autrement, auraient été attirés vers lui par ses dons manifestes. Cependant, ses sources psychiques, quel qu'en fût le prix pour sa popularité et pour son estime de soi (car comme Protestant du sud, l'idée de la réincarnation lui était étrangère) le forçaient à déclarer qu'une telle renaissance était un fait, qu'il fallait l'observer sans passion, comme la jambe cassée qu'il soignait dans ses conseils médicaux, ou l'orientation du marché boursier qu'il commentait dans ses conseils d'affaires, ou les champs pétrolifères souterrains qu'il avait si brillamment situés quelques fois au cours des années précédentes.

Dans la première interprétation qu'il fournit à Frances, il lui déclara, à sa demande, que dans une de ses existences passées, elle avait été la servante ou la suivante d'Henriette, la femme de Charles Ier d'Angleterre. Ce n'avait pas été une existence particulièrement enrichissante, car elle avait absorbé beaucoup de l'esprit des intrigues de cour auprès de sa maîtresse et un style de «je vais en finir avec vous» lorsqu'elle était repoussée ou rendue furieuse. Cayce lui déclara fermement que dans son existence présente, elle devait surtout apprendre à ne pas agir par dépit ou par rancune. Il lui répéta souvent cet avertissement. C'était la voie que devait suivre son âme pour apprendre le pardon et la patience à l'égard des autres maintenant qu'elle était la femme de Aaron.

Son épreuve se produisit finalement, comme c'est souvent le cas, dans un conflit conjugal. Frances demeura huit ans avec son mari. mais elle finit par le quitter, non sans quelques relents de l'esprit de la Cour d'Angleterre. Ses rêves montraient qu'elle jouait avec l'idée d'une aventure avec un vieil ami pour faire bonne mesure. Mais ses rêves l'incitaient surtout à la patience et à la persévérance avec son mari quand la crise se produisit.

Le premier rêve de Frances axé sur ses existences passées lui vint dès sa lune de miel, s'il faut en croire Cayce. Puis, presque exactement un an plus tard, elle en eut un autre qui lui prédisait l'éclatement de son mariage plusieurs années plus tard.

Mon mari et moi étions sur un bateau, et il semblait y avoir beaucoup de tonnerre, ou de coups de feu et de combats. Pour finir, le bateau fut frappé par un éclair et la chaudière explosa. Il coula. Nous explosâmes avec lui, tués.

Cayce lui expliqua qu'un jour elle connaîtrait dans son existence des conditions (comme ce fut le cas) qui lui rappeleraient ce rêve qu'il qualifia de « vision » plutôt que rêve, à cause de son exactitude et de sa profondeur. Il lui dit que son subconscient se servait du voyage maritime comme d'un symbole ou d'un emblème du voyage de la vie. Et il lui dit qu'il y aurait un jour une crise dans son passage à travers les affaires de son existence, avec des tempêtes et des difficultés. Il eut un entretien sérieux avec le mari et la femme, disant que l'avertissement de la « vision » était destiné à tous les deux, « afin que les sentiers de chacun puissent être tracés en meilleur accord avec l'un et l'autre. » Cependant, il ne se montra pas fataliste lorsqu'il parla à Frances de cette épreuve future qui mesurerait sa capacité d'éviter le dépit ou la rancune. « L'explosion » (Cayce insista sur le fait que les rêves dramatisent souvent des figures de style) pourrait être suivie par un « apaisement » vers une meilleure compréhension de la part de chacun des partenaires conjugaux plutôt que par la destruction.

Le propriétaire du bateau avait exigé qu'on se prépare à affronter un sérieux défi.

Dans les années qui suivirent, Frances dut affronter un autre de ces défis. Son fils, comme son père, fut entraîné dans des difficultés conjugales qui provoquèrent chez lui une dépression nerveuse. Cette fois, elle fit appel à de profondes ressources de patience et de fidélité et l'en tira d'une manière qui lui valut l'admiration de ses amis et qui provoqua même chez Cayce cette remarque de profonde louange : « Dans l'existence présente, c'est l'entité qui l'a emporté. » Lorsque Cayce expliqua à Frances que toutes les structures mentionnées ci-dessus agissaient dans ses rêves, il lui dit, comme il l'avait fait à beaucoup d'autres, qu'il n'y a en effet que trois niveaux dans le rêve : ceux du corps, de la raison et de l'esprit.

Le corps peut provoquer des rêves pleins de significations, en faisant appel à une aide physiologique avec l'assistance du subconscient, ou il peut produire des rêves sans signification par un simple effet corporel chimique agissant sur le système nerveux, souvent à cause des aliments qu'on a absorbés. Parfois aussi, cela est provoqué par l'action anormale des glandes endocrines, ou à cause d'une circulation déficiente vers le système nerveux. Il incite Frances à noter « que l'on peut introduire dans le corps des éléments physiques... qui produisent des hallucinations ; ou que l'activité... introduite dans le système tente de maîtriser des aliments pernicieux ou des poisons, et produit de ce fait des hallucinations, des cauchemars ou l'avortement des forces mentales d'un individu. »

De tels rêves — des non-rêves — doivent être distingués des rêves plus courants, déclara-t-il, qui sont provoqués par l'activité mentale ou psychologique.

Les rêves de caractère mental primaire ne sont parfois que des soucis et des troubles conscients rabâchés dans la nuit.

Mais de simples rêves soucieux, dit Cayce, sont rares chez ceux qui travaillent avec leurs rêves. Généralement, lorsque la pensée ou l'effort conscients sont remis en scène dans la nuit, ils sont montrés pour obtenir une réaction du subconscient qui se met à interpréter l'expérience consciente sous un nouveau jour ou pour y ajouter ses propres informations de perception extrasensorielle par le canal du subconscient. Comme Cayce le déclara à Frances, certains rêves sont stimulés « dans la raison mentale d'une entité par une étude ou par une pensée profonde » relatives à un problème, à un intérêt ou à une relation. Dans de tels rêves « les expériences internes d'une entité individuelle sont en corrélation avec des structures et des perspectives internes, à travers les forces subconscientes de l'entité, les forces latentes de l'entité, les forces cachées de l'entité, » qui présentent les corrélations « dans une vision ou dans un rêve. Il s'agit souvent de conditions symboliques, chacune représentant une phase différente du développement mental de l'entité. »

Cependant, dans d'autres rêves mentaux tels que les voyait Cayce, l'initiative se trouve plutôt du côté du subconscient, avertissant ou prévenant le rêveur de quelque chose qui n'a pas encore pénétré son expérience consciente mais qui se manifeste sur son radar interne à cause de la source vers laquelle il se dirige.

Pour illustrer cette dernière sorte d'avertissement par le subconscient, Cayce isola un rêve de Frances dans lequel un ami intime s'était suicidé. Le rêve, dit Cayce, décrivait avec exactitude, chez cet ami, une tendance qui avait passé. Un tel rêve né de la « corrélation entre les mentalités des entités subconscientes » des deux rêveurs, amenant « d'un subconscient à l'autre... des conditions existant réellement », soit directement, soit indirectement, devait être traité avec une préoccupation aimante.

Enfin, il est des rêves qui naissent du moi le plus élevé du rêveur, et qui s'expriment souvent, en songe, par une voix inconnue, des rêves du superconscient, touchant les Forces Universelles. Cayce appelait de tels rêves des « rêves spirituels ».

Pendant sa lune de miel, quand elle commençait à peine à rapporter ses rêves, Frances entendit précisément une telle voix dans un de ses songes:

Je rêvai que je voyais une femme étendue sur un sommier, et le sommier semblait se balancer d'avant en arrière. Je rêvai que quelque chose en moi me disait : «Frances, tu vas t'éveiller à quelque chose de différent» et je sentis soudain un sourire sur mon visage.

En interprétant le rêve, Cayce parla explicitement du «bon plaisir» de la «consommation» du mariage, représenté par l'imagerie sexuelle du lit, les positions et le balancement. Il parla aussi de la plénitude de la féminité et de la personnalité qui s'éveillait en Frances quand elle s'abandonnait à l'acte sexuel, et il identifia la voix qu'elle avait entendue comme celle du « superconscient », répondant joyeusement à l'expérience sexuelle et amenant, dans son rêve, un sourire sur son visage. Il lui donna l'impression qu'elle s'éveillait à plusieurs niveaux en même temps, comme plus d'une jeune épousée l'avait ressenti. Ici, comme dans beaucoup d'autres rêves, il nota que la fonction typique de l'âme ou du superconscient dans un rêve était d'accélérer ou d'éveiller chez le rêveur ses nouvelles potentialités intérieures.

Chapitre III

La solution des problèmes
par les rêves

Edgar Cayce encouragea Frances à interpréter ses propres rêves.

Souvent, dans ses interprétations, il citait le dicton : « Chaque baquet doit se poser sur son propre fond ». C'était à cette sorte d'indépendance chez Frances que se rapportait, selon lui, le rêve suivant :

> J'étais à table avec mon mari, et il me parlait de mes verres à eau verts. « Assez, tais-toi dis-je, ne critique pas mes verres. »

Quoique Cayce ait souvent dit à Frances que ses rêves dans lesquels d'autres la critiquaient étaient en fait la représentation de sa langue acérée, il commenta ce rêve-ci selon une approche différente. Le vert, dit-il, était un symbole de sain développement, comme le vert dans la nature. Pour cela, elle devait s'en tenir à ce qui était sensé dans son concept de « forces créatrices ». Les verres étaient des récipients pour ce qui devaient être versé dans son corps et dans sa vie, tout ce qu'elle choisirait d'absorber en confiance. Il la prévint : « Aussi ne vous souciez pas de ce que les autres pourraient dire du moment que ce que vous voyez et faites s'accorde avec votre propre version interne de la « Force Créatrice » ou de Dieu ».

Lorsque Frances voulait s'appuyer trop lourdement sur les messages reçus en rêve de sa mère décédée, il l'encourageait à s'appuyer sur elle-même. Elle lui rapporta le rêve suivant :

*J'ai rêvé que ma belle-mère en avait assez de la Cali-
fornie, et qu'elle allait revenir chez nous dans six
semaines.* »

Il lui dit que sa perception était assez exacte (comme cela se
vérifia), mais lorsqu'elle lui demanda si cette perception
avait été guidée depuis un plan différent, il souligna qu'elle
était arrivée à la conclusion du rêve par un raisonnement
conscient dans un état de songe plutôt que par quelque
expérience psychique. Néanmoins, il l'encouragea à développer en elle, en entrant dans des périodes de silence, la
capacité d'obtenir un contact télépathique avec ceux qui lui
étaient proches plutôt que de rechercher des «conditions
spiritualistes».

Lorsque, plus d'un an avant la crise économique de
1929, elle rêva de la date exacte à laquelle son mari et elle
devraient vendre leurs valeurs à cause des «grands changements» qui allaient s'opérer alors, il l'encouragea à noter
comment elle pourrait, par de telles expériences, bénéficier
des directives dont elle aurait besoin dans ses activités quotidiennes.

Cayce invita Frances à faire plus que d'étudier simplement les rêves et la manière de rêver. Il la poussa à faire
plus que d'étudier le psychisme qui agissait sur ses rêves. Il
l'entraîna à interpréter et à utiliser ses propres rêves pour
résoudre les problèmes de la vie quotidienne.

Problèmes avec les parents

Au commencement de sa collection de rêves, il y avait les
problèmes qu'elle rencontrait avec ses parents dans leur
famille très fermée de Juifs du Sud. Non seulement ils
avaient exprimé les doutes habituels à propos d'un homme
du Nord qui cueillait la fleur de la féminité du Sud, mais
aussi certains doutes familiaux comme de savoir si le carnet
de chèques de son mari était aussi solide qu'il en avait l'air.
Ils avaient aussi critiqué ouvertement l'intérêt qu'il portait au
psychique. Comment Frances allait-elle manœuvrer ses
parents?

Même au cours de son voyage de noces, elle rêva de sa famille, comme elle le rapporta à Cayce plusieurs jours de suite, lorsqu'elle commença à établir sa série de rêves.

J'ai rêvé que je voyais mon oncle remuer du café noir.

J'ai rêvé que j'étais sur un train qui me ramenait chez moi au Mississippi.

J'ai rêvé que j'étais à cheval et que je tombais. Le même matin, j'ai rêvé de mon père qui était chez nous au Mississippi, et je me réveillai en pensant à Cayce.

Cayce lui déclara que le premier rêve se rapportait aux sentiments réels de son oncle à propos de son mariage, aussi peu clair que de remuer du café noir qui n'avait pas besoin d'être remué. Le second rêve, poursuivit-il, était la continuation de ce qu'elle avait pensé avant de tomber endormie (il faut noter que Cayce avança ce fait vérifiable alors qu'il se trouvait à des centaines de milles de distance, et plusieurs jours après). Cette pensée était que le vrai trajet de chemin de fer qu'elle effectuait pour son voyage de noces était très différent de celui qu'elle aurait pu faire pour rentrer chez elle, auprès des siens. Le problème qu'elle résolvait ainsi, déclara-t-il, était de prendre en considération tout ce que, en tant que jeune épousée, elle laissait derrière elle. C'était la version de Frances du problème que rencontre toute jeune mariée.

Quant au troisième rêve, Cayce s'empressa de le corriger comme il le faisait souvent, en disant à la rêveuse qu'elle en avait oublié une bonne partie. Il lui fournit alors les détails manquants pour qu'elle les virifie et les étudie!

Il n'y avait pas eu seulement, dit-il, le cheval et la cavalière, mais la vision d'une route avec divers obstacles et puis un événement qui fit faire un écart au cheval et désarçonna la cavalière.

Il traita ce rêve comme s'il engageait la jeune épousée à un niveau beaucoup plus profond que les autres — comme un analyste l'aurait déduit de l'image dynamique du cheval, de la présence du père et de l'allusion à un Cayce imposant. Mais Cayce n'évoqua pas le problème d'Oedipe à propos de ce rêve, quoique les liens de Frances avec son père eussent probablement été mis en lumière parce qu'elle avait pris un homme en mariage. Au lieu de quoi, il considéra que ce rêve continuait à traiter du problème de l'acceptation de son mariage par ses parents, et de l'intérêt porté par son mari aux choses psychiques.

Il considéra que le cheval apportait «un messager», un appel que chacun reçoit de son meilleur moi. Et il décrivit son étonnement à l'égard des choses que la cavalière avait dites de même que ses efforts pour accorder le message avec le point de vue de ceux qu'elle chérissait, comme son père. Il vit les obstacles sur la route comme des images graphiques de rêve représentant les obstacles qui l'attendaient sur la nouvelle voie de son existence, et il la mit en garde en disant que la chute de la cavalière pouvait signifier un possible refus du message (ce qui arriva en fait, comme ses rêves continuaient à le faire prévoir, quelque cinq ans plus tard). Cayce parla à Frances avec un sérieux inhabituel à propos de ce rêve. Il caractérisa la manière dont elle cherchait des solutions dans le sommeil comme «très, très bonne». Puis il la laissa sur l'impression que, dans ce rêve, elle avait été au-delà des problèmes stratégiques de l'harmonie familiale pour s'atteler au problème plus profond de savoir sur quoi elle allait appuyer sa propre vie : sur quelles perspectives, sur quelle foi, sur quels principes. Comme toujours, il lui conseilla de se fier à son meilleur jugement.

Tous les problèmes de Frances n'étaient pas aussi abstraits. Alors qu'elle en était encore à sa lune de miel, elle adressa à Cayce un rêve sexuel qui lui attira de sa part une réponse d'un genre tout différent. Elle écrivit :

Je vis clairement une belle maison qui était en feu. La même nuit, je rêvai qu'une de mes amies était à table en train de dîner avec de nombreux convives parmi lesquels je figurais. C'était dans le temps, au Mississippi. Elle flirtait outrageusement et ouvertement avec un ancien ami du temps où elle était célibataire et qui était assis à côté d'elle. Tous les convives la critiquèrent pour cela.

En interprétant ce rêve, Cayce ne suivit pas sa méthode habituelle. En général, son système consistait à faire lire le rêve à haute voix par sa femme, alors qu'il était en état de transe. Ensuite, il l'interprétait. Mais dans le cas présent, il se lança dans l'interprétation après la première phrase en interrompant sa femme qui «dirigeait» la séance comme le font les hypnotiseurs. Ignorant le texte du rêve, il se mit à en parler comme s'il l'avait tout entier à son esprit par une sorte de perception extrasensorielle; ce qui était précisément le cas, comme le montrent ses commenatires.

Pourquoi cette interruption? Elle semblait se produire de temps en temps, lorsque Cayce estimait qu'il y avait une certaine urgence à propos du sujet de l'interprétation qu'il s'apprêtait à donner. Ici, l'urgence apparut dans ce qu'il dit à Frances.

Il dit que la belle maison qui était en flammes n'était qu'un rêve dans la série de rêves qu'elle avait faits, montrant que quelque chose de beau était détruit. Dans chaque cas, dit-il, la destruction était représentée par quelque symbole figurant la mésentente avec les gens de son ménage. Ici, c'était le feu, représentant le feu de la colère dans ses rêves, ce qui, dit-il, ne constituait pas un symbole insolite.

Ce qu'il disait à une jeune mariée, c'était ceci : votre rêve montre que vos magnifiques relations nouvelles pourraient bien se terminer dans la mésentente et dans une amère colère. Cet avertissement de Cayce était-il justifié? Huit ans plus tard, le mariage devait se terminer exactement de cette manière.

Cependant, Cayce n'était pas fataliste. «Cela ne doit pas commencer, dit-il en incitant le couple à travailler d'emblée à l'établissement immédiat d'une compréhension mutuelle. Et si le feu de la colère devait un jour jaillir entre eux, ajouta-t-il, ils pourraient en sortir meilleurs, plus parfaits ou plus sains pour être passés par l'épreuve du feu, s'ils en avaient la volonté»

Il souligna l'importance du pouvoir de la volonté chez chacun des partenaires, et il montra son action dans une tendance que révélait le rêve, à savoir que Frances retenait une part d'elle-même dans le mariage. Elle avait déjà retenu en elle une partie du rêve, souligna-t-il, car il lui rappela que dans le rêve seule une partie de la façade était détruite alors qu'elle avait aussi aperçu des ruines noircies à l'arrière.

Que représentaient ces ruines noircies? La réponse se trouvait dans la scène du flirt outrageux du temps passé, qui suivait immédiatement dans le rêve, et qui provoquait les critiques envers l'amie qui était en réalité la représentation de la rêveuse elle-même.

Cayce parla prudemment de cette partie du rêve, avertissant Frances que des impropriétés sexuelles pourraient «jeter une ombre» sur la vie qui l'attendait. En interprétant ce rêve (peu semblable à un autre que Frances eut beaucoup plus tard et dans lequel son mari lui apparut dans une lumière douteuse et la laissa se noyer) Cayce parla à Frances elle-même. La tendance de ses commentaires était qu'elle conservait une partie de ses rêveries imaginatives pour son ancien ami, et qu'elle s'y complaisait, même pendant sa lune de miel, puis qu'elle se sentait accusée par les battements de sa conscience. Il lui rappela, comme il l'avait fait pour d'autres, que les pensées sont des faits dont les conséquences sont très réelles. Apparemment, il faisait allusion à une chaîne d'événements familiers aux psychiâtres : l'un des partenaires du mariage maintient hors du mariage une portion de lui-même mais il devient si vulnérable au sentiment de culpabilité qu'il est incapable de pardonner à son conjoint lorsque celui-ci, à son tour, suit une voie similaire. Cayce voyait-il en Frances quelque chose qui puisse bloquer la réconciliation dans des querelles conjugales ultérieures et l'incitait-il à trouver un moyen de se réfréner elle-même? Il ne parlait certainement pas de ses activités, car elle venait de conclure un mariage heureux. Il n'y avait, dans ce tableau, rien qui ressemblât à une aventure.

Cinq mois plus tard, il interrompit à nouveau un rêve de Frances qu'on était en train de lui lire :

Ma belle-mère, mon mari et moi vivions ensemble dans une maison, en Pennsylvanie, et j'entendis des coups de feu et une grande agitation. Toutes les fenêtres de notre maison étaient ouvertes, il pleuvait dehors, et la tempête faisait rage. Aussi nous précipitâmes-nous pour les fermer. Une sorte de terri-

*fiant sauvage semblait parcourir la ville, tirant des
coups de feu et provoquant un grand trouble, et la
police le pourchassait.*

Ici, Cayce, inconscient, interrompit la lecture pour dire à la
rêveuse comme si elle était dans la pièce avec lui à Virginia
Beach au lieu d'être à des centaines de milles de là, à New-
York, que «cet homme grand, ce croquemitaine», c'était
elle-même et son sale caractère. Puis il attendit qu'on lui lise
le reste du rêve :

*La situation était chaotique et troublée. Nous interpel-
lâmes les policiers pour savoir s'ils avaient arrêté cette
terrible personne, et ils répondirent : «Pas encore!»*

Cayce répondit aussitôt que Frances devrait se contrôler si
apparemment cette «terrible personne» devait être arrêtée
et conquise. Pour lui, l'image de son rêve travaillant à
résoudre le problème de son caractère semblait tout à fait
clair, comme elle l'aurait été pour quiconque aurait vécu
avec Frances quand elle tempêtait dans toute la maison,
créant une situation chaotique et troublée.

Mais tous les problèmes que ses rêves travaillaient à
résoudre n'étaient pas aussi sérieux. Certains étaient aussi
prosaïques que son régime, par exemple.

Problèmes de santé

Elle souhaitait garder sa silhouette de jeune fille. C'était
important dans son milieu social, mais cela avait aussi des
implications sexuelles auxquelles elle-même et son mari
étaient sensibles. Elle rêvait qu'elle essayait des vêtements,
et plus tard, lorsqu'elle fut enceinte, elle rêvait du décourage-
ment qu'elle éprouvait à être grop grosse pour sortir et
assister à une soirée mondaine. Souvent elle suivait un
régime bien qu'elle eût à peine plus de vingt ans et qu'elle
n'était pas d'un poids exagéré. Elle se passait de féculents et
de douceurs, comme le lui permettait sa forte volonté, et
elle créa ainsi, selon Cayce, un problème pour l'équilibre de
son corps. Des rêves se produisirent pour essayer de résoudre le problème.

J'ai rêvé que je disais à mon mari «Maintenant, mes
crampes sont parties!» Il répondit : «C'est très bien».
Puis je m'éveillai, et toute ma douleur s'en était allée.
Cayce consacra un bon bout de temps à ce petit rêve, en lui
montrant que les crampes qu'elle avait eues réellement, à
l'état de veille aussi bien que dans ses rêves, étaient dues à
sa cure d'amaigrissement. Il souligna les effets de ce régime
sur la digestion, sur les évacuations, sur la reconstruction
des cellules, sur le fonctionnement des glandes et sur la circulation du sang. Ensuite, il la pressa de corriger ce régime
comme son propre jugement le lui avait déjà conseillé. Il lui
montra aussi comment le souci de sa silhouette apparaissait
dans ses rêves lorsqu'elle lui parla d'un rêve de la nuit précédente :

J'ai rêvé que je voyais J.B. et sa sœur. Il était question
de l'apparence extérieure.

Il lui rappela qu'elle considérait cet homme et sa sœur
comme des gens qui se faisaient un souci exagéré de leur
aspect. Elle avait rêvé d'eux parce que sa propre raison
interne considérait que son super-régime destiné à garder
sa ligne paraissait aussi déraisonnable qu'eux.

Une semaine plus tard, Frances rêva à nouveau de son
régime :

J'étais assise à une table et je mangeais. Non, c'était
plus que manger : j'engouffrais. Il y avait un gâteau au
chocolat et toutes sortes de friandises et de bonbons, et
je m'en suis payé une tranche à tout dévorer.

Patiemment, Cayce expliqua que ceci était également un
rêve destiné à résoudre son problème corporel, et qu'il
valait mieux qu'elle mange un peu plus de friandises que de
s'endommager le corps par sa cure d'amaigrissement. Mais
il ajouta qu'elle ne devait pas prendre ce rêve au pied de la
lettre, et qu'elle ne devait manger des friandises que de façon modérée.

Un an plus tard, elle recommença ses expériences de
régime pour soigner sa ligne et elle rêva ceci :

Il pleuvait de l'amidon et je rêvai que je devais sortir
dans cette pluie d'amidon afin de m'en mettre sur le
flanc pour calmer la douleur.

Ici encore, commenta Cayce, le corps résolvait un problème par le rêve. Il expliqua assez longuement que le manque d'amidon dans son régime causait une fermentation dans les organes du côté droit de son corps, ce qui provoquait une douleur, et que ce manque d'amidon n'était pas bon non plus pour le fœtus qu'elle portait.

Problèmes avec l'entourage

La même nuit, Frances avait rêvé d'une espèce de problème très différent dont Cayce déclara que c'était sa perception extrasensorielle qui l'avertissait d'un désagrément à venir.

> Je me suis évanouie dans la 5ème Avenue, tombant sur le trottoir et me cassant plusieurs dents. Il me semblait que Leo avait quelque chose à voir la-dedans.

Assimilant en quelque sorte ce Leo inconnu avec sa propre clairvoyance, Cayce répondit que ce petit rêve venait l'avertir d'une angoisse qui proviendrait de choses déplaisantes que Leo allait dire à son sujet. Puis il ajouta, comme il le faisait souvent quand il interprétait des rêves prémonitoires : «étant avertie, préparez-vous.» Il l'incita à ne pas tenir un compte exagéré de ces remarques lorsqu'elle les entendrait et «à ne pas permettre qu'elles prennent racine dans son esprit» comme le font souvent des sarcasmes peu aimables qui mènent à des mots amers aussi difficiles à réparer que des dents.

C'est un autre genre de relation qui occupait le centre d'un rêve dramatique qui, dit-il, en appelait également à la perception extra-sensorielle de Frances. Elle avait perdu une jolie broche que sa mère lui avait donnée et elle soupçonnait une servante de la lui avoir prise. Elle rêva :

> Bob me montra ma broche perdue, attachée à mon collier de perles. En y regardant de plus près, je vis que c'était une autre broche que celle que ma mère m'avait donnée, et pas du tout celle que je cherchais.

Pour décrypter ce rêve, Cayce dut lire dans l'esprit de Frances, se concentrant sur le souvenir de la manière dont elle

51

avait traité, quelque temps auparavant, un vol de vêtements par une de ses servantes. Plutôt que d'accuser celle-
ci et de la mettre sur la défensive, Frances avait pris une attitude plus positive pour montrer à la servante quels étaient
ses sentiments et ses conceptions de l'honnêteté, et ses
vêtements lui furent rendus.

Cette fois, cependant, Frances s'était montrée impa-
tiente. Le rêve était une manifestation de cette impatience.
Il lui montrait, selon Cayce, que si elle cherchait à confon-
dre cette domestique, celle-ci opérerait une substitution
pour camoufler le vol. Ou bien elle s'en irait, et Frances ne
retrouverait plus jamais sa broche. Cayce l'engagea à agir
comme elle l'avait fait dans le cas des vêtements, et comme
son propre jugement, ajouta-t-il, l'y incitait déjà. Attendre,
observer, prier.

Puis, de façon très caractéristique, il fit état d'une
chance que pouvait avoir Frances, une chance d'être, pour
sa servante, une sorte de témoin tranquille. Il dit que, si elle
n'était pas trop effrayée, la fille était prête à apprendre. Il
l'incita à traiter l'incident de manière à ne pas voler à la
voleuse quelque chose de plus important que de l'or et de
l'argent : le respect d'elle-même, sa chance de devenir
meilleure, son âme. Il demanda à Frances de « mettre dans
le cœur et dans l'esprit » de ses domestiques et de ses
parents que « c'est la crainte du Seigneur et non la loi qui est
le commencement de la sagesse. »

En soulignant la force de l'orientation totale d'une personne comme plus importante que la conscience et que la
crainte du châtiment, et en ayant l'assurance que les relations entre Frances et sa servante porteraient leurs fruits,
Cayce démontra sa propre valeur intrinsèque. Cette valeur
affectait inévitablement tout le sérieux de son interprétation
des rêves. Dans l'esprit de Cayce, les problèmes de quelqu'un n'étaient jamais simplement les siens, et la fonction
des rêves était de mettre en lumière tous les facteurs d'une
situation, aussi bien que la solution globale la plus créatrice.

Problèmes d'argent

Frances possédait quelques actions à son nom, mais c'était son mari qui s'occupait des placements, et qui faisait les rêves qui s'y rapportaient. Cependant, elle ne pouvait s'empêcher de s'inquiéter de ses soucis, et tout au début de son mariage, elle fit les deux rêves suivants à propos d'actions :

> *Mon mari et moi étions dans le Sud, et nous vîmes des milliers de petits enfants qui apprenaient à nager dans un grand lac. Ils se trouvaient sur une sorte de système de cordes qui descendait au coup de sifflet et leur permettait ainsi de nager jusqu'à la hauteur de leur poitrine. Je me demandai comment ce système de cordes fonctionnait, et ce que c'était. De nombreuses autres filles nageaient également.*

Cayce considéra que le rêve se rapportait à des produits en fibres provenant du Sud (où Frances avait été élevée) : le coton. La grande machinerie lui montrait la montée et la chute des prix dans le marché du coton, en réponse au sifflet : l'offre et la demande. Les milliers d'enfants représentaient les nouvelles industries qui s'établissaient dans le Sud et qui avaient besoin de coton, tandis que les plus grandes filles représentaient les consommateurs les plus importants et les courtiers qui affectaient le plus la fixation des prix. L'eau servait à montrer que ce marché apportait un soutien vital à de nombreuses personnes.

Il dit à Frances d'apporter ses parts de coton à certains courtiers qui n'appartenaient pas à la famille plutôt qu'à son mari qui était lui-même un investisseur expérimenté : ceux-ci l'aideraient à utiliser les tuyaux de ses rêves à son meilleur profit. Plus tard, elle en arriva aussi à donner des tuyaux pour son mari :

> *Mon mari et moi nous étions rendus à la station du chemin de fer L et N. Il avait manqué son train. Le premier train était parti. Je lui dis : «tu n'aurais jamais dû manquer ce train L et N. Tu devrais mieux regarder l'heure. Tu es trop lent.» Il prit un taxi pour se rendre à un autre chemin de fer, mais le taxi qu'il prit était un*

lent fiacre. Puis je vis un étal de fruits, et je dis à mon mari : « achète-moi un fruit. »

À propos de ce rêve, Cayce en vint tout droit aux détails relatifs au marché. Encourageant Frances à utiliser de tels rêves comme guides financiers, comme il y avait encouragé son mari, Cayce démontra que le rêve était correct en montrant que son mari avait effectivement raté une hausse des actions L et N dont il était à court. Il montra aussi que si Aaron pouvait se tirer de cette situation avec les actions L et N, comme l'indiquait le taxi, il ne pourrait pas tirer grand profit de la situation, comme l'indiquait le lent fiacre. La partie relative aux fruits était, dit-il, prémonitoire. Il déclara que les actions des chemins de fer et des fruits feraient bientôt l'objet d'une combinaison qui affecterait leurs portefeuilles. Il pressa Frances et son mari d'être prêts à acheter lorsque l'événement se produirait.

C'est ainsi que Frances acquit son initiation dans le monde des rêves boursiers qui allaient permettre à son mari et à ses associés de se faire beaucoup d'argent sur le marché des valeurs.

Lorsque le grand krach boursier de 1929 commença à pointer à l'horizon, Frances et son mari en eurent tous deux de vastes et clairs avertissements, des mois à l'avance. Grâce à cela, son mari put traverser le krach et les premières années de la Dépression relativement sans mal. Il se rendit même en Europe au plus fort de la Dépression. Il attribua à sa prémonition psychique le sauvetage de sa fortune, comme elle lui avait permis de la bâtir.

Lorsque le mariage fut brisé, Frances se trouva seule pour élever son fils. En quelques courtes années, elle était passée d'une situation modeste à une richesse exceptionnelle, puis à une amère nécessité, ses deux parents étant morts. Elle eut besoin de toutes les ressources de son être.

Une de ces ressources fut l'étonnante, et finalement, convaincante expérience de pouvoir communiquer avec sa mère au-delà de la mort.

Chapitre IV

L'aventure par les rêves

Il est caractéristique de noter que ceux qui s'adressaient à Edgar Cayce pour s'entraîner à rêver commencèrent à vivre des aventures grâce à leurs productions nocturnes.

Beaucoup de leurs rêves s'attachaient à résoudre les problèmes à tous les niveaux de leur existence, comme le constata Frances.

Mais certains de leurs rêves ne constituaient que des aventures. Ils étaient apparemment inclinés à accélérer chez le rêveur des potentialités cachées. C'était la seconde grande fonction que Cayce attribuait aux rêves.

Certains rêveurs systématiques poursuivaient en rêve la découverte d'inventions mécaniques, comme ce récipient à huile qui permit à un homme de gagner beaucoup d'argent. Certains rêvaient qu'ils remontaient le cours de l'Histoire. Certains entendaient de la musique, d'autres, étudiaient la psychologie dans leurs rêves. Trois étudiants d'université rêvèrent avec exactitude d'un trésor caché. Une ménagère rêva les réponses à un concours publicitaire sur les vitamines.

Cependant, la plupart des aventures allaient plus loin. Elles entraînaient le rêveur dans des avenues qui élargissaient et transformaient toute son individualité.

La transformation fut la marque des aventures qui se développèrent pour Frances durant les quatre années où elle se fit conseiller par Cayce pour ses rêves. Elle explora le pays de la mort, d'abord à travers ses rêves, et ensuite dans quelques expériences à l'état de demi-veille.

Expériences psychiques dans les rêves

Toutes les expériences psychiques de Frances dans ses songes ne se rapportaient pas aux disparus, aux « désincarnés » comme les appellent les chercheurs psychiques. Certaines de ses perceptions extrasensorielles allaient dans des directions toutes différentes.

Ce qui apparaissait comme expériences extrasensorielles lui fit remonter le temps dans le passé, dans ce que Cayce appelait ses existences passées. Un premier aperçu en fut donné dans un rêve qu'elle eut six semaines après son mariage :

J'ai rêvé que mon mari ne reviendrait plus à la maison, et j'ai amèrement pleuré.

Cayce lui dit que cette imagerie de son rêve atteignait le fond même de son âme. « Ce considérable éveil de votre amour pour lui, évoque la possibilité de l'état de séparation. » Les profonds émois qu'elle ressentait en tant que jeune mariée évoquaient également ce que Cayce appelait son *Karman* : toutes les épreuves et toutes les questions relatives aux hommes et à l'amour qu'elle gardait enfermées tout au fond d'elle-même.

L'image de l'amour réel entraînant avec elle la possibilité d'une aliénation réelle est celle que les psychiâtres et les poètes reconnaîtraient les uns et les autres sans le cadre de la réincarnation où la plaçait Cayce.

En dépit de ces épisodes décourageants dans ses rêves, Frances était décidée à développer sa perception extrasensorielle, et sa *psyché* semblait prête pour cette sorte de réveil si l'interprétation par Cayce de ce rêve récent était correcte : « *J'ai rêvé que je mourais* ».

En ceci, disait-il, elle voyait la mort de son attachement aux « forces physiques », de sa préoccupation des plaisirs et des distractions physiques, ce qui pouvait donner naissance à ses possibilités de pensée sérieuse et de créativité. C'était le rêve d'une fin qui préparait un commencement.

La même nuit, elle rêva encore de l'éveil qui bouillonnait en elle en réponse à l'intérêt qu'elle éprouvait pour son mari et pour Cayce.

Je vis quelqu'un porter une robe que je copiai et que je portai. Lorsque j'essayai la manche gauche, elle était très serrée. On me déclara qu'il devait en être ainsi « faites m'en deux, exactement comme celle-ci », dis-je. Cayce décrivit sa manière de « faire toilette » comme une preuve de l'éveil de son subconscient pour la mise en œuvre de nouvelles potentialités, spécialement en vue d'expériences psychiques telles, qu'elle puisse avoir envie de copier sur son mari ou sur d'autres. Mais il la mit aussi en garde : le fait qu'elle commandait deux robes était un peu une démonstration de son orgueil qui devait être dompté.

Son conseil fondamental fut biblique : « Cherchez et vous trouverez. Frappez, et il vous sera ouvert ». Cependant, il nota que la robe était étroite, car elle devrait faire passer « son désir de briller après celui de se montrer acceptable à Lui, le Dispensateur de tous les dons beaux et parfaits, en prouvant par ses mots et par ses actes qu'elle avait profité de ses leçons. » L'approche psychique qu'elle recherchait ne pouvait pas être commandée comme une robe, mais « petit à petit, pas à pas », en apprenant à partager fructueusement ses découvertes avec les autres. Il poursuivit dans la même veine lorsqu'elle lui rapporta un autre rêve de la même nuit : « *Je me suis vue vêtue de différents costumes.* »

En revoyant ce rêve, dit-il, elle pouvait se voir évoluer progressivement, mettant progressivement ce dont elle avait exactement besoin, à tous les niveaux, pour son nouvel éveil, sur les plans spirituel, physique et mental. Dans le langage caractéristique qu'il utilisait pour ses interprétations sérieuses, il paraphrasa deux passages du Nouveau Testament : « Mettez l'armure toute entière... ces conditions qui vous offrent le Royaume spirituel. Avec cet éveil — tout d'abord l'éveil au vrai Royaume, lui dit-il — tout ce qui est physique et matériel vous sera octroyé en plus », sous forme de dons aussi utiles que ceux de son mari et de Cayce qu'elle admirait tellement.

Il ne fallut pas beaucoup de temps pour que Frances commence à montrer dans ses rêves un éveil aux talents de perception extrasensorielle. Ceux-ci se manifestèrent dans deux directions qui subsistèrent pendant les quatre années qu'elle correspondit avec Cayce. L'une d'elle était celle des conseils en matière de santé, pour elle-même et pour ses proches. L'autre était la télépathie. Ces deux dons, de même que la capacité acquise plus tard d'atteindre sa mère décédée au-delà de la mort constituèrent son profil psychique, différent de celui des autres personnes qui cherchaient conseil auprès de Cayce pour leurs songes.

Les conseils de santé, dans ses rêves, étaient simples. Mais ils étaient utiles. L'un des premiers était un rêve très court : « *J'ai rêvé que le refroidissement de mon mari empirait.* » Cayce lui rappela qu'elle avait déjà des prescriptions à lui donner et qu'elle devrait en faire quelque chose.

Quelque chose qui ressemblait davantage à la perception extrasensorielle se manifesta dans un rêve ultérieur :

Mon mari et moi allâmes dans un magasin pour acheter du sucre candi, et je lui dis : « Voilà que tu te soucies de venir acheter du sucre candi. Tu sais que ce n'est pas bon pour toi et tu ne devrais pas en manger. »
Il était temps, commenta Cayce, qu'elle se préoccupe de guider son mari et de surveiller son appétit pour les bonbons.

Aaron avait dû l'écouter, car un mois plus tard, elle fit pour lui un rêve précis qui se révéla médicalement sain :

J'avais l'impression d'avoir des ennuis avec mon oreille et je dis : « Je sais... c'est une rechute de mes anciens maux d'oreille ». L'oreille me faisait très mal. Cependant, il me semblait que c'était l'oreille de mon mari, pas la mienne.
La dernière partie du rêve, dit Cayce, lui montrait la bonne direction à considérer. Car le rêve constituait en fait un avertissement relatif à une infection de la trompe d'Eustache de son mari. Le rêve s'était simplement servi de ses propres maux d'oreille pour représenter ce dont son mari avait

besoin. Si futile que fût son rêve, Frances dut néanmoins demander à Cayce de quelle oreille il s'agissait. «La gauche», répondit-il. Ce que confirma le médecin.

La même nuit, Frances rêva de façon plus frappante encore de la santé de son beau-frère :

> *Je le vis devenir tellement malade que j'intervins en leur disant qu'ils ne devaient pas laisser se répéter ce qui était arrivé à ma mère.*

Cayce répondit qu'elle avait correctement compris dans son rêve combien il était grave de laisser son beau-frère remettre à plus tard toute assistance médicale, comme sa mère l'avait fait de façon fatale. «Mais son intervention, dit-il, était la description des utiles démarches qu'elle avait déjà accomplies dans son cercle familial, ce qui commençaient à porter leurs fruits. »

En six mois, elle connut une expérience inoubliable de l'activité de ses perceptions extrasensorielles dans la protection de la santé de ceux qu'elle chérissait. Il lui semblait, dans son rêve, que ses parents (alors décédés tous les deux) lui apparaissaient en songe et étaient heureux de la voir. Cependant, ils manifestèrent un grand souci :

> *Ils me parlèrent de ma sœur qui s'était suicidée, qui s'était donnée la mort.*

Cayce déclara avec insistance que le rêve lui montrait ce qui se passait dans l'esprit de sa sœur, et que celle-ci nourrissait nuit et jour l'idée du suicide.

Alarmés, Frances et son mari se précipitèrent pour téléphoner à sa sœur qui s'effondra et admit qu'elle pensait à se tuer, comme son père l'avait fait avant elle. Le fait que le rêve et la conversation téléphonique étaient arrivés à temps et les longues heures d'entretien qui suivirent sauvèrent sa sœur de la mort.

Sa capacité de connaître, par les rêves, les pensées de ceux qui lui étaient proches n'était pas toujours aussi troublante pour Frances. Elle envoya à Cayce une brève note, avec d'autres rêves, à propos d'une scène qui concernait un de ses cousins préférés : «*J'ai rêvé que mon cousin William était marié*». Ici, elle avait eu une exacte prémonition de ses intentions, lui dit Cayce, et avant trois mois, elle recevrait un message lui annonçant que le mariage avait eu lieu. Il lui suggéra d'écrire un rapport sur ce rêve comme d'abord l'étendue du subconscient et de ses perceptions extrasensorielles «Suivez cela, dit-il, et vous verrez.»

Cayce ne précisa pas clairement si Frances était émetteur ou receveur dans l'agréable exemple d'un rêve télépathique qui se produisit quand elle était au début de sa grossesse. Dans la nuit du 2 décembre 1925, la belle-sœur de Frances rêva que «*Frances, ma belle-sœur, avait un nouveau bracelet flexible en diamants.*» Elle envoya le rêve à Cayce, comme le faisaient parfois certains parents de Frances. Il lui dit qu'il représentait Frances faisant des préparatifs pour sa maternité, «pour les plus grands liens qui lient le moi à l'approche du moi, à l'extension des forces spirituelles sur le plan terrestre». Cayce se faisait une haute idée de la maternité qui pouvait ramener sur terre, pour une nouvelle incarnation, une âme utile et talentueuse. Pour lui, la grossesse était parfaitement symbolisée par des bijoux précieux, et spécialement par ceux qui ornaient les bras destinés à tenir l'enfant.

Ce fut précisément la même nuit que Frances elle-même rêva ce qui suit :

> *J'ai rêvé que j'avais aux doigts des rubans qui s'ouvrirent pour constituer des bracelets flexibles jusqu'à mon coude. J'étais alors à la maison et j'allais à l'école. Je fus si excitée que je décidai de rester à la maison et de ne pas aller en classe. J'étais habillée d'un sweater et d'une jupe rouges. Ma mère m'incita à rester à la maison pour célébrer ma bonne fortune. De toute manière, j'avais perdu l'horaire de mes cours, de sorte que je ne pouvais aller au collège ce jour-là. Je demeurai à la maison, toute excitée, pour jouir de ces magnifiques bijoux.*

À l'égard de Frances, Cayce se montra beaucoup plus détaillé à propos des bracelets. Ils étaient apparus d'abord sous forme de rubans, dit-il, parce que les rubans sur les doigts signifient l'union conjugale. Ils s'étaient ouverts en bracelets parce que son mariage «s'ouvrait maintenant vers ce magnifique développement qui allait occuper l'entité avec un bras couvert des joyaux de cette union. »

Mais ensuite, Cayce alla au-delà de ce qu'il avait dit à la belle-sœur de Frances. Il ajouta pour elle que le bébé viendrait à terme en juin, et que ce serait un garçon.

Cependant il ajouta très sérieusement que la naissance pourrait ne pas avoir lieu si elle n'observait pas les préparatifs et les précautions nécessaires, tant mentalement que physiquement (en réalité, cette grossesse se termina par une fausse couche deux mois plus tard). Le rêve dans lequel elle restait à la maison et avait perdu son horaire des cours, dit-il, montrait qu'elle pouvait « se perdre dans le dédale des conditions et des conjectures » de la maternité. Il la pressa de se soucier de son régime et des problèmes de physiothérapie, de se reposer et de se libérer de ses soucis, ce qu'il avait déjà souligné précédemment pour elle dans une interprétation médicale.

Frances apprenait à utiliser la perception extrasensorielle dans les rêves, quoiqu'elle eût aussi beaucoup à apprendre sur la maternité.

Prévoir la mort

Comme son mari, Frances était fascinée par la question de savoir si la personnalité humaine survit à la mort corporelle. Au début des années 20, il n'existait pas encore de laboratoire systématique de recherches sur la perception extrasensorielle. En effet, le Dr J.B. Rhine, qui allait inventer le terme n'avait pas encore paru sur la scène de la recherche psychique. Il n'apparaîtrait que quelques années plus tard, à l'Université de Clark, dans un symposium avec le célèbre psychologue Mac Dougall, et en compagnie d'un jeune homme qui allait devenir le Doyen des psychologues américains, Gardner Murphy.

Pour Frances et ses amis, les phénomènes psychiques s'identifiaient presque à la question de la vie après la mort. Leurs intérêts s'inscrivaient dans le cadre des intérêts de la Société de Recherches Psychiques, d'origine britannique, qui accordait à ce moment sa plus vive attention aux recherches sur les médiums et les phénomènes spirites. Cette attention ne constituait pas un désir morbide de rester en contact avec des êtres chers disparus, mais plutôt le désir de montrer que l'«esprit» était un principe indépendant chez l'homme, quelque chose qui survivait à sa mort et qui, de ce fait, méritait plus d'attention, au cours de l'existence, que la matière et le matérialisme. Ce que l'on recherchait fondamentalement, c'était une philosophie de l'existence. Les enthousiastes des phénomènes psychiques estimaient qu'ils pouvaient en tirer une nouvelle et impérative échelle de valeurs pour leur monde qui était encore marqué par les stigmates de la Première Guerre Mondiale.

L'intérêt de Frances pour la vie de l'au-delà se manifestait clairement dans un rêve qu'elle avait rappelé au début de son mariage. Le véhicule en était d'un type qui n'était pas inhabituel pour ceux qui soumettaient leurs rêves à Cayce : un rêve où l'on discutait d'un sujet important pour le rêveur.

J'étais en discussion avec Ted. Mais je me souviens seulement d'une partie. Rappelez-le moi, interprétez-le et donnez-moi une explication pour que mon esprit puisse en saisir la signification et que je puisse mieux comprendre la leçon qu'il comporte. Ce dont je me souviens, c'est ce qui suit : «Alors, tu vois, Ted, la mort n'est pas un tombeau, comme le croient beaucoup de gens. C'est une autre forme phénoménisée de la vie.»

Comme il le faisait souvent, Cayce commença par dire à la rêveuse quelle était la partie de son esprit qui était en action, et comment, elle agissait dans un rêve donné. «Ici, il s'agissait du subconscient de Frances qui, disait-il, donnait à son esprit conscient des leçons sur la psychologie et les forces mentales.»

Puis il poursuivit en lui rappelant son rêve, comme elle l'avait demandé :

Voici comment nous pouvons reconstituer la conversation. La discussion porte sur ce qu'on entend par «la vie» dans un individu, et la manière dont elle peut lui

être enlevée par quelque action soudaine, voyez-vous?
Et la discussion s'est orientée vers les conditions parti-
culières dans lesquelles la vie d'un individu a été prise
dans le feu de la passion, ou dans une guerre. En ce
qui concerne le côté mental de la discussion, nous
découvrons que l'entité voit dans celui-ci quelque
chose de la suggestion introduite dans l'état de veille
par un certain Ballantine, dont la discussion de la vie
après la mort. Et l'entité voit alors, à travers les forces
subconscientes, que la mort n'est que le commence-
ment d'une autre forme de force phénoménisée, dans
la perspective terrestre.

Le terme «phénoménisé» était très souvent utilisé, à l'époque, par le mari de Frances pour suggérer qu'une force
vitale était en action derrière les phénomènes dans lesquels
une personne exprimait son essence, que ce soit dans un
corps terrestre «à trois dimensions» ou dans une forme différente, «à quatre dimensions» au delà de la tombe.

Cayce poursuivit son rapport en soulignant, comme il
le faisait souvent, que l'existence après la mort ne pouvait
être saisie rationnellement et logiquement, mais devait être
expérimentée par une harmonisation psychique qui pouvait
mettre une personne en rapport avec cet autre état.

«...et il ne peut pas être compris par un esprit tridimen-
sionnel selon une analyse tridimensionnelle mais il doit
être vu par cette force que la quatrième dimension,
comme pourrait le constater une entité qui y aurait
accès par un développement psychique et spirituel
dans le plan physique, au moyen des processus men-
taux d'une entité.»

Il ajouta que Frances était en train d'acquérir la capacité
d'une telle harmonisation. Puis il poursuivit en lui donnant
de plus amples explications, comme elle l'avait demandé :

«Dans le monde physique, nous voyons la condition
(de la mort) dans chaque forme de vie. Comme on
l'entend ici : nous trouvons dans chaque grain de maïs
ou de froment, ce germe qui, mis en mouvement par
le processus naturel de la Terre Nourricière et de ses
éléments, produira le même type de maïs, comprenez-

vous? L'espèce et le germe sont de nature spirituelle.
L'enveloppe et le maïs, et leur état naturel ou physi-
que, sont des forces physiques, voyez-vous? Puis,
lorsque le maïs meurt, le processus est le même que la
manière dont on voit la croissance (dans le rêve) telle
qu'elle est exprimée à l'égard de l'entité. Et l'entité
exprime la même chose, voyez-vous? La mort n'est
pas telle qu'on la considère généralement, ce n'est pas
trépasser ni devenir un non-être. »

Cayce était d'accord avec les commentaires que Frances
avait faits dans son rêve, où elle avait identifié la vie au-delà
de la mort comme une autre forme «phénoménisée» des
forces vitales. Le corps serait abandonné comme l'enveloppe d'une semence, et quelque chose de neuf jaillirait de
son germe. Cependant, Cayce souligna quelque chose qu'il
ne manquait jamais de faire ressortir lorsqu'il discutait de la
vie au-delà de la mort, la question de l'*espèce* ou de la qualité de l'existence post-mortem qu'une personne s'était
construite au cours de sa vie terrestre. C'était, déclara-t-il à
Frances, la question *spirituelle* essentielle, la question de
l'esprit, de l'orientation ou de la qualité de l'être d'une personne, pas seulement le fait de subsister ou de survivre.
Pour s'en assurer, il fallait déchirer l'enveloppe. Mais quel
modèle suivrait le germe qui en jaillissait?

Frances n'imaginait pas que ses rêves de vie au-delà de
la mort pouvaient servir un autre but que de développer son
intérêt intellectuel. Mais un mois et demi plus tard, sa mère
qui était maintenant en bonne santé allait mourir d'un cancer. Et un an et demi plus tard son père allait mourir de sa
propre main. C'était là un exemple du processus dont Frances rêvait : «*des vies qui étaient prises dans le feu de la pas-*
sion.» Lentement, ses rêves semblaient la préparer. Du
rêve qui lui vint deux semaines plus tard, Cayce déclara
spécifiquement qu'il n'était pas prémonitoire.

J'ai rêvé que mon père mourait. Ce devait être dans
un proche futur, parce que ma mère boîtait encore
d'un accident récent dans lequel elle s'était blessée le
pied.

Rêver de la mort de son père, dit-il, n'était qu'un écho du

souci constant qu'elle se faisait pour son état diabétique. Afin de l'aider, il établit pour son père un régime approprié, des manipulations physiothérapiques et une ordonnance détaillée pour un tonique composé de quatre parties qu'il devait prendre trois ou quatre fois par jour. En ce qui concerne la présence de sa mère dans le rêve, Cayce avança une interprétation très contrastée. Les lettres de Frances à sa mère blessaient les sentiments de cette dernière «la rendaient infirme» pour ainsi dire, et Frances devrait prendre plus de soins et plus de précautions dans sa manière de communiquer avec elle.

Mais le rêve qui se produisit deux semaines plus tard était d'un ordre différent. À ce moment-là, la mère de Frances était à l'hôpital pour une intervention chirurgicale à l'œil où l'on avait décelé une tumeur maligne.

J'ai rêvé que ma sœur et moi nous nous trouvions sur mon lit avec notre mère. Mère était inconsciente. Ma sœur et moi, nous pleurions en disant : «Ne nous quitte pas!» Soudain, notre mère s'éveilla et se mit à parler à haute voix, très, très fort, mais cela ne nous donnait pas du tout l'impression qu'elle parlait.

Tracassée, Frances demanda si le rêve signifiait que sa mère allait se remettre ou non. Cayce répliqua qu'il ne signifiait ni l'un ni l'autre, mais qu'il s'agissait d'une leçon donnée par le subconscient «à propos des possibilités des conditions réelles qui pouvaient exister dans les forces physiques» de sa mère. Le subconscient de Frances lui montrait la vérité de «la vie de l'âme», comme il l'exprima. Frances devait étudier ce rêve afin «d'acquérir la force de supporter les faiblesses de l'héritage des conditions charnelles», ou de supporter la mort.

Pour la rassurer, Cayce lui parla de ce que son mari avait rêvé la même nuit, sans le lui avoir rapporté à lui. Aaron avait vu Frances pleurer. Le point important, ce n'était pas la perte par la mort, dit Cayce, mais l'humble esprit qui s'exprimait par ces pleurs. On voyait Frances se vider de toute compréhension physique afin de recevoir l'étreinte des conditions spirituelles telles qu'elles existaient avec sa mère.

Pendant ce temps, la mère de Frances avait ses propres rêves à l'hôpital. Elle demanda à Frances d'envoyer l'un d'eux à Cayce pour qu'il l'interprète.

J'ai vu tous mes enfants, mon mari, et même ma cuisinière et mes domestiques — tous ceux qui occupent une place dans ma vie — je les ai vus morts.

Cayce dit à la mère malade que, dans ce rêve, son subconscient observait, dans une perspective superconsciente, comment chaque personne, dans le rêve, englobait pleinement les relations entre la vie sur la terre et la vie après la mort. (Un tel rêve d'observation, dans lequel le rêveur explorait les attitudes de chaque participant, n'était pas inhabituel, à en croire Cayce.) Elle avait vu les individus morts, déclara-t-il, parce que chacun d'eux devait traverser une sorte de « mort » vers des attitudes et des convictions fausses s'ils voulaient correctement comprendre ce qu'elle subissait de son propre côté.

Sa chance, dès lors, se trouvait dans ce qu'elle pouvait leur montrer dans la manière dont elle mourrait elle-même (il appelait cela « la manière dont le physique trépasse »). Elle pouvait constituer l'exemple d'une véritable force d'âme qui pourrait aider chacun de ceux qu'elle chérissait à se développer vers « le plein éveil », par la mort ; afin de revivre à nouveau, ce plein éveil qui devait se produire en chacun d'eux, pas seulement corporellement, mais totalement, existentiellement. Par cette mort ou ce trépas dont chacun avait besoin, ajouta-t-il, « on entend, voyez-vous, la pleine force de la vie ».

Les rêves que Frances eut encore continuaient apparemment à la préparer à la perte qu'elle redoutait.

Je vis, écrit sur le mur, le mot « Bien ». Je ne compris pas et je retournai me coucher. Je me vis alors dans une robe bleue et blanche. Je m'agenouillai devant le docteur, et il me caressa la tête en disant : « Grâce à vous et au Dieu Tout-Puissant, notre mère nous a été conservée. » Et puis il dit : « Prions encore. »

Vers cette époque, la mère de Frances bénéficia d'un mieux temporaire, et elle put quitter l'hôpital pendant un certain temps. Plus tard, Cayce déclara que ce répit avait été dû

66

presque entièrement par la prière. Mais il n'avait probablement guère de doutes sur l'issue finale, car il interpréta à nouveau le rêve comme un songe qui préparait Frances à accepter la mort. Dans les conditions présentes, dit-il, le rêve montrait à Frances elle-même « qu'il appartient seulement alors à l'entité de se mettre elle-même entre les mains du Dispensateur de tous les dons beaux et parfaits. Car dans le choix du médecin — ou « Le Médecin » — ceci serait ce qu'il y a de mieux pour elle-même et pour le bien de la mère ». Quant au bleu et au blanc de sa robe, il les interpréta comme il le faisait toujours pour les mêmes couleurs dans des conditions de rêves semblables, comme vérité et pureté — cette fois dans sa prière et dans ses supplications. Quant à ce qu'elle avait vu d'écrit sur le mur, dit-il, c'était comme les inscriptions des anciens temps bibliques, et cela signifiait « Tout est bien » — pas seulement sur le plan médical, mais dans la plus parfaite compréhension de la mort dont pouvait bénéficier Frances si elle plaçait sa confiance là où elle le devait. C'était la réponse à sa prière, mais dans les termes de Dieu, pas dans les siens.

Cayce montrait à Frances, comme il l'avait fait pour d'autres, que les rêves sont le véhicule naturel et approprié par lequel peuvent se transmettre les réponses à la prière.

Plus tard dans le courant de la même nuit, Frances eut son premier rêve, du genre que Cayce appelait souvent une vision, à cause de son effet puissant sur le rêveur et de son classique langage symbolique.

J'ai vu un homme avec une barbe grise, habillé de blanc immaculé, comme un mouton. Il m'impressionna tellement que je dis : « Je ne peux y croire ». Je le vis tirer ma mère par le bras pour la pousser dans la lumière.

De tels rêves, de telles visions, avaient toujours un effet direct sur Cayce lorsqu'il en parlait. Ils évoquaient pour lui l'imagerie biblique dans laquelle se situait sa propre foi. Quoique la mère de Frances fût juive, Cayce expliqua la vision en termes chrétiens :

Ceci, comme nous le voyons, ne présente à la rêveuse personne d'autre que l'Agneau, le Sauveur. Car

*comme il ressort (des écritures), c'est par Lui que l'on
accède au trône de miséricorde, de grâce et de pardon. Et c'est en suivant la voie qu'Il a montrée, ainsi
qu'il ressort de Ses paroles, que nous serons tous conduits vers la lumière, comprenez-vous? Et la laine,
quoiqu'elle soit rouge comme la pourpre, sera blanche
sous Son obéissance, dans Ses Voies, par Ses préceptes. Et ceux-ci, comme nous le voyons, amènent toutes choses à cette grande Lumière blanche, comprenez-vous?*

Il ne faisait pas de doute pour Cayce que la mère de Frances avait vécu la sorte d'existence qui donnerait une réelle
qualité à cette part d'elle-même qui survivrait à sa mort corporelle et la mettrait en contact vivant avec la plus haute spiritualité que puisse connaître Cayce.

Puis, un peu plus d'un mois avant que sa mère ne
meure, Frances eut son dernier rêve prémonitoire :

*Ma mère était bien, elle allait se marier et nous célé-
brions tous l'événement. J'étais triste parce que je ne
pouvais pas me mêler à la joie générale, sachant
qu'elle allait devoir être opérée à nouveau et qu'elle
allait mourir. J'étais aussi déçue parce que je n'avais
pas été invitée à son mariage.*

Et il se trouva que sa mère dut subir une nouvelle opération
inattendue, et qu'elle en mourut.

En interprétant le rêve, Cayce reconnut la tristesse née
du fait que Frances savait exactement ce qui arrivait à sa
mère. Cependant, il insista : « La mère est bien — elle sera
bien ». Ici, il fit écho à l'imagerie du rêve, avec sa note de
joie, et du tournant très particulier qui allait se produire pour
la mère. Mais il ajouta que le bien-être de la mère ne se produirait pas « par une opération, mais par l'application des
forces spirituelles qui peuvent s'éveiller chez un individu. »
La mère de Frances s'éveillait au plan subséquent de son
existence, et c'était l'occasion de se réjouir, en dépit de
l'inévitable tristesse de Frances parce qu'elle n'avait pas été
invitée. Patiemment, Cayce incita Frances à revoir le drame
apparemment impossible du rêve, de manière à en saisir la

leçon spirituelle par son propre éveil, sans juger par le seul raisonnement physique.

Il était clair, si la survie de la mort était un fait, que les rêves qui annonçaient la mort de quelqu'un qui avait vécu longtemps et bien ne pouvaient se limiter à l'imagerie de la tristesse, quelque réel que puisse être le chagrin des survivants. Rien de moins qu'un mariage ne pouvait mettre l'événement en valeur.

Le rêve à travers la barrière de la mort

Dans la nuit qui suivit la mort de sa mère, Frances eut un rêve particulièrement vivant à propos d'une vieille amie de sa mère qui était morte trois semaines plus tôt dans une autre région du pays, ce qui lui était sorti de l'esprit à cause du souci qu'elle se faisait pour sa mère.

J'entendis une voix que je reconnus comme étant celle de notre vieille amie du Mississipi qui m'aimait tellement quand j'étais enfant mais que je n'avais cependant pas vue depuis deux ou trois ans. L'impression qu'elle me parlait était très vive, et pendant un instant, je ne vis pas son visage, mais je sentais qu'elle se trouvait avec Mère à l'hôpital, au moment où Mère passait de sa conscience terrestre à l'autre. Elle était présente au moment de la transmission, et maintenant elle était avec Mère tandis qu'elle me disait : « Ta mère est plus heureuse que jamais » Elle me dit encore bien des choses, à propos de Mère, dont je ne me souviens pas. Revoyez cela et expliquez-moi, je vous prie.

Cayce assura à Frances qu'on lui avait montré, dans son rêve « ce que signifie la vie autre que la vie physique ». Rappelant le texte biblique : « Comme l'arbre tombe, il gît », il souligna combien il était naturel pour quelqu'un qui avait aimé sa mère dans la vie, de lui porter le même amour dans le plan ultérieur, en aidant sa mère dans les événements de la mort.

Frances devait tirer sa force, dit-il, de la connaissance que le rêve lui avait explicitement donnée de la compagnie que sa mère était en train de trouver. Il lui dit avec insistance : «Elle est *bien*, *heureuse* et *libre* des soucis que l'on trouve sur le plan terrestre.» Frances pouvait se mettre au diapason d'une connaissance psychique des faits si elle acceptait au moins de ne pas se condamner à cause de ce qu'elle n'avait pas fait pour sa mère — une condamnation qui, selon Cayce, ne lui apporterait que d'inutiles chagrins.

Son rêve montrait à Frances, dans les termes les plus clairs comment l'amitié et l'amour dirigent la mort aussi bien que la vie. Par l'expérience de ce rêve, qui n'était pas symbolique mais littéral, Frances devait savoir maintenant avec certitude «que sa mère n'était pas partie *seule*; qu'elle n'était pas seule dans ce monde invisible; et pourtant, jouissant des mêmes soins, du même amour qu'elle avait connus sur terre, elle s'élevait à une meilleure compréhension des forces qui se sont manifestées» dans la vie et dans la mort.

Lorsque Frances demanda si quelqu'un comme l'amie de sa mère pouvait vraiment guider une mourante, Cayce répondit qu'il en était exactement ainsi et que seul leur manque de connaissance empêchait les vivants de le savoir. Il rappela à Frances deux citations bibliques pour essayer de lui faire comprendre ce qui, dans sa vision, était irrépressiblement vrai : «Las, je suis avec toi» et «Quoique je marche dans la vallée des ombres de la mort, mon esprit te guidera».

Frances avait eu une autre expérience la nuit où sa mère était morte. C'était une voix qui lui parlait doucement dans son sommeil et qui disait : «*Ta mère est vivante et heureuse*». Mais à ce moment, elle savait que Cayce interprétait ce genre de voix comme son propre moi supérieur, sa propre âme qui lui parlait dans ses rêves. Et c'est exactement l'interprétation qu'il donna, dans les questions et les réponses qui suivirent avec une insistance qui montra Cayce lui-même pris par l'aventure de Frances au pays de la mort. Il parla avec une conviction profonde : «Votre mère *est* vivante et heureuse». Puis il se contint et en revint à un style plus objectif.

L'entité peut savoir que toute force (tant à l'intérieur qu'à l'extérieur de la personne) tend à montrer, à prouver, à porter à la conscience de l'être que, comme nous vivons en Lui, nous serons rendus vivants en Lui dans la mort! Car il n'y a pas de mort. Seulement une transition du plan physique au plan spirituel. Puis, comme la naissance au monde physique nous est donnée au moment de la nouvelle existence, alors dans la mort physique, telle qu'on la voit, nous est donnée la naissance dans le spirituel.

Frances avait rêvé de la mort de sa mère comme d'un mariage. Cayce lui disait qu'il s'agissait aussi d'une naissance.

Elle posa une question : « Alors, ma mère me voit-elle et m'aime-t-elle comme avant ? » Cayce répondit vivement : « Elle vous voit et vous aime comme avant. Exactement comme ses forces se manifestaient dans le monde physique ». Il appartenait à Frances, dit-il, de déterminer quelle réalité pouvait avoir cet amour « si elle accueille, désire, se place elle-même dans cette harmonisation (interne) avec les désirs de cette entité (la mère), alors l'amour existe — jusqu'à ce point, de cette manière, comprenez-vous ? » L'amour de la mère est là, disait-il. À quel point Frances était-elle exempte de culpabilité, de tristesse et de crainte pour pouvoir l'accepter et le lui rendre ?

Frances demanda encore : « Alors, essaie-t-elle de me dire : « Je suis vivante et heureuse ? » »

La réponse de Cayce fut claire, mais elle souligna une fois de plus le propre rôle de Frances, et il déclara que la voix était la sienne propre. « L'entité *dit* « Je suis vivante et heureuse » lorsqu'elle s'harmonisera à cette unicité ». Il faisait du propre véhicule de communication un profond tournant interne dans un esprit de prière — il n'en faisait pas une séance.

Frances poursuivit, quelque peu hésitante : « Je la sens avec moi, particulièrement lorsque j'ai embrassé son corps d'argile — j'ai senti qu'elle le savait et qu'elle me répondait. Est-ce vrai, ou est-ce que je me fais des idées ? »

71

Cayce répondit vivement, disant à Frances que «comme elle s'était déversée elle-même» dans sa mère, «la réponse était venue». «Non, vous ne vous faites pas des idées, poursuivit-il, car cette âme vit, elle est en paix, et elle veut que sa fille sache qu'elle vit.»

Puis il en vint à nouveau aux citations bibliques, leur donnant un caractère immédiat qui apparaissait souvent dans ses interprétations. «Comme il a été dit, il y a dans la maison du Père de nombreuses demeures. S'il n'en avait pas été ainsi, je vous l'aurais dit.» Et : «Je vais vous préparer une place car, là où *je* suis, vous pouvez être aussi.» C'est tout aussi applicable à la fille, à cette heure, que ce l'avait été par le Sauveur à ceux qui étaient rassemblés autour de Lui.» Il poursuivit : «Car comme nous, entités du plan physique, préparons cette unicité (qui peut nous unir à ceux qui sont sur un autre plan) c'est comme Il l'a promis : «Même lorsque je serai monté aux cieux, j'attirerai à moi *tous* les hommes»

La porte qui conduit à la mort, disait Cayce, se trouve en harmonisation interne avec Celui qui peut l'ouvrir correctement pour établir la communication entre les vivants et les morts. Il se référa à un enseignement de Moïse pour revenir une fois de plus au même thème : la communication avec les morts ne devrait pas se faire foncièrement à travers un intermédiaire comme Cayce, mais dans la propre expérience interne du rêveur :

> «*Ne te demande pas à toi-même qui va descendre dans les abîmes pour l'élever, ou qui va voler dans les Cieux pour le faire descendre, car l'esprit de vérité, de paix et d'amour se trouve dans ton propre cœur.*» *Comme l'esprit de soi-même apporte cette harmonisation adéquate, il peut exister une unicité avec ces esprits dans cette autre sphère, de manière que chacun puisse connaître, comprendre, récolter cette vérité qui rend libre.*

Frances, aux yeux de Cayce, avait acquis une mémorable stimulation au cours de la nuit où sa mère mourut.

Un rêve de plus, au cours de cette même nuit, résumait ce qui lui était arrivé dans une imagerie simple mais pleine de force.

Je vis un animal qui rampait sur le sol ; il semblait à demi conscient, dans un décor d'aube à moitié grise.

Frances, dit-il, se voyait elle-même. Elle se voyait en train de s'éveiller. Elle prenait conscience, quoique lentement, de l'esprit qui l'habitait, un esprit qui pouvait porter témoignage de la vérité « de l'Esprit de Celui qui donne et prend, et donne et prend pour que nous puissions devenir Un avec Lui, tant dans la Vie que dans la Mort. »

La fonction des rêves, Cayce l'avait souvent déclaré à Frances, n'était pas seulement de résoudre des problèmes. Elle était aussi d'amener le rêveur à la pleine stature de sa personnalité.

Frances était en train de s'éveiller.

Contact avec les Morts

Il ne fallut pas longtemps pour que l'image de sa mère ne commence à apparaître dans les rêves de Frances ; généralement, l'image se mettait au service des émotions internes que Frances ressentait en tant que jeune femme, occasionnellement, elle l'aidait aussi dans les problèmes pratiques.

L'un des premiers besoins de Frances était de maîtriser le chagrin qu'elle ressentait de n'avoir pas insisté pour que sa mère reçoive exactement les soins médicaux que Cayce avait prescrits. Ces soins incluaient (comme c'était toujours le cas lorsque Cayce traitait des cas de cancer) l'application de certains rayons ultra-violets. C'était un traitement que le médecin n'avait pas compris et pas approuvé.

Quelques nuits, après la mort de sa mère, Frances rêva :

J'ai vu ma mère avec deux lampes brillantes à la base de son cou. Les lampes étaient manipulées par le Dr K.

Ce rêve, déclara Cayce, n'était pas un message de sa mère à Frances. C'était simplement son propre subconscient qui tentait de saisir la vérité de la situation médicale. Elle lui montrait exactement comment le sang aurait été affecté pour apporter un soulagement à sa mère. Mais, insista Cayce, le but du rêve n'était pas de lui faire éprouver une sorte d'auto-condamnation — seulement de la compréhension pour le cas où elle aurait à émettre un jour un jugement comparable à propos de médecins et de traitements. Elle devait comprendre que le traitement n'aurait en aucun cas pu sauver sa mère, mais l'aurait seulement soutenue pendant un certain temps en lui apportant un peu de soulagement.

Plusieurs mois plus tard, Frances rêva à nouveau de sa mère. Une fois encore, Cayce déclara qu'il ne s'agissait pas d'une communication venant de la mère :

Ce rêve était très clair, et paraissait tellement réaliste qu'au réveil, mon esprit s'en souvint et fut impressionné. Il me semblait que j'étais sur le point d'avoir un bébé. J'étais très malade, je vomissais, etc. Ma mère était là, et elle disait que je devais être malade, pas enceinte. Je demandai qu'on appelle un docteur, ce que fit ma mère. Il me sembla que j'avais une sorte de fausse-couche — en tout cas, cela se termina par la certitude que je n'étais pas enceinte, mais que ma maladie venait de tout autre chose, comme me le déclara le docteur.

Ce rêve lui vint, déclara Cayce, parce qu'il était temps qu'elle conçoive à nouveau pour accomplir sa vocation de maternité, *symbolisée* par l'apparition de sa mère dans le rêve. Elle devrait affronter les craintes laissées par sa fausse-couche et se préparer à mettre son corps en forme pour la grossesse. Si elle agissait ainsi, elle ne devait avoir aucune crainte de perdre l'enfant (et cette fois elle ne le perdit pas), car comme le montrait le rêve, ses problèmes tenaient uniquement à son état général, pas à sa capacité comme telle de porter un enfant.

Mais Frances était hésitante. Les désillusions de sa fausse-couche et de la mort de sa mère étaient encore vivaces en elle, et elle semblait avoir refoulé tout le problème de la grossesse, tout en renonçant à accepter les soins médicaux appropriés. Puis lui vint le premier rêve qui indiquait qu'elle pouvait compter sur l'assistance de sa mère.

J'étais paralysée. J'en appelai à ma mère, et je fus effrayée. Des parties de moi semblaient se briser ou éclater, et je ne pouvais m'opposer à ce processus malgré mes tentatives désespérées. Finalement, je souffris tellement que j'eus envie de mourir.

Cayce lui dit carrément que ce rêve montrait un arrêt de son développement. En tant que personne, elle se laissait paralyser. Le rêve ne se rapportait pas à son corps, mais à sa conscience, à la croissance de sa personnalité. Elle devait cesser de lutter contre l'attraction d'un nouveau développement qui se manifestait au fond d'elle-même, particulièrement en ce qui concernait la maternité, et de la refuser. Puis il ajouta qu'elle devait noter comment, dans le rêve «il y avait un appel à cette conscience vers laquelles le corps se tourne pour recevoir des instructions, comprenez-vous?» C'était le premier aperçu qu'elle avait du rôle d'assistance que sa mère pouvait jouer dans ses rêves.

Elle fut enceinte. Elle commença à appliquer le programme de soins médicaux que Cayce lui avait prescrits. Puis elle l'interrompit, en dépit d'une constante douleur dans le dos. Aaron en était tout secoué. Il écrivit plus tard à Cayce :

J'ai essayé de la persuader, et elle s'est mise en colère contre moi... Il y a deux nuits, j'ai prié pour que (sa mère), l'activité psychique de l'Esprit Unique qui était au courant de l'état de la psyché de sa fille, puisse lui apparaître et la convaincre de faire ce qui était le mieux pour elle et pour l'enfant en gestation... Je demandai au Seigneur de se joindre à moi dans cette tentative de mieux faciliter Sa création. La miraculeuse réponse arriva, comme l'indique le rêve.

Frances eut cette nuit même, en rêve, son premier contact précis avec sa mère.

Ma mère m'apparut. Je la vis très distinctement. Elle me dit : «Tu devrais aller chez le docteur». Tu devrais avoir honte de toi. Si Aaron te dit d'aller chez le docteur, il faut que tu y ailles. »

Ce rêve ne demandait pas à être très interprété. Aaron déclara que son effet sur Frances avait été si parlant que «toute la cavalerie et toute l'infanterie du Roi n'auraient pas pu la tenir éloignée du docteur plus longtemps.» Lorsque Frances demanda comment son désir de voir sa mère et la prière de son mari avaient contribué à l'expérience, Cayce répondit : «Les prières des Justes sauveront un grand nombre. Lorsque deux ou trois personnes se rassemblent dans un même but, Je suis au milieu d'elles». La combinaison de l'action de tous, y compris celle de la mère, avait rendu cette harmonie possible.

Dans les deux semaines qui suivirent, Frances eut de nombreux rêves dans lesquels sa mère était présente, soit comme acteur dans un drame (dont Cayce disait que c'était parfois Frances qui rêvait sous l'influence de sa mère et parfois qu'elle rêvait de ce que sa mère représentait pour elle) ou comme un personnage vivant, elle-même (dont Cayce disait qu'il s'agissait littéralement de sa mère communiquant avec elle-même).

Les rêves ne constituaient pas une obsession chez Frances. Ils étaient mêlés, dès le début, avec des rêves comme en avait toujours eus — un rêve à propos d'ennuis avec ses gencives (que Cayce attribua à des ennuis circulatoires en rapport avec sa grossesse) et un rêve à propos d'un éclair qui la frappait (dont Cayce affirma qu'il représentait certaines des craintes normales de sa grossesse) et un rêve à propos du succès d'un livre que son mari écrivait (dont Cayce disait que c'était une prévision authentique de son potentiel).

Règles de conduite données par les Morts dans les Rêves

Ce fut une question pratique qui amena ensuite la mère et ses «forces directrices» comme Cayce les appelait, dans un nouveau rêve.

J'étais malade à l'hôpital, et ma mère était près de moi. C'était ou pour avoir mon bébé, ou parce que j'avais eu une nouvelle fausse-couche. Quelque chose n'allait pas avec ma poitrine, et ma mère disait qu'il fallait y remédier.

Il n'existait aucun mal physique chez Frances, selon Cayce. Le rêve venait seulement l'avertir d'un besoin de l'enfant à venir : il devrait être nourri au sein, pas au biberon.

Quelques nuits plus tard, Frances eut un autre rêve qui combinait l'assistance de sa mère avec sa propre inclination vers une perception extrasensorielle médicale. (Il est peut-être significatif de noter que le souci des soins médicaux était un trait de toute l'existence de Frances : après son divorce, elle devint infirmière.) Son rêve commençait ainsi :

Ma mère m'apparut. Elle me dit : «Je suis vivante».

Ici Cayce l'interrompit avec une note de joyeuse insistance : «Elle est vivante». Le rêve se poursuivait par ces paroles de la mère :

Quelque chose ne va pas avec la jambe de ta sœur, ou avec son épaule (Ou les deux — je ne m'en souviens pas clairement). Elle devrait voir un docteur à ce sujet.

Ici, dit Cayce, Frances pouvait voir sa mère agir en mère de toute la maisonnée à travers l'esprit de Frances. Car le subconscient de Frances, pendant qu'elle dormait, avait été «en unicité avec la mère et la sœur». En fait, dit Cayce, il s'agissait d'un problème médical dans les membres de sa sœur, une auto-intoxication par certains poisons du système. Il fallait prévenir la sœur qu'elle devait réclamer les soins d'un médecin. Et la cure, ajouta Cayce, devrait comporter un accroissement de ses éliminations.

Frances et Aaron furent tous deux très intéressés par cette expérience qui se révéla avoir une saine base médicale — quoique la sœur n'en ait pas eu conscience au moment du rêve. Leur sens de grandes aventures dans leur coopération avec les morts se traduit clairement dans leur correspondance avec Cayce.

Deux mois plus tard, il y eut une autre expérience avec la mère qui parut si vivante qu'elle éveilla Frances et la fit se précipiter vers le lit de son mari.

*Je rêvais de la pièce que nous avions vue... et puis je
constatai la présence de ma mère dans ma chambre
avec moi. Sa présence était tellement réelle, tellement
marquée et tellement proche de moi, la vision d'elle à
cet endroit si vivace, que je bondis de terreur hors de
mon lit pour gagner celui d'Aaron.*

Mais les expériences de rêves de la mère se poursuivaient.
L'un d'eux était un avertissement qu'une tante était dans un
état d'esprit qui la prédisposait à un accident. Il poussa
Frances à aller lui rendre visite. Un autre était l'avertissement d'un danger de pneumonie chez une tante plus vieille.

Puis Frances envoya un rapport sur une série de rêves
où sa mère et elle-même étaient impliquées. Ils ne traitaient
pas du tout de matières pratiques mais, selon Cayce, de la
profondeur et de la croissance de la personnalité de Frances.

*Je vis ma mère. Elle était mécontente de moi parce
que je sortais, que j'allais au théâtre, etc. Elle me dit :
« Le moins que tu aurais pu faire pour moi aurait été de
prendre le deuil pendant un an. »*

Il ne s'agissait pas, dit Cayce, d'un message de la mère,
mais du propre moi supérieur de Frances qui revoyait l'ensemble de ses relations avec sa mère. Le rêve ne soulignait
pas un devoir (comme la coutume juive d'un an de *kaddish*
ou de prières des morts) mais une orientation. Car les expériences que Frances avait connues depuis la mort de sa
mère « les apparences, la proximité, le sentiment de sa présence dans la pièce, les pleines conditions (de souci et d'assistance) telles qu'elles avaient été présentées » faisaient ressortir ce qu'il y avait de meilleur en Frances. Autour de ces
expériences et de leur étude se développait une spiritualité
nouvelle et originale qui était innée en Frances et qu'il fallait
chérir, autant que l'on chérit la mémoire d'un cher disparu.

L'autre rêve faisait le point de façon différente.

*J'ai rêvé que j'étais folle. Mon esprit s'en était allé et ma
raison avait perdu son équilibre. Ma mère était là, et
elle avait beaucoup de difficultés avec moi.*

Encore une fois, déclara Cayce, Frances pouvait voir combien étaient importants pour sa totale maturité les réveils de

signification et de perspective qui lui venaient de « l'essence de la présence de la mère. » Le rêve montrait à Frances quelque chose qu'elle savait déjà à propos d'elle-même : « qu'il y avait eu des moments où l'entité (Frances), en tentant de minimiser des éléments appartenant à la compréhension spirituelle, avait placé son moi mental dans une situation de déséquilibre... créant des barrières qui avaient été difficiles à briser et difficiles à comprendre, même pour elle-même. » Le temps où elle s'était moquée d'Aaron pour ses études, depuis sa fausse-couche et la mort de sa mère, la dénonçait. Elle devait, disait Cayce, « se garder mentalement, moralement, physiquement, spirituellement dans cette unicité avec les forces universelles qui apportent la meilleure compréhension à toutes et à chacune des entités ».

Le prochain rêve de Frances à propos de sa mère vint à travers une corrélation de l'esprit de Frances et de sa mère, comme le déclara Cayce. Le rêve était mémorable à la fois pour ses surprenants détails prémonitoires et pour la touche de caractère populaire juif introduite par sa mère et qui lui donnait un air de réalité.

J'ai rêvé de mon bébé. Il venait de naître, et il pesait onze livres deux onces. C'était un garçon aux yeux bleus et aux cheveux blonds. Il avait cependant un nez juif que je n'aimais pas. Je dis à ma mère qui était présente : « il a l'air youpin... trop juif. » Cependant, ma mère se mordit le doigt dans un geste caractéristique et se pencha sur le bébé. Elle dit qu'il était magnifique.

Frances n'était enceinte que de cinq mois, et pourtant son rêve des traits définitifs du bébé était substantiellement exact, selon Cayce. Il l'assura que ce serait un garçon, qu'il serait blond, que ses yeux seraient bleus. Mais son poids serait plus proche de neuf livres. (Dans chacun de ces détails, on vit que Cayce avait raison lorsque l'enfant fut né.) En ce qui concerne le nez, dit-il, Frances n'avait raison qu'à moitié car s'il avait quelque chose d'un nez juif, ses traits seraient réguliers et attirants (ce qui fut le cas). Cette partie du rêve, déclara-t-il, était venue souligner pour la mère l'existence potentielle de l'enfant dans son travail

79

d'enseignement religieux en faveur de son peuple, et devait l'y préparer (dans sa jeunesse, son fils se tourna effectivement vers la vocation de rabbin, mais la crise et la maladie s'y opposèrent.)

Le matériau des rêves ultérieurs de cette même nuit souligna les mêmes thèmes, et, en plus, il annonça la délivrance — un moment qui constitua l'éclat majeur de toute l'aventure de Frances avec sa mère.

J'étais sur la table d'obstétrique, et ma mère était là comme précédemment. Tout se passa très facilement, si facilement que je pus me lever et marcher dès que le bébé eut été délivré. Je le ragardai. Il avait alors un ou deux jours, comme précédemment. Mais au lieu d'être partiellement laid, il m'apparut comme un bel enfant aux cheveux clairs et aux yeux bleus, plein de santé. Il sortit de son berceau et vint à moi en disant : « Tiens, j'ai une lettre pour toi, mammy. »

Le rêve était destiné à inciter Frances, en vue de la délivrance, à faire tous les préparatifs nécessaires au point de vue du régime, du repos et de la physiothérapie. Et la partie relative à la lettre était une autre manière de dire que le bébé deviendrait un homme qui aurait un message particulier à donner.

Frances continua à rêver régulièrement pendant tous les mois qui précédèrent la naissance. Elle rêva de la manière dont son mari faisait de l'argent, de la maladie mentale d'une amie, de voyages pendant la grossesse, des plans faits par son mari pour s'associer à d'autres en vue de la construction d'un hôpital à Virginia Beach où le travail de Cayce pourrait être mieux employé et étudié. Elle rêva de la loquacité de son mari, de sa propre insignifiance, de la maladie des siens. Mais elle ne rêva plus de sa mère.

Toujours craintive à propos de la naissance, elle demeura en étroit contact avec Cayce. En janvier, il lui dit que la naissance serait normale et qu'elle se produirait entre le 28 mars et le 6 avril. Elle eut lieu le 4 avril. Quelques jours avant la délivrance, il lui dit que tout allait bien et que le bébé serait là dans les 96 heures. Il vint au bout de la 72ème.

Avec la venue du bébé se produisit une inoubliable expérience avec la mère de Frances.

Contact avec les Morts au-delà des Rêves

Ce qui se produisit fut très bien raconté dans une lettre d'Aaron à Cayce :

Eh bien, il s'est produit, entre Frances et sa mère, pendant que je lui tenais la main, la plus grande communication objective entre esprits qu'il m'ait jamais été donnée de voir ou d'espérer. Elle montre aussi que les anesthésiques (comme l'a souligné Ousepenski) rendent l'esprit sujet à la communication ou l'y ouvrent subconsciemment. Les douleurs de Frances avaient été si terribles qu'on lui avait donné un lavement à l'éther qui l'avait dopée. Dans une sorte de brume, elle me dit : « Ma mère est avec moi. Elle est avec moi depuis ce matin. Regarde, elle se trouve exactement là! » Frances indiqua le côté opposé à l'endroit du lit où j'étais assis et pointant le doigt un peu au-dessus de sa tête, elle répéta : « Ma mère est exactement là! »

« Que dit-elle? ai-je demandé?

« Elle me dit, répliqua Frances d'une voix claire et précise, de ne pas me faire de souci, que tout ira bien! »

« Comment sais-tu qu'elle est ici avec toi? » demandai-je.

« Je la sens — je la vois — elle prie pour moi — elle est exactement ici avec moi — exactement là! » Et Frances pointa à nouveau le doigt vers le même endroit exact.

Dans sa lettre, Aaron poursuivait :

Maintenant, je vous le demande, avez-vous jamais rien entendu d'aussi merveilleux? Pauvre petite fille; elle n'avait plus que sa sœur comme seule parente, ayant perdu sa mère tout récemment, et elle aspirait à la voir en ce jour où elle souffrait plus que jamais. Et elle savait, elle sentait que sa mère bien-aimée était là avec elle et savait ce qu'il lui arrivait. Son cœur solitaire qui évitait courageusement à se plaindre de son mal, se

*tournait vers sa mère, et gloire en soit rendue au Dieu
Tout Puissant, ce n'était pas en vain!*

*Je vous le dis, quand je suis sorti et que j'ai raconté la
scène à cinq grandes personnes, dont ma mère à l'esprit si pratique, elles se sont toutes mises à pleurer
comme de petits enfants. Seigneur! je me mets à brail-
ler rien que de l'écrire. Je me sens tout embrumé. Je
me demande ce que je pourrais faire pour en rendre
grâces. C'est tellement merveilleux, tellement catégorique, tellement précis, tellement beau que cela me
dépasse. Je me fais humble pour espérer que je pourrais, moi aussi, être près d'apprécier une pareille expérience, car je sais que c'est effarant, que cela dépasse
ma petite personne et que c'est bien plus puissant.*

*Qui se soucie de l'opinion de ceux qui prétendent que
la communication avec les esprits, c'est de la foutaise?
Que vaut leur opinion, de toute manière? Quel poids
ont-ils dans le domaine constructif de l'établissement
de la connaissance?*

*Un petit corps torturé de douleur, abritant un cœur
solitaire et douloureux, ne reçoit pas seulement de l'esprit maternel une réponse qui réconforte le cœur, mais
une aide en réalité, qui encourage et qui soutient la
force physique de ce corps, et le fait d'une manière qui
ne laisse aucune place à l'incertitude. Est-ce tellement
hors du domaine pratique? Est-ce illusoire? Eh bien,
alors, tirez-en le meilleur parti. Moi, j'ai l'intention de le
faire pendant le reste de mon existence, croyez-moi!*

*C'est tout cela que j'ai tenté de vous dire par télé-
phone, et je suis heureux de ne pas l'avoir pu. Il faut
que j'arrête ici pour aller me coucher, car je suis mort
de fatigue.*

Il demanda à Cayce de rappeler toute l'expérience au cours
d'une séance d'interprétation en expliquant comment tout
cela s'était produit.

Évidemment, la force de l'expérience eut un certain
effet sur Cayce lui-même, car au cours de son interprétation, il se passa quelque chose de très rare dans ses transes.
Cinq désincarnés différents parlèrent à travers lui, y compris

la mère elle-même. L'un d'eux était un philosophe renommé. Deux étaient des étrangers pour Cayce et pour la rêveuse. Un autre était un ami de la famille de Cayce. Chacun parla brièvement et ajouta son point de vue sur ce qui s'était produit à l'hôpital. Tous s'accordaient à dire que l'expérience avait été authentique.

Trois d'entre eux confirmèrent ce qu'Aaron avait soupçonné : c'est à dire que lui aussi avait ressenti la présence de la mère à l'hôpital, quoique dans une autre sorte d'expérience psychique que celle de Frances. Il s'agissait d'une sorte d'harmonisation intérieure, sans voix ni forme apparente — seulement «la conscience intime de la présence d'un autre être». Frances, de son côté, avait trouvé ses «facultés sensorielles» accélérées par l'expérience, jusqu'au point où la mère fut «vue, sentie, entendue, connue par la conscience subjuguée» sous l'effet des médicaments.

La séance d'interprétation insolite de Cayce n'était pas un exemple de ce que les enquêteurs appellent «la voix directe» par medium (ce qui lui arrivait encore plus rarement au cours de ses transes), mais d'une séance dans laquelle il utilisait son propre langage et sa propre conscience pour essayer de communiquer le sens de ce qu'une autre personne, un désincarné, était en train de lui dire selon ce qu'il ressentait.

Lorsque Cayce arriva vers la fin de la séance, le message vint, comme Aaron l'avait espéré, de la mère de Frances. Cayce l'exprima par ces mots : «Je suis venue pour Frances, avec cette certitude qui fait connaître la vie après la mort». Puis Cayce y ajouta sa propre certitude :

Et la volonté de la mère est d'être toujours présente dans le comportement mental de sa fille pour protéger chaque pensée, chaque souci.

Les derniers mots furent à nouveau ceux de la mère, comme Cayce les ressentit. Il n'était pas surprenant, à la lumière des opinions de Cayce et des rêveurs, qu'ils fissent référence à la réincarnation : «Aie donc foi, dès lors, dans les leçons que je t'ai données ; sois fidèle à Aaron et au bébé qui vient d'au milieu de nous et que j'ai connu auparavant.»

Cette séance fut stimulante pour Frances. Mais elle ne s'appuya pas sur elle pour porter tout le poids de l'assurance qu'elle et sa mère s'étaient retrouvées. Quelque chose d'autre s'était produit à l'hôpital quelques jours après la naissance, et elle le répéta à Cayce. Elle somnolait lorsque ceci se produisit :

> J'ai entendu un grattement ou des coups. Je me suis dit : « c'est ma mère ». Je m'assis dans mon lit pour écouter le bruit, et je n'entendis rien. Somnolant à nouveau, j'entendis les coups, et je reconnus à nouveau qu'il s'agissait de ma mère. »

Selon Cayce, il s'agissait d'une expérience authentique qui lui venait, non comme quelque chose de neuf, mais pour la pousser à une meilleure compréhension de la nature de l'amour entre les vivants et les morts — « les vivants d'un plan à ceux d'un autre plan » — de façon que cet amour puisse s'incruster dans l'existence et dans les actes de chacun. C'était le même genre d'expérience, lui rappela-t-il, que son mari avait ressentie lorsqu'il avait senti trembler le lit, il y avait des mois, alors qu'elle était au chevet de sa mère qui venait de mourir. Tous les deux, Frances et Aaron, devraient « conserver ces choses et y réfléchir au fond de leur cœur. »

Alors commença le chapitre final des rêves de Frances à propos de sa mère. Il y aurait encore toute une année d'expériences diverses dans les rêves avant que ne se termine pour Frances l'enseignement de Cayce.

Diverses sortes de participation des Morts aux rêves

Un motif qui, selon Cayce, eut une profonde influence sur la formation de Frances se manifesta dans le rêve suivant où apparut sa mère. Dans ce rêve, comme souvent, Frances aperçut des intrus mâles, mais cette fois, ils ne lui firent aucun mal. Alors qu'elle était encotre à l'hôpital avec son bébé, elle rêva :

*Ma mère et moi nous nous trouvions dans notre
ancienne maison du Mississippi, là où nous vivions
quand j'étais une petite fille. Ma mère et moi avions
toujours peur, et, dans le cas présent, nous entendî-
mes des hommes qui pénétraient dans la maison. En
allant voir, nous constatâmes que trois individus s'était
introduits par effraction, mais pas pour voler : seulement pour venir voir s'ils ne pouvaient pas déposer de
l'alcool chez nous. Ils dirent qu'ils nous laissaient plusieurs jours pour y réfléchir et pour leur faire connaître
notre décision.*

Le cœur de ce rêve, lui dit Cayce, était le glissement du
thème de l'illégalité, à la fois sur le plan de l'effraction et de
l'alcool (c'était l'époque de la prohibition), à celui de la considération et de l'assistance. C'était, disait-il une représentation de la chance qu'avait Frances maintenant, avec l'arrivée de son fils, de passer de « la lettre de la loi » à la « loi de
la bonne volonté. »

La localisation de la maison de son enfance lui indiquait le sérieux du rêve, déclara-t-il, car elle représentait —
comme il le disait souvent à propos des maisons d'enfance
bien-aimées — sa « demeure spirituelle » son « habitation ».
Comment fallait-il y entrer ? Comme un hors-la-loi apportant la souffrance et le châtiment ? Ou à la manière de la
mère, une manière faite de fidélité et de don aux autres ?

Cayce avait déjà dit à Frances que, dans des existences
passées, elle avait été une femme d'une grande beauté,
aussi adorable qu'Hélène de Troie. Comme Hélène, elle
avait été infidèle et décidée à user de ses charmes pour obliger les hommes à se plier à sa volonté. Le résultat, c'est
qu'elle était entrée dans cette vie-ci avec une profonde
crainte des hommes, qu'eux, à leur tour, lui seraient infidè-
les et abuseraient d'elle. C'est ce qui expliquait le motif
répété d'intrus et de poursuivants mâles.

Si elle devait vivre selon « la lettre de la loi », elle devrait
subir de la part des hommes les mêmes avanies qu'elle leur
avait apportées jusqu'à ce que son âme ait appris la leçon et
qu'elle ait pénétré dans « la maison spirituelle », plus sage,
comme un hors-la-loi repenti. (En fait, Frances allait éprou-

ver une profonde détresse avec les hommes, quelques années plus tard, au moment de son divorce. Pendant un temps, elle se mit à boire beaucoup, comme Cayce lui avait déclaré que ce rêve le prédisait).

Mais ses relations avec le bébé lui offraient une échappatoire, dit-il, si elle décidait d'en prendre la voie. En accordant des dons généreux à cet homme-enfant et à son père, elle pourrait calmer pour toujours ses propres craintes et ses propres haines, nées de ses propres méfaits. Dans cette voie, elle en arriverait à la loi de la bonne volonté, à la loi de la miséricorde, et quels que soient les événements qui surviendraient pour elle, elle pourrait y faire face sans crainte et sans souffrance intérieure : (longtemps après le divorce, lorsque son fils, devenu adulte, allait avoir des ennuis, Frances le soigna et s'occupa de lui, fidèlement, exactement de cette manière) parcourant alors le chemin de l'amour serviable qu'elle n'avait pu trouver auparavant dans son cœur en faveur d'Aaron.)

Dans l'optique de Cayce, ce rêve, venant avec l'assistance de sa mère dans la fraîcheur des premiers jours de sa vie de bébé, montrait à Frances deux manières de se hisser jusqu'à sa vraie stature spirituelle : la voie de la souffrance justement méritée, et la voie de la grâce dans laquelle l'individu reçoit le pardon et l'acceptation aussi librement qu'il les a donnés.

Ces deux voies de croissance formaient le thème consistant de dizaines de séances d'interprétation que Cayce avait données devant des centaines de gens. Dans le cadre de la réincarnation ou non, cela était compréhensible pour de nombreuses personnes qui prenaient la peine d'étudier ce que Cayce disait plutôt que de s'émerveiller simplement de ses exploits psychiques.

Cinq mois plus tard, il y eut un autre rêve en rapport avec le système de valeurs fondamental de Frances. Comme pour de nombreux rêves que faisaient ceux qui étudiaient sérieusement leurs songes avec Cayce, celui-ci déclara qu'il s'agissait d'un «rêve-leçon», destiné à aider Frances à mettre en perspective le voyage de sa vie. Elle avait rêvé d'un de ses amis intimes, mort récemment, et le rêve réinterprétait symboliquement la scène réelle de son décès.

Je regardais ma mère qui, du milieu d'une foule, me faisait un signe à propos de David qui était en train de mourir. Il en était au dernier stade. Je vis ses yeux devenir vitreux. Il me parut que ma mère attirait mon attention sur ce point. Puis, dans un dernier effort, il essaya de se relever. Ceux qui l'entouraient l'en empêchèrent. Ma mère me montra qu'ils ne voulaient réellement pas. Puis il retomba et mourut. Je pleurai, sur quoi ma mère m'engagea à n'en rien faire.

Selon Cayce, ce rêve se rapportait à David parce qu'il représentait pour Frances un homme riche et de haute position sociale - soucis auxquels Frances avait tendance à accorder une valeur exagérée. La scène du décès lui montrait graphiquement comment la mort place tout le monde au même niveau, et aucune action de dernière minute ne peut y changer quelque chose. L'effort de David pour se relever était une représentation de l'importance du pouvoir de la volonté que chacun doit utiliser pour que la vie soit un déroulement plutôt qu'une longue complaisance qui ne parvient finalement pas à provoquer la compréhension et la paix qu'on devrait y trouver — de «la vie bien vécue et au service des autres».

Cette prévision, en rêve, des véritables événements de la mort était destinée, dans l'esprit de Cayce, à donner à Frances plus qu'une connaissance secrète de la vie au-delà du tombeau. Le rêve était destiné à placer sa vie quotidienne dans une perspective correcte, de manière qu'elle puisse choisir ses propres valeurs de travail. Avec de telles valeurs, souligna Cayce, il n'y avait pas de quoi faire grise mine. Et il ne fallait pas que Frances pense sans cesse à la mort et au futur. C'est maintenant que la vie devait être vécue.

«Cependant, dans la vie, tout n'est pas de vivre, et dans la mort, tout n'est pas de mourir.» poursuivit-il. Vivante ou mourante, l'âme devait rendre compte pour elle-même de tout ce qu'elle avait pensé et fait. Car il est de la nature de l'âme de retourner au «Tout» qui l'a créée, et pourtant de garder en elle-même le pouvoir de reconnaître elle-même comme indivdu, et de connaître tout ce qu'elle a été et tout ce qu'elle a fait.

Personne ne s'échappe à soi-même. Avec quelle sorte de Frances désirait-elle voyager à travers le Temps et la Mort ?

Et comme pour souligner quelles valeurs réelles se faisaient connaître dans les petites choses de la vie, un rêve lui vint aussitôt après, dont Cayce déclara qu'il était dû aux efforts de la mère, quoiqu'elle n'y apparût pas. Frances le raconta ainsi :

Je vis le bébé réellement malade. Il avait l'estomac dérangé, et il vomissait. Il me parut que je devais lui donner du lait de magnésium.

Ce rêve ne montrait, comme Cayce l'affirmait souvent à propos de rêves de santé, que le caractère extrême de ce qui pouvait arriver si on négligeait de satisfaire les besoins actuels du bébé. Le remède du rêve, déclara-t-il, était exactement ce qu'il fallait pour réagir à l'acidité du bébé, et il devait être pris immédiatement. Et à l'avenir, il faudrait surveiller plus attentivement son régime.

Le petit fragment de rêve qu'Aaron rapporta à Cayce pour Frances était encore plus prosaïque. « *Sa mère lui dit que Frances était en train de s'acheter une robe du soir* ». En ceci, disait Cayce, Frances pouvait voir que sa mère était aussi consciente des « affaires séculières » de sa fille que de ses « affaires spirituelles ». Elle trouvait toute la vie de sa fille, y compris sa vie sociale, « tout aussi intéressante que sa vie physique ».

Le caractère sous-jacent des relations de la mère avec sa fille constituait le thème d'un rêve qui lui vint un mois plus tard. Ce rêve ne nécessita aucune interprétation par Cayce. Il débutait par une allusion à un parent malade.

Ma mère me dit : « Ta belle-sœur ira très bien. Nous travaillons tous ici à son rétablissement ». Puis quelqu'un d'autre dit (ou ma mère) « Oui, ça c'est l'ennui. Nous ne pouvons pas faire ce que nous voudrions faire, continuer à nous développer, parce que nous avons encore toujours sur terre des bien-aimés que nous devons aider. Cela nous maintient tout près de la terre. Nous devons sans cesse continuer à nous occuper de vous, les jeunes. »

Plus tard, ma mère me fit voir la même chose de façon emblématique, me montrant comment l'amour maternel que je porte à mon bébé survit dans l'invidualité spirituelle d'une entité cosmique, comme par exemple il le fait chez elle pour moi. Ainsi, elle me donna une autre leçon de la vie après la mort, et de toute la vie, de l'amour et des relations étroites avec ceux que l'on aime, de la plus grande joie et de la plus grande gloire de la vie qui est de servir. Les choses se passèrent ainsi : Je me préparais à rentrer chez nous au Mississippi où je désirais aller. Je disais au-revoir à tout le monde, et ma mère faisait ma malle. Voyant mon bébé, je changeai de décision à propos de ce voyage afin de demeurer avec lui.

Et ainsi, ma mère, qui m'aime, moi, son bébé, reste près de la terre avec moi quoique la liberté de l'Univers lui lance une tentante invitation à appliquer son pouvoir spirituel présent. Ai-je raison?

Il est exact, dit Cayce, que sa mère se trouvait « sur un plan physique ou dans une sphère terrestre jusqu'à ce que cette force la mène dans son propre développement continu vers cette unicité avec la Force Totale, comprenez-vous? » Un moment viendrait où la mère s'en irait sur le propre chemin de croissance de son âme. Pour l'instant, Frances pouvait compter sur son aide continue, comme prouva l'un des derniers rêves qu'elle demanda à Cayce d'interpréter.

J'ai vu ma mère très distinctement. Je lui envoyais un télégramme pour lui dire qu'elle allait mourir.

Selon Cayce, il ne s'agissait pas là d'un rêve d'avertissement ou de mauvais augure. Au contraire, il montrait Frances dans un acte conscient d'acceptation du sort de sa mère. Il signalait la profonde conscience qu'avait Frances que sa mère lui apporterait toute la guidance et toute la protection dont elle avait besoin pour sa propre vie ou pour son bébé, si elle voulait s'en remettre dès maintenant à sa propre intuition et à l'influence de sa mère. Même la mort ne pouvait plus, désormais, la prendre par surprise.

Lorsque Frances demanda plus tard à Cayce de lui donner des conseils sur la bonne manière de soigner son bébé au cours d'un voyage de six semaines qu'elle allait entreprendre, il ne lui en donna aucun. Puisqu'elle avait une aussi catégorique assurance de l'assistance de sa mère et tellement d'expérience sur la manière de travailler avec elle, pourquoi, demanda-t-il, avait-elle besoin de Cayce?

Frances avait trouvé sa voie à travers le pays de la mort.

Elle avait trouvé le fil d'amour qui s'étend depuis la vie au-delà du tombeau.

Maintenant, elle devait en tisser son existence.

Frances avait eu sa propre optique sur les aventures que ses rêves lui avaient fait connaître pendant quatre ans. Lorsque l'Hôpital Cayce fut enfin achevé à Virginia Beach, elle monta sur l'estrade de l'orateur en ce jour venteux de l'Armistice de 1929, et elle prit timidement son tour parmi tous les autres qui apportaient leur salut. Ses paroles furent convenables et formelles, mais elles portaient sa pensée :

Puisse cette institution répandre suffisamment ses enseignements pour apporter assistance et compréhension à tous les peuples de tous les pays, comme les enseignements m'ont aidée à acquérir la compréhension de l'unité de la vie et de la force.

2ème partie

Comment faire travailler les rêves

Chapitre V

L'art de Cayce et celui du sujet

Pendant les quarante années au cours desquelles Edgar Cayce exerça ses dons surprenants, il constata souvent que ses interprétations présentaient comme un fait, quelque chose que ses auditeurs ne considéraient pas comme tel.

Les interprétations de Cayce recommandaient l'ostéopathie en même temps que des remèdes respectables et que la chirurgie, alors que l'ostéopathie n'était considérée que comme une médecine de charlatan. Elles relevaient des éléments psychosomatiques dans la maladie — dans un quart environ de ses séances — à un moment où seuls des spécialistes viennois considéraient que les causes psychogéniques étaient importantes. Elles décrivaient certaines vitamines avant que celles-ci n'aient été isolées en laboratoire. Elles spécifiaient les fonctions des glandes endocrines que l'on ne devait découvrir qu'après la mort de Cayce.

Dans les années 1930, deux décennies avant la découverte des manuscrits de la Mer Morte à Qumran, les interprétations de Cayce expliquaient comment les anciens Esséniens et d'autres membres de l'Alliance administraient leur communauté, sur la Mer Morte et ailleurs. Dans les années 1940, lorsque la France était occupée et envisageait un avenir perdu, elles prédirent qu'après la guerre, elle redeviendrait une puissance européenne indépendante. Dans les années 1920, longtemps avant la fondation des Nations Unies, elles indiquaient que la Ligue des Nations avait été la proposition qui convenait pour la mise hors la loi de la guerre.

Des décennies avant que l'on ne discute du Boudhisme Zen et de la Méditation hindoue dans les campus américains, elles précisaient les procédés de méditation transcendentale et les recommandait à tous. Elles décrivaient des tremblements de terre avant qu'ils ne se produisent et indiquaient quelles étaient les failles impliquées. On y trouva une dissertation sur la cambrure des ailes d'avion une décennie avant que ne commence la recherche aéronautique. Elles prédisaient les lignes de vie d'enfants nouveau-nés, et il fallut une génération pour vérifier à quel point elles étaient exactes.

Ceux qui étudièrent les interprétations de Cayce furent abasourdis par l'étendue apparente de leur vision, qui allait librement des micro-organismes à la vie après la mort, de l'histoire des Perses aux cotations de la Bourse, des champs pétrolifères souterrains au génie musical enfoui dans un enfant.

Ils notèrent aussi que les interprétations de Cayce ne fonctionnaient pas comme un microscope ou un télescope psychique. Les séances étaient méthodiquement consacrées à former les gens durant les quarante ans que dura l'activité du meilleur médium connu des temps modernes.

Quand il était en transe, Edgar Cayce présentait chaque découverte en fonction de la différence qu'elle pouvait apporter dans la vie de quelqu'un. Il se refusait à parler aux gens de quelque chose qu'ils ne pouvaient pas utiliser constructivement. Il ne voulait pas apporter à une personne un avantage injuste sur les autres. Il tournait chaque demande d'assistance en une demande de réflexion également. Lorsque les gens s'adressaient à lui pour obtenir un conseil médical, il leur demandait, d'une manière ou de l'autre : « Que comptez-vous faire de votre existence si vous guérissez ? » Il était évidemment beaucoup plus qu'une simple curiosité psychique. Il était un enseignant, un analyste, un professeur, un directeur spirituel pour tous ceux qui sollicitaient son aide.

Son don total — à la fois pour l'information et pour ses pénétrants conseils sur les valeurs individuelles — servait à faire que la plus étrange de toutes ses déclarations était la suivante : « Je ne fais rien que vous ne puissiez faire ».

Il ne cessait pas de le répéter à ses visiteurs, aux plus célèbres et à ceux qui n'étaient rien lorsqu'ils venaient pour discuter avec lui en quelque endroit qu'il se trouvât. Il le disait en plein éveil, souriant, mais pourtant très sérieusement. Et il le répétait en transe, encore et encore, en expliquant comment, le processus se déroulait.

Il insistait sur le fait que ce que les gens voyaient en Edgar Cayce n'était pas unique en principe, même si c'était frappant. Ils assistaient à l'application de lois, de lois toutes naturelles. Ils assistaient à l'emploi de lois qu'eux-mêmes pouvaient apprendre à utiliser.

Evidemment, il ne fallait pas croire que quiconque apprendrait à appliquer ces lois pourrait en arriver exactement où Cayce en arrivait. Certains auraient des dons notablement différents — par exemple la formation intellectuelle ou la direction administrative — dans lesquels leurs possibilités psychiques et leur spiritualité interne les aideraient comme ils l'avaient aidé lui-même. Chacun n'aurait pas le même degré de dons : il y a des génies dans tous les domaines. Certains, disait-il, seraient meilleurs médiums que lui. Il insistait beaucoup sur cette déclaration. Il disait à un homme qu'il pouvait apprendre à donner certaines sortes d'interprétations à l'état de veille, à un autre qu'il pouvait même apprendre (au prix du travail discipliné de toute une vie) à ressusciter les morts, capacité qui, selon lui, dépassait largement Edgar Cayce dans l'existence présente.

L'affirmation que chacun pouvait faire, dans une certaine mesure, ce que faisait Edgar Cayce a probablement été l'affirmation la plus audacieuse qu'il n'ait jamais formulée.

Mais il ne voulait pas que cette affirmation reste en l'air. Il fournit aux gens un laboratoire où ils pouvaient tester cette déclaration en ce qui les concernait eux-mêmes. Il les incita à se rappeler leurs rêves et à les étudier. Dans les rêves, disait-il, les gens pouvaient expérimenter pour eux-mêmes toutes les espèces importantes de phénomènes psychiques, et tous les niveaux de conseils philosophiques et religieux utiles. Qui plus est, ils pouvaient, à travers les rêves, apprendre les lois de ces choses et se soumettre à un programme d'entraînement aux rêves, spontané et sur mesure, en se servant de ces lois — pour autant que dans leur vie éveillée, ils veuillent utiliser constructivement ce qu'ils avaient appris dans les rêves.

C'était une affirmation extraordinaire en ce qui concerne les rêves.

Lorsque Cayce mourut, il laissa derrière lui quatre dossiers complets sur des individus qu'il avait amenés, à travers l'étude de centaines de leurs rêves, au moyen de ses interprétations, à élargir et à approfondir leurs dons naturels : des dons psychiques, intellectuels, financiers, de commandement, des dons artistiques, de guérison, d'amour, de sagesse, le don de formation des autres.

L'un de ces cas était le sien propre : un rapport sur 106 rêves interprétés au cours de 69 séances de 1924 à 1940. Il avait entrepris l'étude de ses propres rêves parce que, peu après avoir déménagé à Virginia Beach, il fut avisé par ses propres interprétations qu'il devait agir ainsi. Beaucoup de gens qui pouvaient ne pas accepter ce qu'il semblait faire en état de transe, étaient désireux, lui dit-on, de faire l'expérience avec leurs propres rêves s'il les donnait en exemple. En rapportant systématiquement leurs rêves et en les étudiant, ils pouvaient dévoiler «bien des choses qui pouvaient être utiles à l'esprit de maints individus qui écouteraient et appliqueraient les mêmes leçons et les mêmes vérités que celles acquises dans leur vie individuelle par les mêmes études.»

Le texte ajoutait un riche commentaire indiquant — comme cela avait toujours été souligné à travers toutes ces années — que la bonne manière d'approcher les gens à propos de ce qu'avait fait Edgar Cayce était de ne pas essayer de les braquer sur les phénomènes de Cayce. Au contraire, les autres devaient être mis en possession de lois et de «vérités» qu'ils pouvaient essayer pour eux-mêmes. Ce qui comptait, ce n'était pas Cayce. «Il n'est pas néces-

saire de croire aux oeuvres d'Edgar Cayce», disait carrément ce texte. Ce qui était nécessaire, c'était que les autres
essaient pour eux-mêmes les «vérités telles qu'elles se
manifestaient à travers lui, comprenez-vous?» Les rêves,
était-il dit, étaient un excellent moyen d'y arriver.

Le même texte tirait un étroit parallèle entre l'état de
transe d'Edgar Cayce et ce qui se passait dans le sommeil.
«Pour le moment, disait cette interprétation en décrivant
ses transes, nous trouvons le corps et l'esprit dans cet état
passif dans lequel l'action de la suggestion positive de l'esprit physique — ceci désignait l'état de suggestion et de
prière qui mettait Cayce en transes, et qui était renforcé par
l'action hypnotique de sa femme — dirige l'être vers les Forces Universelles comme on les trouve dans la direction subconsciente.» C'était le même processus décrit auparavant
pour les rêveurs, où leur propre subconscient pouvait, dans
leurs rêves, approcher les Forces Universelles à travers le
processus d'harmonisation du superconscient. Edgar Cayce
ne faisait rien d'autre dans ses interprétations sinon qu'il
était aussi «capable d'utiliser ses capacités physiques» pour
parler et qu'il utilisait simultanément les ressources que les
rêveurs ne pouvaient approcher que seules, ou occasionnellement : «les forces cosmiques, spirituelles et superconscientes en action» toutes ensemble.

Concluant sur l'étude des rêves, le texte de l'interprétation poursuivait : «Ainsi, les rêves qui viennent à l'entité
(Edgar Cayce) peuvent être la corrélation de n'importe
laquelle ou de toutes ces facultés, et il faudrait en rendre
compte» si Cayce voulait montrer aux gens comment leurs
états nocturnes reproduisaient ses états de transe.

Réussir un état de sommeil exactement comme une
transe d'Edgar Cayce devint une réalité pour Frances — un
autre des quatre rêveurs qu'il avait éduqués; elle-même,
dans ses rêves, n'expérimenta pas seulement la télépathie,
les visions du futur, les conseil médicaux et la pénétration
dans l'être de parents et d'étrangers, mais elle eut aussi des
aperçus du mouvement des valeurs, et de la vie après la
mort. Cependant, elle avait du mal à croire qu'elle utilisait
des variantes des mêmes procédés qu'Edgar Cayce.

Puis, un après midi, en faisant la sieste, alors qu'elle travaillait sur ses rêves depuis deux ans, elle connut la mémorable expérience suivante :

Vers 3 heures de l'après-midi, juste après m'être endormie, me parlant directement à moi-même (sans me voir parler alors que c'était moi qui parlais et que j'étais consciente de le faire), je disais : « maintenant, mon corps assume ses propres forces et il sera en mesure, et il le fera, de me donner telles informations que je désire obtenir au moment présent. Le corps physique sera parfaitement normal et donnera ces informations maintenant. »

Elle paraphrasait des instructions qu'elle avait entendues donner à Edgar Cayce comme prologue à chaque période d'interprétation, peu après que sa respiration régulière eût indiqué qu'il était entré profondément en transe. Frances poursuivit en rapportant ses pensées au moment de l'expérience:

Maintenant, je me trouve dans le même état que Cayce lorsqu'il donne une séance d'interprétation. Seul mon cœur bat, et mes organes supérieurs fonctionnent (pour le reste, le corps est calme). Mon mari ou la servante ne trouveraient-ils pas étrange de m'entendre parler lorsque je me trouve dans cet état? Que penseraient-ils s'ils entraient et s'ils m'entendaient maintenant? »

Après un moment elle se trouva en train de répéter la formule de suggestion qu'elle avait entendue utiliser par Mme Cayce pour faire sortir son mari de l'état de transe.

« Maintenant, mes forces physiques »... etc, etc (exactement à travers toute la procédure du réveil, mot pour mot comme dans une séance d'interprétation) jusqu'à: « Maintenant, je vais me réveiller parfaitement normale et en parfait équilibre. » Alors, je me réveillai effectivement. Je sautai debout, un petit peu effrayée et quelque peu étourdie. J'éprouvais une sensation particulière derrière la tête. J'avais faim et lorsque j'eus un peu mangé, mon étourdissement disparut. L'expérience dura environ 25 minutes. Après cela, je me ren-

dormis, et je dormis normalement pour un bon moment.

Lorsqu'elle écrivit à Cayce, Frances demanda : «Étais-je dans le même état que celui où se trouve Cayce lorsqu'il donne une interprétation?» La réponse de Cayce endormi fut sans équivoque : «Le même état».

Lorsqu'elle demanda comment elle avait pu se suggestionner elle-même alors que, de façon caractéristique, Cayce avait besoin qu'on le fasse pour lui, elle s'entendit répondre que sa mère l'avait aidée, depuis l'autre plan, quoiqu'elle ne l'ait pas compris dans son rêve.

L'expérience lui était venue, déclara Cayce, pour diverses raisons. Elle avait tenté de comprendre la nature de la conscience après la mort. Aussi, cette expérience onirique l'avait-elle placée dans un état semblable à la mort tout en lui permettant de demeurer en contact avec son corps. Ensuite, elle avait cherché à comprendre ce que faisait Cayce, et le rêve vint l'y aider car «avec l'expérience vient aussi la plus grande réalité» par la compréhension des lois et des processus qui sont en oeuvre; «dans l'expérience est la connaissance des conditions et des éléments environnants que l'on obtient.»

Enfin, le rêve lui était venu pour lui montrer dans quelle direction elle pourrait servir les autres si elle le voulait et si elle s'y préparait correctement. Bien entendu, Frances demanda comment elle pourrait refaire ce qu'elle avait vu faire par Cayce, prendre sur elle la maladie physique de quelqu'un d'autre.

Il lui conseilla d'être prudente et d'y aller lentement en étudiant chaque expérience semblable qui lui viendrait jusqu'à ce qu'elle ait sérieusement saisi les processus qui étaient en œuvre. Si elle se livrait à cette étude, et si elle maintenait sa vie de veille comme un service de prière et d'amour à l'égard des autres, elle pouvait s'attendre à connaître une série d'expériences oniriques de cette sorte. Ce serait une sorte de programme d'entraînement interne.

Mais en recherchant ce développement, elle aurait à faire face à une importante question. Pourquoi le faisait-elle? Si c'était pour la renommée, ou pour assurer son pouvoir sur les autres, ou comme compensation pour les échecs et les fautes de son existence, elle n'arriverait à rien.

Cet avertissement, que Cayce répétait à tous ceux qui cherchaient à s'assurer un sérieux développement psychique, a pu effrayer Frances. Ou elle a simplement pu être détournée de son but par les événements extérieurs de son existence qui, pendant deux ou trois ans, exercèrent sur elle une forte pression. Toujours est-il qu'elle ne rapporta plus s'être retrouvée dans cet état — sauf dans la forme modifiée où elle cherchait à se trouver à l'unisson avec sa mère pour qu'elle la guide à propos de son bébé.

Mais elle savait pourquoi Cayce ne cessait de prétendre que chacun pouvait faire ce qu'il faisait, et pouvait commencer à le faire dans ses rêves.

Les rêves et les interprétations médicales

Edgar Cayce fut, pour la première fois, l'objet d'une attention à l'échelle nationale en 1910, lorsqu'un médecin fit un rapport sur lui au cours du congrès d'une association médicale à Boston. À cette époque, il avait donné des conseils médicaux à des médecins depuis plusieurs années.

L'assistance médicale était la forme sous laquelle ses aptitudes hypnotiques s'étaient manifestées pour la première fois, lorsqu'un médecin de sa ville natale lui avait demandé d'établir des diagnostics et des prescriptions pour des patients, comme on affirmait que l'avaient fait des sujets européens sous hypnose.

L'idée même en avait paru ridicule au jeune Edgar Cayce. Son éducation se limitait à l'école primaire et sa seule vocation semblait d'être employé de librairie ou assistant-photographe. Cependant, en état d'inconscience, il se montra capable de parcourir le corps humain comme un rayon X mental et d'utiliser des termes médicaux qu'il n'avait jamais entendus, puis de prescrire des traitements complexes ou d'adresser des patients à des spécialistes.

Le phénomène représenté par ce « diagnosticien psychique » comme l'avaient appelé les journaux, commença comme une innovation, une sorte de miracle naturel comme une chute d'eau. Vers le milieu de la vie de Cayce, ses dons étaient devenus stables et suffisamment respectables pour faire naître l'«Hôpital Cayce» à Virginia Beach, avec une équipe médicale complète, et une Université avec une faculté complète, une administration, un groupe d'étudiants et des équipes de football — l'Atlantic University à Virginia Beach, qui fonctionna jusqu'à ce que la Crise l'obligea à fermer ses portes.

Sur les 13.000 interprétations — ou plus — enregistrées et conservées au cours de l'existence de Cayce (et il en est des milliers qui ne furent pas enregistrées avant son déménagement à Dayton, Ohio, en 1923), plus des deux tiers étaient consacrées à des conseils médicaux donnés à des individus, sur une gamme de maladies comparable à celle que l'on peut trouver dans une clinique importante.

Pourquoi une aussi grande partie de ses efforts psychiques était-elle médicale? Ses propres interprétations disaient qu'il fallait en chercher la raison dans une de ses meilleures existences passées au cours de laquelle il avait été un guérisseur consacré de la Perse ancienne, et que cette inclination à aider les gens qui souffrent constituait une part de l'héritage légué à son âme. Il y avait aussi l'effet de cette mémorable vision qu'il avait eue, en prière, à l'âge de douze ans, lorsqu'il avait demandé, en étudiant la Bible, d'être mis au service de ses semblables comme l'avaient fait des personnages bibliques, et «spécialement au service des enfants». D'autres éléments y avaient peut-être encore concouru. Cayce avait une haute idée du personnage de Jésus dont le ministère incluait la guérison. Et dans la culture pragmatique américaine, un médium ne pourrait avoir aucune audience s'il n'avait aussi un don «utilitaire».

L'une de ses interprétations médicales les plus typiques commençait par évaluer la gravité de la maladie qui avait amené le patient chez lui. Cayce l'appelait «une interprétation physique» plutôt que «médicale», en raison de sa détermination d'obliger les patients à travailler avec leur médecin et de ne pas l'utiliser, lui, à sa place. L'interprétation en venait alors au point critique du mauvais fonctionnement du corps, qu'il s'agisse d'une infection, d'une blessure, ou de quelque autre élément anormal. Il arrivait que ce point diffère de ce que le patient ou son médecin avait attendu, parce que Cayce situait le point critique en épilepsie dans l'abdomen, et secondairement seulement dans le cerveau. Il retraçait la pathologie fondamentale du corps qu'il examinait, aussi calmement que s'il étudiait les résultats d'une batterie de rayons X ou des rapports de laboratoires plutôt que d'être étendu inconscient sur un divan, souvent à des centaines de milles d'un patient qu'il n'avait jamais vu.

Généralement, il parcourait alors les systèmes principaux du corps, notant l'histoire de chacun d'eux chez ce patient particulier de même que sa fonction présente — et même les symptômes précis ressentis par le patient à un moment déterminé du jour ou de la nuit. Il s'attachait surtout à noter comment chaque système contribuait au mauvais fonctionnement ou à la distorsion d'un autre système, et il insistait souvent sur le fait que toute la personne devait être traitée, et pas seulement une entité — maladie donnée, dotée d'un nom médical approprié.

Il y avait d'abord les systèmes circulatoires, sanguin et lymphatique. Il semblait en mesure de fournir sans difficulté des statistiques de flux sanguin, de même que les toxines qu'il contenait, la pression sanguine, et les sources d'infection ou de contraction de la circulation. Il examinait la fonction endocrine comme elle apparaissait dans le sang, la glycémie et les microorganismes (pouvant même décrire la forme qu'ils prenaient sous le microscope.)

Puis il en venait aux systèmes nerveux, cérébrospinal et autonome, décrivant leurs altérations et leurs irrégularités. Si l'un des sens fonctionnait de façon anormale, il pouvait dire comment et pourquoi, notant aussi les temps de réaction, les circuits de la douleur, la sur- ou la sous-stimulation de certaines parties du corps. Il isolait des nerfs particuliers ou des ganglions quand c'était nécessaire, indiquant leur localisation exacte et leur fonction dans le corps.

Puis venaient les systèmes organiques majeurs du corps. Il examinait l'état du cerveau. Puis il s'attaquait au système respiratoire, du nez aux poumons, indiquant des points typiques de congestion, l'histoire de la tuberculose et — lorsqu'il le fallait — ce que montrerait la radiographie. Puis venait le cœur et son système pulmonaire pour oxygéner le sang. Il n'éprouvait aucune difficulté à indiquer les pulsations, le fonctionnement des valves du cœur, les dépôts qui se trouvaient dans le cœur ou autour, et l'histoire de la maladie du cœur. Après cela, il s'agissait d'examiner tout le système digestif, de la bouche aux organes d'évacuation. Il faisait souvent des commentaires sur l'équilibre acido-alcalin, sur le péristaltisme, sur les sécrétions du foie et du pancréas, sur les éliminations et la fonction des reins. Il examinait, quand c'était nécessaire, le système des organes sexuels et gynécologiques, et il accordait une attention toute spéciale à la fonction endocrine — avec les questions connexes du métabolisme et des systèmes de croissance et de guérison du corps.

À ce point de son interprétation, Cayce avait parlé plus d'une demi-heure dans un état d'inconscience. Il était temps maintenant, pour lui, d'en venir à la difficile question du traitement. Il le faisait avec la même perfection, car il insistait pour qu'on établisse un programme de reconstruction du patient et qu'on élimine la cause du mal, non qu'on en soulage seulement les symptômes.

Il n'hésitait pas à prescrire des médicaments compliqués, voire des stupéfiants, pour autant que ceux-ci soient donnés sous la supervision d'un médecin. Il n'était pas rare qu'il détaille une ordonnance en grammes et en quantités minimes pour l'édification du pharmacien. Mais il choisissait aussi des produits du commerce, à moins que le fabricant n'ait changé leurs formules, ce qu'il notait aussitôt pour suggérer que le pharmacien la modifie. Il n'hésitait pas davantage à recommander la chirurgie lorsqu'il pensait que c'était nécessaire, même lorsque les médecins étaient d'un avis contraire. Il était capable d'indiquer l'endroit exact de l'incision, le procédé et le drainage.

Mais dans ses conseils médicaux, il y avait un plus grand poids donné à tous les types de physiothérapie que celui qu'on pouvait trouver dans les prescriptions et les soins du médecin de famille habituel. Il insistait sur le fait que le corps devait être aidé à se guérir lui-même, autant que possible, et protégé contre les chocs de médicaments inutiles ou du scalpel qui pouvaient apporter un remède mais aussi affaiblir le système. Ainsi, dans ses interprétations, il préconisait des bains, des enveloppements humides, des purgatifs, des exercices, une thérapie manipulative, de l'électrothérapie, des sudations, des massages et des huiles.

Ses conseils étaient également détaillés en ce qui concernait le régime alimentaire : à la fois les régimes particuliers et le régime quotidien régulier, ainsi que les suppléments de nourriture et les toniques. Ses régimes n'étaient pas lunatiques, mais faisaient partie de ses considérations médicales qui avaient rapidement acquis une large renommée à cause de leur justesse. En traitant de la nourriture, il soulignait parfois, comme pour les médicaments, qu'il fallait suivre des cycles corporels spécifiques — un élément de la médecine qui n'est pas encore largement pratiqué, peut-être parce que les instruments capables de déterminer ces cycles n'atteignent pas encore le niveau d'exactitude auquel arrivait Cayce en état de sommeil.

Dans sa thérapie, peut-être en tête de la liste des traitements, on mettait en discussion les changements d'attitude, les habitudes, les apparences, les loisirs, le style de vie et la vocation aussi bien que les orientations religieuses. Par moments, il recommandait l'hypnose et la psychothérapie de même que la thérapie de groupe et les prières d'intercession des autres. Mais le plus souvent, le patient s'entendait recommander de reconstruire sa propre vie intérieure en examinant ses fondations et l'effet qu'elle avait sur ceux qui l'entouraient autant que sur sa propre santé.

Le trait le plus frappant de ces interprétations médicales n'était peut-être pas le travail de diagnosticien accompli par Cayce en état de sommeil. On pouvait à tout le moins imaginer qu'il observait le patient avec une vision radiographique (quoique, en fait, il affirmait que le diagnostic venait du propre subconscient du patient qui connaissait mieux son corps que Cayce). Ce n'était pas non plus sa connaissance encyclopédique des termes médicaux ni une surprenante variété de traitements. On pouvait à tout le moins imaginer un esprit doté d'une superbe mémoire, aidé par un conseil médical invisible. Mais ce qui secouait les observateurs plus que tout autre élément de ces interprétations, c'était la manière dont il semblait avoir accès à un répertoire complet de toutes les formes d'assistance médicale. Il pouvait instantanément spécifier quel était le meilleur chirurgien pour traiter tel cas particulier et où on pouvait le trouver. Il pouvait indiquer où l'on pouvait commander un médicament inconnu. Il pouvait déterminer l'endroit où l'on trouverait le meilleur climat et la meilleure altitude pour tel patient, en ajoutant même s'il y avait un terrain de golf à cet endroit. Apprenant combien ce travail semblait facile et connaissant son exactitude dans des centaines de séances d'interprétation, l'auditeur en était souvent amené à imaginer une sorte de «conscience universelle» semblable à celle à laquelle Cayce lui-même prétendait s'abreuver.

Cependant, Cayce insistait sur le fait que tout ce qu'il faisait dans ses interprétations médicales pouvait aisément être reproduit dans les rêves, si le rêveur en avait besoin et s'il pouvait le comprendre. À tout le moins, le rêveur qui le cherchait pouvait être guidé là où il trouverait de l'aide, quand, et comment, pour lui-même et pour ceux qu'il aimait.

Évidemment, ceux qui avaient un penchant naturel pour la médecine, comme Frances, trouvaient davantage dans ce matériel de rêves que d'autres dont l'intérêt principal se portait vers l'art ou l'histoire. Mais le corps pouvait faire connaître ses besoins en rêve, et même suggérer une thérapeutique.

Le mari de Frances, Aaron, rêva d'une thérapie manipulative pour sa mère malade.

Je dis à ma mère : «Maintenant, je vais t'administrer moi-même ce traitement ostéopathique.» J'en fis plus que n'en faisait le Dr H. (de Virginie), massant et étalant doucement les vertèbres cervicales plutôt que de les faire brutalement craquer.

Dans ce rêve, il voyait exactement quels étaient les soins dont sa mère avait besoin, déclara Cayce, seulement ceux-ci devaient être administrés par un médecin, pas par le rêveur. Pour faciliter les choses, Cayce nomma alors un médecin de New-York, qui le ferait comme il convenait. «Marshall fera ça très bien, Dan Marshall». Comme Aaron n'en avait jamais entendu parler (et Cayce à l'état de veille probablement non plus) il demanda : «Pouvez-vous me donner son adresse?» La réponse de Cayce fut appréciable : «New-York. Regardez dans l'annuaire du téléphone. Vous devez vous donner un peu de mal.»

L'incessant problème de Cayce, lorsqu'il éduquait ses rêveurs, c'était de les amener à se fier à eux-mêmes, endormis ou à l'état de veille. Il ne cherchait pas à faire des petits Cayce. Il voulait des gens capables, sûrs d'eux, utilisant les talents dont ils étaient dotés, et apprenant de nouvelles lois à appliquer.

En bon guide, il devait continuer à encourager ses rêveurs. Pour y arriver, il utilisait toutes ses facultés médicales.

Lorsque des femmes rêvaient de grossesse, il ajoutait les dates exactes entre lesquelles elles devaient concevoir. Puis il les mettait au défi de rêver du sexe de l'enfant, qu'il pouvait confirmer. C'était à elles à apprendre à rêver utilement. Si elles rêvaient que la formule du bébé était mauvaise, il la corrigeait, mais il les incitait à trouver d'autres éléments qu'elles vérifieraient avec lui.

Lorsqu'un homme rêvait que sa culotte de cheval était trop grande, Cayce était ravi de ses progrès dans les rêves de soins médicaux. Ce rêve, disait-il, indiquait que la pratique du cheval était bonne pour le rêveur, mais qu'il n'en fallait pas trop. Lorsqu'un autre rêveur s'entendait conseiller en rêve de ne pas assister à un match de football qu'il adorait, Cayce renforçait l'avertissement et demandait à l'homme de rêver pourquoi il lui avait été donné. Il le faisait. C'était à cause d'un danger d'infection de l'oreille. Cayce était d'accord, et indiquait le traitement qui permettrait au rêveur d'aller au match. Et pour l'encourager, il lui disait même quels matches son collège gagnerait au cours du reste de la saison, à condition que le programme initial ne soit pas modifié.

Les rêves et les interprétations psychologiques

Edgar Cayce était âgé de quarante-cinq ans et utilisait ses dons depuis deux décennies lorsqu'apparut pour la première fois le type d'interprétations qui allaient devenir, en second lieu, les plus nombreuses dans ses dossiers : les interprétations psychologiques, qu'il appelait : «interprétations de vie». Lorsqu'il mourut, il y en avait environ 2,500 qui avaient été données à des gens de tous âges et de toutes conditions, en commençant par sa propre famille et par ses parents plus éloignés. Le contenu de ces interprétations, déclarait-il, pouvait également être reproduit dans les rêves.

Semblables à plusieurs égards aux interprétations médicales, celles-ci examinaient les systèmes de la psyché au lieu de ceux du corps.

Quand il commençait une séance de ce genre, Cayce endormi parlait à mi-voix, comme s'il se parlait à lui-même, pendant qu'il examinait les rapports. Revenant en arrière, année par année, dans la vie de l'individu, il notait à haute voix les événements parlants, les tournants, les traumatismes et les tensions qui avaient formé cette existence (d'un ou deux éléments jusqu'à une demi-douzaine). Puis il se plongeait dans l'évaluation de toute la personnalité.

Comme dans les interprétations médicales, il commençait par quelques commentaires appropriés pour caractériser ce dont il traitait : l'amplitude d'esprit de la personne, ses talents relatifs et potentiels, le genre de leçons dont elle avait le plus besoin dans son existence, les choix qu'elle devait faire. Puis, il commençait l'analyse systématique de la personnalité. Il s'intéressait d'abord au tempérament de l'individu, à ses talents, aux tendances de son style de vie (à quel point il sortait de l'ordinaire, ou s'il était extrémiste, ou s'il était réfléchi, etc). Il soulevait ces questions, qu'il traitait comme le câblage et la tuyauterie essentiels de la personnalité, dans une forme originale, même si l'individu l'ignorait, ou en faisait un bon ou un mauvais usage. Revenant au schéma en sept points utilisé par les anciens Stoïques grecs, il prenait les noms des dieux et des déesses de l'Olympe comme emblèmes des tendances de la personnalité. Les mêmes structures, disait-il, pouvaient être mises en corrélation avec les traditions relatives aux planètes du Zodiaque — mais cependant pas de manière mécanique. En réalité, disait-il, les sept emblèmes étaient une façon de parler des tendances que la personne avait développées et affinées dans des périodes intérimaires, *entre* des vies terrestres (une notion que partageaient également les Stoïques).

En approchant ainsi une personnalité, Cayce utilisait soigneusement ses sept projecteurs pour éclairer les tendances de celle-ci. Il ne s'intéressait pas seulement à la force des dotations individuelles — par exemple la pénétration intellectuelle qu'il imputait à « Mercure » — mais aussi à la manière dont une dotation se mêlait à une autre, par exemple, comment « Mercure » pouvait être affecté par la force et l'agressivité, qu'il appelait « Mars ».

Mais en utilisant ce canevas, Cayce se dégageait lui-même de la terminologie de la psychologie moderne, qui n'emploie nulle part une telle typologie : pas même dans les trois tableaux des types de tempérament utilisés par Sheldon, ni dans les huit « fonctions et attitudes de conscience » employées par Carl Jung.

Parfois, Cayce ne discutait que très brièvement de ces éléments innés de la structure de la personnalité, parce que l'individu, disait-il, utilisait sa volonté pour « les réduire tous à néant ». Parfois, par contre, il s'y étendait longuement, les reliant à la vocation, à la personnalité, aux faiblesses, aux amitiés, au sens artistique, à la moralité, aux intérêts philosophiques, aux habitudes et aux aptitudes de commandement de la personne. C'étaient là les conduits par lesquels l'énergie naturelle de la personne tendait à s'écouler, quels que fussent les buts qu'elle recherchait. Souvent, disait-il, ils étaient représentés dans des rêves abstraits, ou dans des rêves de structures et d'intentions.

Mais alors Cayce se tournait vers le côté le plus dynamique de la personnalité : les buts et les réponses vers lesquels l'individu se dirigeait et les puissantes impulsions ainsi que les fascinations qui l'y conduisaient. C'étaient là, disait-il, des éléments qui provenaient de vies terrestres antérieures. Souvent, notait-il, ils apparaissaient dans des rêves à forte tonalité sensorielle et émotionnelle.

La méthode de Cayce pour aborder les vies terrestres était très simple. Il choisissait, parmi toutes celles qu'il prétendait voir, celles qui lui paraissaient les plus couramment adaptées à l'individu. Il soulignait que d'autres vies passées pouvaient avoir eu une portée sur certains points antérieurs de l'existence présente, et qu'elles disparaissaient ensuite tandis que d'autres existences pourraient entrer ultérieurement en ligne de compte.

Dans l'optique de Cayce une personne vit, en un certain sens, toutes ses « existences » dans le présent. Une existence passée n'est pas abandonnée comme un livre fermé. Elle survit dans le présent à la manière dont la psychanalyse affirme que l'enfance survit dans la vie de l'adulte et la colore de diverses manières. Cayce considérait les pleines personnalités développées au cours d'existences passées comme des sous-structures de la psyché actuelle, colorant toute la vie qui suivait l'adolescence, et constellée de diverses existences antérieures, dépendant du comportement présent de l'individu.

Il insistait sur le fait que les rêves pouvaient rappeler des scènes réelles et des souvenirs d'existences passées, et que chacun était susceptible de rêver des pulsions et des problèmes de la personnalité laissés en dépôt par ces existences.

Dans ses « interprétations de vie », il silhouettait, en règle générale, de cinq à six existences passées qui avaient un effet sur le présent : (lorsqu'on le lui demandait, il était capable de revenir en arrière et de consacrer une interprétation entière, ou davantage, à une vie particulière.) Il traitait fréquemment de la famille et de la situation sociale de l'individu dans chacune de ses existences passées, de son éducation et de ses talents. Il pouvait dire si cette existence avait atteint des buts bien définis ou n'avait fait que s'écouler. Il faisait ressortir certains talents qui pouvaient s'être reportés sur le présent. Il essayait de communiquer le sens de l'appartenance, de dire à quoi ressemblaient les principales relations et comment elles se déroulaient. Il plaçait l'individu dans le cadre des causes, des institutions et des mouvements de ces diverses périodes, principalement ceux qui, à l'époque, avaient éveillé un profond écho dans la personne. Il épelait le nom de l'individu dans une translittération anglaise en partant de n'importe quelle langue appropriée : hébreu, chinois, sanscrit, égyptien, indien d'Amérique ou quelque autre. Il résumait chaque existence avec concision en indiquant ce que «l'entité avait gagné» ou «ce qu'elle avait perdu».

Il accordait une attention toute particulière à l'existence dans laquelle il avait l'impression que l'individu avait atteint son plus haut développement spirituel et son idéal le plus clair, et où il avait rendu les plus grands services à ses semblables. Souvent, il disait aux gens qu'ils rêvaient déjà de cette existence, en fragments répétés qu'il leur rappelait, et il affirmait que l'une des principales fonctions des rêves qui portaient sur les existences passées était de raviver à nouveau le noyau spirituel de la personne.

À la fin de l'interprétation, il en venait au présent pour résumer les «capacités de l'entité, ce qu'elle pouvait atteindre, et comment.» À ce point-là, il soulevait les questions de l'éducation, du mariage, du service public pour indiquer comment l'héritage de l'individu pouvait s'adapter à sa culture contemporaine et aux liens personnels dans lesquels il était pris. Il montrait où la personne trouverait son plus grand bonheur, ferait le plus de bien, se sentirait la plus vivante, conserverait la fraîcheur de sa croissance. Et il concluait son analyse en posant la question essentielle des priorités spirituelles : où en était l'individu, dans son cœur, avec Dieu?

Fréquemment, il y avait aussi des questions sur des sujets pratiques que Cayce examinait un par un : comment se comporter avec certains parents, comment se décider entre des offres d'emploi, comment certains échecs continuaient à tracasser la personne, comment inaugurer une vie plus disciplinée.

Dans les centaines d'interprétations de rêves qu'il donnait, Cayce affirmait que tous les sujets importants de ses interprétations de vie étaient en mesure d'être examinés dans les rêves de l'individu.

Il ne devrait pas être très surprenant pour un psychanalyste ou pour un étudiant des rêves dans les laboratoires de sommeil d'entendre dire que les rêves traitent de toutes les *questions* relatives au tempérament, au style, aux talents, aux impulsions, aux buts, aux engagements et aux relations dont Cayce parlait dans ses interprétations de vie. Mais il serait abusif, aux yeux de la plupart des étudiants en onirisme, d'attendre que les rêves puissent présenter les *structures* que Cayce décrivait : des vies passées et des exemples d'expériences «intérimaires». Cependant, d'après Cayce, les rêves soigneusement étudiés, devaient traiter à la fois des questions présentes et des structures correspondantes du passé.

Il utilisait toute sa capacité d'interprétation psychologique pour diriger les rêveurs.

Lorsqu'un financier rêvait de lui-même comme d'un philosophe recevant un diplôme en costume académique, Cayce lui disait qu'il en avait le talent, issu de ses existences égyptienne et chinoise, et l'encourageait à s'y consacrer. Quatre ans plus tard, l'homme avait publié un livre plein de substance sur la vie après la mort, donnait des conférences mensuelles à l'Université et recevait les honneurs dont il avait rêvé.

Lorsqu'un jeune homme sensible et verbeux rêvait de lui-même en uniforme de guerrier ancien, l'épée à la main, Cayce confirmait la supposition faite par le rêveur qu'il avait jeté un coup d'œil sur une vie passée. Mais Cayce défiait aussi le rêveur de découvrir, à travers ses rêves et l'étude de lui-même, comment son moi guerrier s'adaptait à sa personnalité présente. Le jeune homme répondait, en temps voulu, qu'il utilisait maintenant ses anciennes fureurs pour avoir la patience et l'opiniâtreté de servir les autres plutôt que de les détruire avec sa langue et ses rebuffades. Cayce

111

se déclarait d'accord et confirmait que la substructure du guerrier dans son personnage l'aiderait à développer une force contrôlée, ce qui se passa effectivement dans les années qui suivirent.

Une femme attrayante, ambitieuse, avide de puissance, qui avait un rôle de responsable dans une société de New-York, rêva d'un homme vers qui elle était attirée. Il se trouvait dans son appartement où elle pouvait soit le séduire, soit l'aider dans un projet créatif dans lequel il était engagé. Cayce suggéra que l'homme en question avait été son propre fils à une époque où, malgré sa force, elle s'était sincèrement sacrifiée pour lui. En travaillant avec lui maintenant, elle pouvait révéler son meilleur côté plutôt que ses instincts dominateurs.

Lorsqu'un agent de change se mit à rêver symboliquement d'actions en tableaux chiffrés qui indiquaient leur montée ou leur baisse, leurs forces et leurs faiblesses, et même de dates et de quantités d'achats et de ventes, Cayce donna au rêveur le nom d'un étranger qu'il devrait consulter au sujet de la sémiologie des nombres, et dont il devrait se faire un bon ami. Car, en effet, ils avaient été associés dans des existences passées.

Lorsqu'un banquier l'interrogea au sujet des langues étrangères qu'il parlait dans son sommeil, selon ce que d'autres lui en disaient, Cayce les identifia comme de l'égyptien et du celte, ce qui, ajouta-t-il, pouvait être vérifié. De plus, il incita le rêveur de prendre note aussi des tablettes de pierre qui apparaissaient fréquemment dans ses rêves (ce que le rêveur avait négligé de mentionner). Il pouvait apprendre à lire ces tablettes égyptiennes, dit Cayce. « Lisez-les de haut en bas et non de gauche à droite ».

Cayce dit à une femme qu'elle pouvait se souvenir dans ses rêves de l'expérience d'une vie passée au cours de laquelle elle avait été ramenée des Croisades comme femme Maure d'un Chrétien, et qu'elle pouvait écrire le récit mémorable des conflits et des développements qu'elle avait connus.

Dans des vingtaines d'interprétations de rêves, il montrait au rêveur comment l'expérience d'une vie passée avait précipité un développement présent : la manière dont un mari considérait sa femme comme un enfant, la tendance d'un rêveur qui, autrefois, avait banni des gens, à fuir dans un exil volontaire lorsque les choses tournaient mal pour lui, la surdité qui, aujourd'hui, affectait un homme qui, jadis, avait fait la « sourde oreille » devant les pleurs des autres, la raison pour laquelle des condisciples continuaient à élire un étudiant aux postes de commande. Cayce estimait que ce qu'il ressentait était un authentique morceau « d'interprétation de vie » dans le rêve, et il y ajoutait ses propres informations et ses propres encouragements.

Il reste problématique que l'on puisse vérifier, par l'étude de l'hypnose qui remonte le temps, par les prétendus souvenirs des vivants, par les rêves, par les visions obtenues sous l'influence de la drogue et par les structures de la psyché, les affirmations de Cayce à propos de la réincarnation. Mais si jamais la recherche leur donnait une certaine consistance, elles ajouteraient du poids aux affirmations de Freud sur la sexualité des enfants, aux études de Rank sur le traumatisme de la naissance et aux spéculations de Jung sur l'héritage individuel d'un inconscient transpersonnel ou « collectif ».

Les rêves et les interprétations religieuses

Vers la fin de sa vie, Cayce avait ramené l'éventail de ses interprétations à trois espèces qui, ensemble, pouvaient dessiner le profil d'un individu. « L'interprétation physique » pouvait saisir une personne sur le plan médical. « L'interprétation de vie » pouvait la saisir psychologiquement. Et ce que Cayce appelait « une interprétation mentale et spirituelle » pouvait la saisir dans ses relations avec la divinité.

Il y eut moins d'interprétations « mentales et spirituelles » que d'interprétations physiques ou psychologiques, en partie parce qu'elles n'étaient pas aussi directement vitales que les interprétations physiques ni aussi attirantes que les interprétations de vie. Cependant, Edgar Cayce, éprouvait une joie particulière à donner ces petites interprétations sans détours, parce qu'elles concernaient des questions qui, estimait-il, avaient une grande importance dans l'existence.

Ces interprétations étaient une analyse de la composition de « l'entité » entière, de l'âme dans son long voyage, un peu comme d'autres interprétations avaient analysé le corps et la psyché.

Pour orienter l'individu qui recevait l'interprétation, Cayce commençait habituellement par décrire ce qu'était l'âme, et comment elle fonctionnait dans un corps humain au cours d'une vie terrestre. Toutes les âmes avaient été créées au commencement à la même époque, insistait-il, et elles avaient reçu la libre volonté de se rendre dans la création, de s'y aventurer et de faire des expériences. Leur destinée était de retourner au divin par un acte de volonté consciente et informée en pleine coopération avec la divinité pour aider et pour faire progresser la création. Cependant, leur contribution particulière à la divinité était de se souvenir de tout ce qu'elles avaient fait, enrichissant ainsi elles-même la Divinité Suprême.

Dans une épisode d'une « interprétation de vie », certaines âmes, raportait Cayce, aussi calmement que s'il avait traité de la Révolution Américaine, étaient venues sur terre pour « être fructueuses, pour se développer et pour subjuguer » — en vérité pour apporter à la création terrestre la possibilité de connaître consciemment sa relation avec le divin dont elle était issue. Mais ces âmes s'étaient si bien harmonisées aux affaires terrestres qu'elles s'étaient embourbées dans leurs lois et leurs processus — tous éléments qui étaient bons en eux-mêmes mais qui constituaient une voie toute différente de celle qui avait été prévue pour guider ces âmes. Ces âmes avaient perdu leur harmonie native avec le divin, et il avait fallu leur donner une voie pour retourner vers lui tandis qu'elles expérimentaient les mystères de la création et le Créateur sur la terre qu'elles s'étaient choisis. Le processus de réincarnation était le résultat de cette situation.

Lorsque chaque âme se mouvait d'une vie à l'autre en passant par ses expériences intermédiaires, c'était pour parfaire son harmonisation avec le divin et les services pleins d'amour qu'elle rendait aux autres. L'interprétation mentale et spirituelle était un examen de ces deux processus chez l'individu en question.

La première question était de savoir vers quoi l'individu tournait constamment ses pensées dans la vie quotidienne. Cayce ne se lassait jamais de souligner que «l'esprit est le constructeur», capable d'amener l'âme à une relation meilleure et plus productive avec les lignes de forces divines, ou entraînant l'âme de plus en plus loin dans ses propres impasses.

Les rêves aussi, selon Cayce, étaient souvent occupés par la question des pensées habituelles du rêveur.

Un inventeur qui rêvait que quelqu'un avait volé son invention était tellement troublé par ce souci qu'il ne pouvait plus inventer valablement. Une femme enceinte rêvant de factures se faisait tant de soucis à cause des dépenses qu'elle compromettait sa santé et celle du bébé, au lieu de laisser ces questions à son mari qui était capable de les traiter. Un homme d'affaires était tellement soupçonneux à l'égard de ses associés, comme le reflétaient ses rêves, qu'il se les aliénait et les amenait à le trahir comme il le craignait. D'autre part, un homme qui cherchait à tirer des gens le meilleur d'eux-mêmes se vit en rêve faisant une magnifique partie de pêche avec ses amis pêchant «une nourriture spirituelle», déclara Cayce. Un homme priant pour une parente qui était dans un état désespéré, vit ses prières comme une lumière dans la chambre d'hôpital, dépeinte dans le rêve comme plus claire ou comme plus sombre selon la constance de son désir et de son attention, et brillante de l'assistance qu'il lui apportait.

D'une manière très caractéristique, l'interprétation mentale et spirituelle en venait ensuite à ce que le rêveur mettait en évidence dans son existence, à travers sa vocation, son mariage, ses amitiés, ses engagements envers des groupes et des institutions. Cayce posait toujours la même question de différentes manières : quel est votre idéal? À la longue, il n'existait que deux sortes d'idéaux : les objectifs utiles à soi-même, et les services aux autres D'un ferme scalpel, Cayce tranchait dans la manière dont l'individu trai-

115

tait sa réputation, sa richesse, sa puissance, sa sagesse, son amour. Il sélectionnait tout ce qui, dans la personne, était bon et sur quoi on pouvait bâtir : la maternité, les sentiments envers les handicapés, le courage au feu, la capacité de voir loin, la loyauté envers les amis : ce qu'il y avait de mieux dans les idéaux de la personne, et il la défiait de tout harmoniser. En fin de compte, disait Cayce, le seul idéal complet pour la famille humaine, quoique bien d'autres fussent admirables, était l'âme qui en était venue à se faire connaître comme le Christ. Il demandait souvent à la personne qui était devant lui de comparer sa vie avec cette Vie-là. En dépit de la réalité et de l'utilité des connaissances d'existences passées, c'était cette Vie-là qui comptait.

De la façon dont Cayce comprenait les rêves, une comparaison entre la vie du rêveur et son idéal se produisait pratiquement chaque nuit dans ses songes, quoiqu'elle fût dessinée symboliquement, ou si mince que fût l'action examinée.

Un rêveur qui se rappelait que la nuit précédente il avait mis des chaussures et des lacets spéciaux s'entendit dire qu'on lui rappelait ainsi de garder les pieds dans le droit chemin. Un homme qui voyait une rue humide et des réverbères qu'on nettoyait fut avisé que l'on nettoyait sa propre «route» pour qu'elle reçoive plus de lumière et plus de vérité qu'il pourrait partager avec d'autres. Un homme dont le hobby était de projeter des films chez lui vit une lumière tournante sortie d'un projecteur en forme de boîte dans une chambre noire. C'était, dit Cayce, une représentation de «la Lumière intérieure» pour montrer au rêveur comment il pourrait, en dépit des constrictions et de l'obscurité de sa vie, s'en dégager pour aider ses semblables par toute une série de moyens. Un rêveur qui, dans son rêve, se sentait pris de compassion pour les enfants de commis-vendeurs qui attendaient devant le magasin fut avisé qu'une telle compassion était le commencement d'une sublimation des fantasmes sexuels qui lui avaient souvent encombré l'esprit à propos de vendeuses de magasin.

Et à un rêveur qui, en songe, avait entendu uniquement son nom prononcé trois fois à haute voix, Cayce déclara qu'il vivait la même expérience que l'enfant Samuel dans le Temple. Il devait répondre d'une simple mais cordiale réponse : « Utilisez-moi ! »

Quels que fussent les conseils et les défis que Cayce pût offrir dans ses interprétations mentales et spirituelles, ils étaient, selon lui, plus qu'égalées dans les rêves.

Les rêves et les interprétations d'affaires

En même temps que ses interprétations relatives aux relations de l'individu avec la divinité, Edgar Cayce donna aussi des interprétations relatives aux relations de l'individu avec ses dollars. Comme il le dit à un homme qui avait rêvé d'une grande richesse, l'argent, comme l'éducation ou le talent « est fait pour servir ses intentions et ses buts » dans le cadre des choses qu'il avait en perspective.

Il est vrai que les conseils relatifs à des questions d'affaires n'étaient pas rares dans ses interprétations médicales ou dans ses interprétations psychologiques où la vocation, l'emploi et les investissements affectaient directement la santé et la paix de l'esprit d'un individu. Dans cette optique, le divin ne s'intéressait pas seulement à la religiosité de l'homme ou à ses propriétés morales. Comme on pouvait adéquatement appeler Dieu « les Forces Créatrices », ainsi on pouvait valablement le décrire comme intéressé par tous les niveaux de la créativité humaine : qu'il s'agisse de la musique, de l'amour, des civilisations, des prières, des médicaments, des maisons ou de l'argent.

Cependant, il fallait tenir compte de l'avidité humaine qui tendait à se manifester lorsque les gens voyaient que Cayce pouvait leur livrer, grâce à ses dons psychiques, des informations utiles. Sur ce point, Cayce était ferme. Il considérait que ses dons étaient parfaitement utilisés pour bâtir des gens, pas pour bâtir des fortunes. Lorsqu'il s'indiquait d'aider quelqu'un à édifier ses revenus comme une partie de sa croissance totale, Cayce donnait des conseils financiers aussi volontiers qu'il donnait des conseils médicaux.

Cependant, ce qu'il soulignait toujours, c'était ce que l'individu pouvait faire pour lui-même. Lorsque des gens nantis se présentaient à lui, comme cela arrivait souvent, il leur demandait ce qu'ils entendaient faire de leur existence en dehors de devenir riches. Ce n'est que s'ils montraient une volonté de servir les autres grâce à leurs moyens qu'il acceptait de leur donner des conseils financiers soutenus.

Lorsque son fils et deux de ses parents vinrent à lui pour qu'il les aide à localiser un trésor enfoui, il leur dit qu'ils étaient sur la bonne piste, et il le prouva en leur donnant des détails sur la localisation du trésor et sur leurs premières découvertes. Mais il insista, dans ses interprétations, sur le fait qu'ils n'étaient pas préparés à la notoriété et à l'estime de soi qu'une telle trouvaille leur apporterait, et il refusa de leur donner une assistance complémentaire à moins que leur propre subconscient ne la leur apporte en rêve, ce qu'il ne manquerait pas, dans ce cas, de confirmer.

Il faisait application de ces mêmes valeurs dans toutes ses interprétations d'affaires. Lorsqu'un rêve montra comment un groupe de financiers avait entrepris des démarches pour manipuler le marché, il aida le rêveur à répondre comme il le fallait à la manipulation. Mais il ne voulait apporter aucune assistance au rêveur lorsque les manipulateurs ne faisaient qu'envisager certaines démarches. À cet égard, disait-il, les pensées des hommes restent leur propre propriété.

Il y avait relativement peu de gens qui demandaient des interprétations d'affaires et qui les obtenaient, parce qu'il y en avait relativement peu qui répondaient aux qualifications exigées par Cayce. Cependant, plusieurs douzaines de gens demandèrent et obtinrent ce genre d'assistance. Et un petit nombre d'individus obtinrent un total de centaines d'interprétations sur des affaires commerciales, particulièrement comme commentaires de leurs rêves.

Une interprétation d'affaires concernait habituellement un problème spécifique : une transaction immobilière, l'incorporation d'une firme, des considérations à propos de tels employés ou de tels associés, les tendances de la Bourse, une étude de marché, une invention à développer. Lorsque

Cayce avait traité le problème principal, l'individu ou le groupe qui avait sollicité l'interprétation pouvait alors poser des questions sur une série d'autres problèmes d'affaires. Cependant, nombre de ceux qui connaissaient bien Cayce savaient aussi que dans ses interprétations d'affaires ils pouvaient tomber à tout moment sous le regard inquisiteur de Cayce qui pourrait mettre en question et même rejeter leurs mobiles et leurs méthodes de travail. Tandis qu'il renonçait souvent à exposer les gens devant les autres (il avait un jour passé un savon à un homme d'affaires en allemand, — une langue que Cayce ne connaissait pas mais que son interlocuteur connaissait — de manière à faire connaître son point de vue sans embarrasser l'homme devant ses associés), il avait cependant une manière de montrer clairement qu'il savait où les choses n'allaient pas dans la manière dont l'individu manipulait les fonds, ou traitait ses relations, ou engageait ses responsabilités. Cela décourageait beaucoup de gens de venir lui demander des conseils d'affaires.

En outre, Cayce insistait toujours sur le fait que chacun pouvait découvrir dans ses rêves tout ce dont il avait besoin pour assurer sa prospérité s'il se trouvait dans la bonne voie et s'il agissait avec intégrité, de même que s'il utilisait ses moyens pour aider d'autres moins fortunés.

Deux des quatre rêveurs qu'il dirigea à travers l'interprétation de centaines de leurs rêves devinrent millionnaires en quatre ans en ajoutant l'étude de leurs rêves à leur travail quotidien. Les deux autres n'étaient pas dans les affaires et cherchaient moins ardemment à devenir riches qu'à développer d'autres talents, quoique l'une de ces deux personnes obtînt une égale richesse par son mari.

Cayce utilisait tous ses talents psychiques pour entraîner ses rêveurs d'affaires.

Lorsqu'une femme rêva de la hausse des actions d'une compagnie de cabotage, il ne se contenta pas de confirmer son rêve en lui conseillant d'acheter, mais il lui accorda un avantage supplémentaire en lui révélant la date exacte, 90 jours d'avance, où le marché serait le meilleur pour qu'elle vende (ce qui se révéla exact). Lorsqu'un agent de change rêva sans cesse d'actions d'acier, quoiqu'il fût intéressé par les rails et les moteurs, Cayce l'aida à comprendre que ses rêves montraient l'acier comme le « critère » de vastes mouvements du marché pendant une certaine période et il dressa même une fois le tableau des mouvements des actions d'acier pour toute l'année à venir. Lorsqu'un investisseur rêva qu'il voyageait dans un tramway de New-York dans lequel une affiche l'avertissait de ne pas descendre à tel bâtiment public, Cayce lui montra non seulement qu'il s'agissait d'un avertissement entre les actions du métro de New-York à ce moment, mais que le rêve en avait dévoilé la raison : les autorités publiques envisageaient des règlements qui diminueraient les bénéfices de la ligne. Lorsqu'un financier envisagea de créer une société financière, Cayce l'aida à évoluer dans ses rêves, les directeurs qu'on avait proposés. Lorsqu'un rêveur vint lui parler d'un rêve dans lequel il avait des ennuis à son bureau à propos d'un chèque de 150 $, Cayce lui montra qu'il rêvait en réalité de deux chèques de ce genre — un qui était entré et qui avait été mal imputé, et d'un autre que sa femme devrait régler parce qu'elle le devait. Lorsqu'un homme d'affaires fatigué partit en vacances et rêva qu'à son retour son bureau avait été glissé sur le côté et que sa secrétaire était installée à sa place, il voyait simplement, remarqua Cayce, que la dictée du courrier serait la tâche prioritaire à son retour.

Cayce ne cessait jamais de déclarer clairement que les rêves pouvaient être utiles en affaires. Il ajoutait alors ses propres vues pour encourager le rêveur et l'aider à continuer. Un banquier rêva d'une flopée de secrétaires qui se présentaient pour la place qui était alors vacante. Cayce l'aida à déterminer les qualités qu'il recherchait — et puis il ajouta qu'il devait engager la troisième qui se présenterait. Un chef d'entreprise avait clairement vu dans son rêve, dit Cayce, comment il pouvait distribuer et promouvoir un nouveau produit pour le soin des gencives, mais le rêve l'avait aussi mis en garde contre l'engagement du parent auquel il avait envisagé de confier le travail

Quels que fussent les facteurs qui influençaient le monde des affaires : la faillite d'une banque, des commandes d'une firme de l'étranger, des rumeurs, des combines, des troubles sociaux, des réglementations gouvernementales, la politique du crédit, les problèmes de vente, les décisions hardies, la concurrence, Cayce a prouvé plus d'une centaine de fois qu'il était capable de les saisir tous correctement et instantanément. Mais ce qui était plus important encore, il prouvait aux rêveurs qu'ils étaient capables de les saisir tout aussi bien, mais avec une différence majeure : leur pénétration se limitait à ce qui portait sur leurs propres affaires et sur celles de leurs associés. C'étaient des hommes d'affaires, et ils obtenaient les conseils dont ils avaient besoin. Cayce était un conseiller, et il obtenait ce dont avaient besoin ceux qui lui demandaient conseil.

Les gens, dont les rêves étaient interprétés par Cayce pour les aider dans les questions d'affaires, n'étaient pas des gens avides, ou il ne les aurait pas aidés. Mais ils devaient faire face à la pression de leurs parents et de leurs amis pour conserver leurs richesses et la position sociale qu'elles leur donnaient. Cela les plaçait parfois sous le sévère regard inquisiteur de Cayce, exactement comme c'était le cas dans leurs rêves. Cayce insistait sur le fait qu'il n'y avait rien de mal à se faire de l'argent. Le Christ lui-même, avait-il déclaré dans une percutante interprétation, aurait pu faire un excellent courtier de Wall Street tout en demeurant entièrement fidèle à son Père. Ce qui comptait, ce n'était pas les dollars, mais les mobiles. Qu'est-ce que l'âme cherchait à obtenir par l'argent au cours de son voyage à travers les existences terrestres ?

Les rêves et les interprétations sur les ressources cachées

En raison de ses étranges capacités, Cayce était souvent sollicité pour localiser quelque chose de caché ou de perdu. Au cours des années précédentes, il avait tenté plusieurs entreprises de cette sorte, mais vers la fin de sa vie, il était beaucoup moins incliné à s'en mêler. En résolvant des crimes, il avait découvert que sa propre psyché avait été touchée et secouée par la violence du criminel. Ses propres

121

interprétations lui montraient qu'utiliser son art dans ce but était comme scier un arbre avec une lame de rasoir. Il pouvait le faire, mais pourquoi?

Quand il s'était agi de mines et de puits de pétrole, il avait aidé les autres à faire fortune. Mais il avait aussi vu des investisseurs s'écarter les uns des autres en tant qu'individus et en tant que groupes, dominés par l'avidité et par une jalousie réciproque.

Ses interprétations lui montraient qu'il pouvait lui-même se faire légitimement de l'argent en localisant des trésors cachés s'il pouvait maîtriser ses propres mobiles et les conséquences de ses actes. L'une des nombreuses fois où il le tenta, il avait entrepris un voyage pour aider un groupe d'hommes d'affaires à localiser un trésor, avec sa femme et sa secrétaire. Le rêve suivant le ramena chez lui :

Il semblait que nous allions entreprendre une interprétation à propos de ma grand-mère. Nous savions qu'elle était à nouveau vivante, et quelqu'un nous dit de nous rendre en un certain endroit où nous la trouverions. Cela ressemblait à un entrepôt, ou aux locaux d'une entreprise. Nous trouvâmes ma grand-mère avec des vignes qui poussaient autour d'elle. Ma femme, ma secrétaire et moi, nous les coupions pour l'en débarrasser, pour qu'il n'y ait aucune anomalie à propos de l'interprétation qui avait permis de la localiser. Puis nous partîmes en nous disant que ce serait merveilleux si on pouvait le prouver aux gens. À la porte, nous trouvâmes trois chiens de races différentes. Nous tentâmes de les chasser, mais l'un d'eux s'échappa et courut vers le cadavre. Nous nous mîmes à courir derrière lui, mais soudain je réalisai que tout cela n'était qu'un rêve, et j'en connus aussitôt l'interprétation. Il signifiait que nous trois laissions accomplir notre travail par les chiens pendant que nous tentions de faire quelque chose qui ne nous concernait en rien.

Lorsque Cayce fut raisonnablement certain qu'il avait saisi le sens de son rêve, il le soumit de toute manière à une interprétation. Celle-ci confirma que l'arrachage des vignes représentait ce qui l'avait engagé à trimarder avec les chercheurs de trésor. Il rêvait de l'aventure qui, pendant des semaines, l'avait éloigné de son assistance médicale et vocationnelle aux autres. Mais ce qui était plus important, disait-il, c'est que les trois chiens étaient sa femme, sa secrétaire et lui, qui avaient d'abord été aussi agréables que peuvent l'être des canidés qui remuent la queue, mais qui avaient subi une transformation qui les poussait à happer et à déchirer. Dans ces circonstances, le peu de bien que Cayce pouvait faire ne provoquerait que de pauvres commentaires, et il ne tirerait pas assez de profit du trésor ni de l'exploit pour que cela en vaille la peine.

Puis le rêve commentait le thème de la résurrection de la grand-mère. Son propre souci était de «réveiller» les gens à leur vraie nature et à leur véritable condition. Tel était le but de ses dons. Mais il avait incorrectement estimé qu'en prouvant qu'il pouvait localiser un trésor grâce à eux, il pouvait réaliser un tel «éveil» — cela n'avait rien de la profondeur et de la puissance du thème de la Résurrection dans le Nouveau Testament qu'il avait investi dans la chasse au trésor. Les gens devaient être éveillés individuellement, avec tout ce qu'ils pouvaient utiliser et appliquer dans leur propres existences, non par la publicité d'un tour de force psychique.

Ses interprétataions sur ce qui était caché ou perdu montrèrent la même réserve lorsqu'une femme vint lui soumettre un rêve au moment de l'enlèvement du bébé Lindbergh. Il confirma tous les détails du rêve, tels que le rôle de l'infirmière et du jardinier. Il confirma l'usage d'un bateau de fuite sur le Potomac, et il corrigea même l'orthographe de son nom. La ville d'Arlington qu'elle avait en quelque sorte située en Allemagne, dans le rêve, était en réalité Arlington en Virginie, mais atteinte par des personnages qui parlaient allemand dans le rêve. Cependant, il ne voulut pas lui dire exactement où l'on pouvait localiser le corps du bébé. Au lieu de cela, il l'incita à rêver de nouveau pour trouver les autres détails qu'il confirmerait volontiers. Il ajouta même que si elle continuait sa chasse dans son rêve, elle arriverait jusqu'à Puget Sound. Mais il ne voulut pas placer sa psyché sous la tension d'une plus grande notoriété, due à la solution publique du crime, que celle apportée par son propre subconscient. Le pas suivant lui incombait, avec ses mobiles et toute la force de sa personnalité. Elle ne revint jamais lui soumettre un autre rêve.

Mais elle avait vu, comme d'autres le firent, que ce qui était caché ou perdu et que le rêveur pouvait à bon droit découvrir pouvait lui être révélé dans un rêve à condition qu'il soit prêt à le traiter. Par exemple, un homme d'affaires avait le sentiment qu'il devrait inviter sa mère autoritaire à venir vivre avec lui et avec sa jeune femme. Son rêve lui fit comprendre catégoriquement le contraire, mais ensuite il lui communiqua exactement l'adresse d'un appartement où il pourrait la placer pas trop loin de chez lui. Cayce était ravi de voir son élève faire des progrès dans l'usage pratique de ses rêves.

Les rêves et les interprétataions sur les changements sociaux

Une importante quantité d'interprétations qui s'accumulèrent dans les dossiers de Cayce au cours des années concernait un petit mouvement social qui tendait à changer certains aspects de la vie américaine. Sa préoccupation principale n'était pas les droits civils, les droits des travailleurs, le contrôle des naissances, la paix internationale, la psychanalyse ou l'alimentation de santé, quoique Cayce ait donné un nombre limité d'interprétations sur toutes ces matières.

Le mouvement dont il patronnait la croissance à travers ses interprétations et à travers des années de changement de personnel, de programmes et de politique, était l'activité d'un petit groupe de gens qui estimaient que le propre travail de Cayce était important, et qu'il représentait des soucis que beaucoup de gens partageraient s'ils les comprenaient. Ils appelaient tout simplement ce petit mouvement «Le Travail», et les interprétations sur «Le Travail» demeurent quelques unes des plus intéressantes qu'ait données Cayce.

Ces interprétations s'écartaient de façon surprenante du bien-être et de la renommée d'Edgar Cayce. Il ressortait clairement des «interprétations Travail» que Cayce devait être concerné, mais le véritable souci, ce n'était pas Cayce. C'étaient les procédés par lesquels les individus pouvaient apprendre à s'aider eux-mêmes, pouvaient supporter le «réveil» qui avait été symbolisé, par exemple dans le rêve relatif à la grand-mère de Cayce. Le réveil recherché ne se rapportait pas à quelque simple dogme comme la croyance dans la vie après la mort ou dans les phénomènes psychiques ou dans la réincarnation, et certainement pas dans la croyance en Cayce. Le but, pour «Le Travail», n'était rien moins que de voir chaque âme qui venait à eux s'éveiller à sa pleine stature créative en tant que fils du «Très-Haut». Mais un tel réveil exigeait que l'on commence là où chaque homme se trouvait et que l'on bâtisse sur ses besoins particuliers et sur ses talents. Ainsi, ils allaient devoir s'occuper de médecine, d'affaires, de philosophie, de psychologie, de physique, de justice sociale, d'éducation et de toute une série d'autres sujets. Et ils allaient devoir commencer avec ce qu'ils avaient, c'est à dire la famille de Cayce et ses proches collaborateurs, tout en attendant que d'autres, avec des talents différents, les rejoignent.

Certains des associés de Cayce reçurent des conseils sur la manière de parfaire leur éducation, certains sur leur vocation, certains sur leurs attitudes. Pendant que l'existence de Cayce se déroulait, «Le Travail» se mit à inclure la fondation et l'administration de l'hôpital et de l'Université. Lorsque ceux-ci furent fermés, «Le Travail» se tourna vers le développement de la profondeur spirituelle et de la qualité chez plusieurs amis de Virginie, des gens ordinaires qui venaient se soumettre à la discipline et publièrent un petit manuel de vie dévotionnelle intitulé «À la recherche de Dieu».

L'histoire de la vie et du travail de Cayce était un microcosme de mouvements pour un changement social sérieux. Ses interprétations traitaient de tous les aspects d'un tel mouvement : sa philosophie, ses buts, sa direction, ses conventions et ses organismes, son climat de travail quotidien, ses stages. Chaque mouvement durable, professaient-elles, devait commencer «d'abord par l'individu, puis en venir aux groupes, aux classes, aux masses». En ceci, les sources de Cayce étaient intangibles, quoique beaucoup de gens aient tenté de promouvoir Cayce par les moyens publicitaires habituels. Les changements sociaux devaient s'accomplir, affirmaient ses interprétations, en construisant et en reconstruisant une vie à la fois, la soutenant par des groupements primaires à la maison, au travail, à l'église et en communauté et puis en continuant à développer — sur un laps de temps de plusieurs années - exactement le même processus avec les dirigeants de diverses professions et de courants d'existence. Ce n'est qu'alors qu'en sortirait quelque chose de si répandu, de si bien compris et pratiqué qu'il toucherait les masses.

Dans l'optique de Cayce, chaque aspect de la croissance d'un mouvement social pouvait être parfaitement connu et dirigé par les rêves. Il utilisait tout son art pour faire comprendre ceci aux rêveurs avec lesquels il travaillait.

Lorsqu'ils rêvaient que l'hôpital pouvait devenir une réalité, en des temps de doute et de difficultés, il leur montrait comment leurs rêves étaient d'une qualité prophétique et pas seulement l'expression de leurs désirs. Lorsque la question du financement de l'hôpital en arriva au dernier stade, il aida un rêveur à suivre ses rêves jusqu'au bureau où il pourrait prendre les hypothèques nécessaires. Lorsque l'Université allait devoir fermer ses portes, il aida un rêveur à voir comment le président allait atteindre de nouveaux niveaux de croissance personnelle et familiale au lieu d'en rester à son humiliation et à la défaite du moment. Lorsque les groupes d'études commencèrent leur travail, il montra à leurs membres comment ils pouvaient se donner mutuellement conseil à travers leurs propres rêves et pouvaient croître en grâce jusqu'à avoir, à travers leurs rêves, une authentique vision du Christ, si leurs existences devaient être consacrées aux autres. Il aida des rêveurs à choisir par leurs rêves les membres du comité puis à améliorer leurs attitudes au comité. Il aida un rêveur à encourager un commanditaire de l'hôpital, à l'empêcher de ne pas mener un projet à fond.

Les interprétations de rêves dans les dossiers de Cayce montraient que chaque pas de son «Travail» avait été prévu et dirigé en rêve, de 1924 à sa mort en 1945. Parmi les rêves, il y en avait même un sur la mort de Cayce et sur ses conséquences sur le travail de son existence, ajoutant même cette petite touche que sa femme mourrait très peu de temps après lui (ce qui fut parfaitement exact). Elles démontraient la possibilité que ceux qui avaient des responsabilités dans un mouvement pour le changement social, pour le service social, pour la justice sociale puissent chercher des directives noctures dans les rêves, exactement comme l'avaient fait beaucoup de personnages bibliques.

Les rêves et les interprétations d'intérêt courant

De temps à autre, un groupe d'individus intéressés par les travaux de Cayce, ou un chercheur, ou un écrivain se consacrant à un sujet particulier, voulait obtenir une ou quelques interprétations non consacrées aux besoins d'un individu ou d'un groupe, mais à un ensemble de sujets matériels. Une fois de plus, la possibilité d'obtenir ce genre d'informations de Cayce en état de sommeil était conditionnée par ce qu'ils avaient l'intention d'en faire. S'ils recherchaient une innovation, ou une information profonde sur le voyage de l'âme pour leur seule édification, ou des éléments relatifs à une civilisation ancienne par lesquels pouvoir impressionner les autres, ils ne pouvaient attendre que peu ou rien de Cayce endormi, et peut-être même n'obtenir à la place qu'un discours sur leur propre croissance spirituelle. Cependant, dans un certain nombre d'occasions, au cours des années, certains demandèrent et obtinrent des interprétations d'intérêt courant.

Un dirigeant international de l'YMCA, un homme d'une grande foi et d'une mentalité sérieuse, obtint des informations sur les auteurs de livres du Nouveau Testa-

127

ment, informations qui avaient été antérieurement refusées à d'autres qui s'étaient entendus répondre que, pour eux, la question biblique était de savoir s'ils pouvaient l'appliquer à leur propre existence. Le mari de Frances, qui étudiait la vie après la mort, demanda et obtint des essais sur les conditions du plan ultérieur, de même que des interprétations sur l'évolution et sur les interférences de l'hérédité et de l'environnement. Un groupe déterminé d'adeptes de Cayce demanda et obtint des interprétations d'intérêt courant sur la situation internationale, sur le propre don de Cayce, sur l'antique et hypothétique civilisation de l'Atlantide.

Quelqu'un demanda et obtint une interprétation sur les causes du rhume ordinaire et la manière de le soigner. Une petite série fut consacrée aux événements qui précédèrent la naissance de Jésus et sur celle-ci. Toute une série d'interprétations d'intérêt courant, complétées par l'analyse de la manière dont un groupe d'études pouvait les comprendre, constitua la matière du petit manuel de développement spirituel intitulé «Une recherche de Dieu», de même qu'une collection d'études sur le livre de la Révélation. Il y eut aussi une autre série à l'usage d'un groupe s'intéressant à la guérison par la prière.

De toutes les variétés d'interprétations de Cayce, celles d'intérêt courant semblaient les moins aptes à être reproduites par les rêves. Mais Cayce montra à ses rêveurs, et surtout à deux parmi les quatres principaux sujets qu'il entraînait, que les rêves étaient capables de produire des essais verbaux extensifs, complets, avec diagrammes et illustrations détaillées. À vrai dire, ceux qui étudiaient sérieusement leurs rêves apprenaient à attendre cette sorte de songe qui combinait une scène avec son explication — qu'il s'agisse d'une voix entendue, ou d'une série de pensées cohérentes.

La plupart des rêves de composition selon les vues de Cayce, trouvaient leur origine dans les efforts du subconscient du rêveur pour lui apprendre quelque chose dont il avait besoin pour comprendre sa vie quotidienne, ou dans ses propres études. Souvent de tels rêves faisaient l'effet d'une école. Parfois, les rêves de composition trouvaient leur origine dans le moi supérieur du rêveur, et parfois, la plus grande partie de l'enseignement venait d'une entité ou d'un guide désincarné qui, selon Cayce, venait à l'aide du rêveur.

Cayce utilisait tous ses moyens pour apporter des informations sur leurs rêves d'intérêt courant aux rêveurs qu'il entraînait.

Lorsqu'un agent de change rêvait de la manière dont l'«esprit» d'une action venait prédire ses mouvements futurs (et trouvait la composition illustrée par les intentions de gens qui allaient au cinéma) Cayce confirmait l'analyse et montrait alors au rêveur comment distinguer les véritables mouvements d'actions dans les rêves de ceux qui n'étaient que des images de la tendance du marché. Lorsqu'un Juif rêvait de la question de l'œuvre du Christ, Cayce l'encourageait à analyser le rêve avec exactitude, et y ajoutait certaines illustrations de son crû. Lorsqu'un homme d'affaires américain rêva des forces qui nourrissaient la révolution en Chine, Cayce s'empressa d'encourager le rêveur à mettre en œuvre son propre intérêt, spécialement en étudiant les affaires chinoises pour pouvoir écrire sur ce sujet.

Cayce travailla sur des rêves-composition relatifs à ce que l'on ressent quand on meurt, à la manière dont les vivants et les morts communiquent ou dont un individu atteint «Les Forces Universelles», à ce qu'une âme peut apprendre de la création animale, à ce que le suicide provoque, à la manière dont les rêves agissent, à la manière dont la science et la religion s'accordent, et à la façon dont s'établissent les jugements moraux.

En résumé, l'histoire des quarante années de conseils donnés par Cayce en transe est l'histoire d'une abondance d'informations dont certaines ont été vérifiées et dont d'autres sont loin de l'avoir été. C'est aussi l'histoire de la construction d'êtres humains, au sein d'une claire et péremptoire échelle de valeurs qui n'a pas vacillé au cours des ans. C'est l'image renversante des potentialités inconnues de l'esprit humain au contact avec quelque chose de Plus que lui-même.

Mais aucune affirmation dans toute l'histoire de Cayce n'est plus frappante que celle qu'il fit pendant des dizaines d'années jusqu'à la fin de son existence : que les autres pouvaient faire ce qu'il faisait, en commençant par leurs rêves.

Chapitre VI

Aperçu sur les lois du rêve

Edgar Cayce montra à ses rêveurs que les lois qui régissaient ses interprétations régissaient aussi leurs rêves.

Il ne détailla pas et n'exposa pas ces lois comme un scientifique l'aurait fait. Tout ce qu'il expliquait, disaient ses interprétations, devait être partiellement filtré à travers la capacité et la terminologie de sa propre psyché et de celles de ses auditeurs. Comme aucun d'eux n'était un savant, il donnait des conseils pratiques sur un rêve et sur une existence à la fois. Mais parfois, il donnait des aperçus qui éclairaient le paysage du rêve. Et alors, il incitait les rêveurs à « étudier, étudier, étudier ».

Aperçu des dispositions légales dans le rêve

Quoique fasse l'esprit de Cayce lorsqu'il donnait des interprétations, ce n'était jamais sans être soumis à certaines lois.

Il devait être dirigé vers son but par la suggestion hypnotique. Pour les conseils médicaux, il avait besoin de l'adresse de l'individu qui réclamait de l'aide. Pour les interprétations psychologiques, il lui fallait la date de naissance de l'intéressé. Et pour les interprétations d'intérêt courant, ou pour celles relatives aux ressources cachées, on devait lui dire ce que l'on cherchait, lui donner le nom de ceux qui cherchaient et l'endroit où ils se trouvaient.

Souvent, ceux qui désiraient un certain type de conseil en demandaient d'un autre genre dans la partie «questions» qui suivait une interprétation. Lorsque Cayce était particulièrement en forme, ou qu'il était très attaché à la personne qui demandait de l'aide, celle-ci pouvait obtenir un conseil médical dans une interprétation d'affaires, ou un conseil pour un être cher dans une interprétation de rêve. Mais le plus souvent, elle s'entendait dire «Nous n'avons pas ceci», et on lui conseillait de chercher un autre type d'interprétation.

Cayce expliquait à ses rêveurs que le focus de leurs rêves avait des limites semblables. Il leur enseignait à se mettre dans l'esprit, par une puissante étude, par la concentration et par une sérieuse activité, à travers leurs rêves, ce pourquoi ils demandaient de l'aide. Des informations sur le marché des valeurs se présenteraient dans les rêves de ceux qui étudiaient ce marché, des prescriptions médicales à celui qui était chargé de veiller sur la santé des autres, des conseils spirituels à celui qui marchait dans les Voies du Seigneur, des informations sur la vie passée à celui qui essayait de comprendre ses incitations. Les rêves étaient limités par le foyer conscient du rêveur.

Les interprétations de Cayce étaient limitées aux informations et aux directives qu'un individu pouvait utiliser constructivement. Il en allait de même avec les rêves, disait Cayce. Il ne servait à rien de vouloir rêver des affaires internationales, ou de l'Ancienne Égypte, ou de la politique du système de la Réserve Fédérale, ou des bactéries dans une maladie donnée si le rêveur n'était pas en état de faire quelque chose dans ce domaine. Une telle information était disponible à travers le subconscient et les autres ressources qu'il pourrait drainer, comme le montraient, selon Cayce, ses propres interprétations. Mais la psyché protégeait son équilibre en donnant au rêveur un matériel limité. Elle opérait selon la loi de l'autorégulation.

Les interprétations de Cayce montraient de grandes variations dans la forme, de jour en jour et d'année en année. Lorsqu'il parlait de ces variations, en transe, il disait que les lois qui étaient en action affectaient aussi la forme des rêves.

Ses interprétations variaient en longueur, tout comme les rêves. La plus courte et la plus concise de ses interprétations de rêves tenait en deux phrases : c'était une interprétation sur l'un de ses propres rêves qui refusait de l'interpréter, disant qu'il n'avait rien fait des derniers rêves qui avaient été interprétés pour lui. Mais il y avait aussi des interprétations de rêves qui occupaient des pages de transcriptions. D'autres types d'interprétations montraient les mêmes variations de longueur, depuis de courtes réponses jusqu'à de longues explications.

Ses interprétations variaient aussi dans la clarté de la communication, tout comme les rêves. Certaines étaient directes et précises, tandis que d'autres vagabondaient de clause en clause, enfermant l'esprit dans un filet de mots.

Ses interprétations variaient dans le détail. Certaines donnaient l'état général de la circulation d'un patient alors que d'autres précisaient le flux et la pression sanguine. Les interprétations d'un jour déterminé avaient toutes à peu près le même niveau de détails, exactement comme les rêves d'une nuit donnée ne sont que des impressions générales alors que ceux d'une autre nuit étaient nettement gravés.

Ses interprétations variaient par le niveau du langage, comme les rêves vont du matériel terre-à-terre et même des calembours à une imagerie poétique et spirituelle. Alors que la plupart des interprétations de Cayce témoignaient d'un style compassé, incluant le « nous » majestueux et des noms impersonnels comme « entité » ou « organisme », et des constructions avec des verbes passifs, certaines contenaient des termes d'argot ou le jargon d'une profession, ou une expression courante de la personne à qui il s'adressait. D'autre part, certaines interprétations étaient rhapsodiques, et les phrases cadencées et chuchotées, d'autres pouvaient être considérées comme de la poésie. Ces niveaux dans le discours, selon Cayce, avaient une base légitime, comme les mêmes niveaux dans les rêves.

Les interprétations de Cayce variaient dans leur largeur focale, exactement comme certains rêves sont des capsules ou des camées alors que d'autres balayent de vastes cercles d'imagerie et de pénétration jusqu'à ce que le rêveur obtienne une perspective d'une surprenante magnitude. La plupart des interprétations s'adressaient simplement à la personne et au sujet concernés, mais il y avait des jours où elles basculaient aisément vers des sujets spontanés supplémentaires. De tels commentaires pouvaient être brefs, peut-être pour dire simplement à la personne concernée que sa mère veuve allait bientôt se remarier avec quelqu'un qu'elle ne connaissait pas encore. Les commentaires pouvaient traîner en longueur, établissant par exemple un parallèle biblique avec le problème qui intéressait la personne concernée, ou les commentaires spontanés pouvaient être faits comme s'ils venaient d'une autre perspective, avertissant tous ceux qui écoutaient que Dieu n'allait pas tolérer éternellement «une génération dépravée et adultère».

Il y avait encore, dans les interprétations, d'autres variations qui avaient leur parallèle dans les rêves. Il y en avait dans la rapidité avec laquelle Cayce abordait le sujet concerné, parfois sans même attendre les instructions habituelles, comme un rêveur peut s'endormir et brusquement se mettre à rêver si profondément que quand il se réveille, il est désorienté. Il y avait des variations dans la manière dont Cayce interrompait ce qu'on lui lisait, comme une voix interrompt un rêve par un commentaire, ou comme une scène de rêve cède la place à une autre. Il y avait des variations évidentes lorsque Cayce donnait — rarement — une interprétation qui ne lui avait pas encore été demandée, mais qui était nécessaire à quelqu'un qui venait d'écrire ou de téléphoner, un peu comme les rêves répondent à une exigence d'autrui dont le rêveur n'est pas encore conscient.

Dans toutes ces variations, c'étaient des dispositions modificatoires légales qui étaient en jeu, expliquait Cayce. Par exemple, toute une série de facteurs modifiants tendait à affecter ses interprétations, juste comme l'état subjectif du rêveur affecte la forme de son rêve.

La santé de Cayce affectait ses interprétations. Lorsqu'il était malade, il ne pouvait pas les donner. Lorsqu'il était fatigué, elles étaient moins claires, moins détaillées, moins expansives. Des facteurs similaires, expliquait-il, affectent les rêves. En fait, l'effet des processus corporels sur tous les types de rêves est si réel que l'on pouvait démontrer que les rêves d'une personne pendant une période donnée varient selon qu'elle ait été soumise à un régime végétarien ou carné. Le repos et la forme physique affectent aussi constamment le rappel, la vision, la profondeur et la clarté des rêves.

L'état d'esprit de Cayce affectait ses interprétations. Distrait et sur la défensive à l'égard de ceux qui l'entouraient, il commit quelques unes des erreurs manifestes au cours de toute une existence consacrée aux interprétations : une fois dans une interprétation sur les puits de pétrole, une fois lorsqu'il donna une interprétation à des malades de l'hôpital. Ce ne fut jamais un échec complet, mais les distorsions, comme le montrèrent des interprétations ultérieures, étaient dangereuses. Elles contribuèrent à lui faire abandonner et les puits de pétrole et l'hôpital.

Ses meilleures interprétations furent données quand il était plein d'allant, détendu, de bonne humeur, sûr de lui. Cependant, il donna aussi des interprétations exceptionnelles alors qu'il se trouvait en pleine détresse : lorsqu'il connut deux fois la prison pour avoir donné des interprétations, ou lorsque son Université fit faillite.

Les rêves aussi, disait-il, étaient conditionnés subjectivement. Il invitait ses rêveurs à sortir et à jouer, à prendre des vacances, à équilibrer leur malice et leur raison, à se moquer, à rire, à s'intéresser aux enfants. Mais il les incitait aussi à noter la profondeur des rêves chez la personne affectée par la mort de quelqu'un, par un échec en affaires, par un divorce ou par un choix difficile de vocation. Tout cela pouvait provoquer des rêves d'une telle profondeur et d'une telle puissance qu'ils en devenaient des «visions.»

Les interprétations de Cayce étaient affectées par ce que ses propres révélations en transe appelaient sa relative «spiritualité». Lorsqu'il était entraîné par l'ambition de la chasse au trésor, ou qu'il était tenté d'utiliser ses dons et ses talents de conférencier pour rechercher la notoriété, on lui fit remarquer à quel point la qualité de ses interprétations s'en ressentait. D'autre part, lorsqu'il priait et lisait la Bible à des heures régulières, ou bien dans ses calmes moments de pêche, on lui fit remarquer combien ses interprétations gagnaient en qualité, au point qu'il développait même de nouveaux types de dons et de capacités, à la fois dans ses interprétations (par exemple en produisant toute une série sur un sujet nouveau) ou dans son état de veille (en aidant les malades, par la prière).

Des facteurs similaires, disaient ses interprétations, affectent la qualité des rêves. Lorsque ses rêveurs s'attachaient à l'argent, à la renommée ou à la puissance, ils constataient que leurs rêves évoquaient exactement ces sujets, puis commençaient à perdre de leur clarté et de leur utilité. Lorsqu'ils étaient fermes dans leur foi, dans leurs heures de prière et dans leur désir de servir les autres, ils pouvaient trouver dans leurs rêves de nouvelles perspectives qui leur donnaient un regard sur le monde du futur, du passé ou du transcendent.

En dehors des facteurs tirés de la vie personnelle de Cayce, il en était d'autres, plus objectifs, qui influençaient la forme de ses interprétations. Alors que la plupart des gens — peut-être presque tout le monde — pouvait «conduire» une interprétation, la meilleure guidance venait de ceux qui étaient «passifs» — qui ne visaient pas le succès à des fins personnelles. Sa femme remplissait parfaitement ce rôle. À un degré moindre, ses interprétations étaient influencées par le bon état d'esprit et la spiritualité de ceux qui se trouvaient dans la pièce avec lui. Le parallèle avec le rêve, comme le fit remarquer Cayce, se trouvait dans l'effet qu'avaient sur les rêveurs leurs relations personnelles les plus intimes. Lorsqu'un mari et une femme étaient unis par un amour vrai, les rêves étaient facilités par ce lien et cette polarité qui y apparaissaient souvent. Les relations du frère avec son frère, de l'enfant avec ses parents, affectaient la stabilité et l'équilibre du rêveur et, de ce fait, la forme et la qualité de ses rêves. De tels liens, expliquait-il, n'étaient pas une question de bon comportement, ni de devoir, mais relevaient de la plus lourde signification envers l'âme elle-même.

Fréquemment, les sources d'information ont fait ressortir que les attitudes de ceux qui demandaient à Cayce des renseignements et des directives affectaient ce qu'ils en obtenaient. Ceux qui cherchaient des nouveautés originales, l'exploitation des autres, une sorte de garant divin pour leur existence, la justification de leurs erreurs passées, ou n'importe quoi d'autre qu'assistance et croissance, ne recevaient que des réponses brèves ou vagues, ou des considérations inattendues sur leurs mobiles. Ceux qui négligeaient de se conformer aux conseils qu'ils avaient reçus, devaient découvrir que les conseils suivants étaient brefs, ou même refusés.

La jobardise était aussi facilement repoussée que le cynisme. Témoigner à Cayce de l'adulation donnait aussi peu de résultats que de l'amoindrir ou de l'envier. «Le vrai miracle, disait une interprétation, se produit chez celui qui cherche.»

Des facteurs similaires, disait-il, déterminent l'étendue des informations oniriques utiles à ceux qui les entourent produites par les rêveurs. Souvent un rêveur a connaissance de faits inutilisables par un être aimé parce qu'il est trop détaché de ses besoins et de ses problèmes. Souvent aussi, une télépathie inconsciente de la part d'un frère, d'une sœur ou d'un enfant montre aux rêveurs comment atteindre le mauvais caractère de l'autre, ou son alcoolisme, ou le désespoir de son cœur ou son insupportable orgueil.

Aperçu des dispositions légales dans l'interprétation des rêves

Exactement comme il y avait des processus légaux pour colorer chacune des interprétations données par Cayce, et chaque rêve de chaque rêveur, ainsi, il existait des processus légaux de l'interprétation des rêves.

Presque chacune des sept cents interprétations de rêves données par Cayce commençait par un bref aperçu des progrès du rêveur. On y examinait à quel point il se souvenait bien de ses rêves, comment ses expériences de direction et de stimulation à l'état de veille trouvaient leur parallèle dans les rêves, comment le rêveur appréciait ses propres progrès, à quel point il avait accès à son meilleur « moi », quels dons nouveaux apparaissaient dans ses rêves, comment il traitait d'anciennes faiblesses, en quoi il avait besoin d'études et d'application, et comment il interprétait ses rêves sans l'assistance de Cayce.

Tous ces aspects du développement du rêveur pouvaient, selon Cayce, être repassés en revue pour lui dans ses propres rêves. Et en fait, l'une des espèces les plus fréquentes de rêves très longs étaient des rêves de récapitulation dans lequel on soumet à l'examen un ou plusieurs aspects de la psyché ou de l'existence du rêveur. De tels rêves remontent parfois jusqu'à l'enfance, comme le montre leur milieu. Généralement, ils impliquent beaucoup de gens puisque l'identité et les habitudes du rêveur sont rattachés à des gens particulièrement importants pour lui. Il arrive aussi qu'un rêveur ait un cycle complet de rêves sur le même thème, à raison d'un toutes les deux ou trois nuits. Ce thème peut être le sexe, ou la foi, ou le courage dans l'adversité, ou comment exploiter ses talents. En général, selon l'interprétation par Cayce de ces rêves de récapitulation, les conclusions indiquent comment la personne se comporte. Une conclusion mélancolique et un esprit chagrin à la fin du rêve soulignent un avertissement, alors que l'aventure, la découverte ou un milieu attrayant soulignent une promesse.

Lorsque Cayce interprétait chaque rêve dans une interprétation caractéristique, il commençait par distinguer quels niveaux de la psyché avaient produit ce rêve particulier. Le rêveur pouvait aussi apprendre par ses propres rêves, disait-il, à reconnaître les divers niveaux qui travaillaient en lui pour produire chaque rêve.

Lorsqu'une voix parle dans un rêve, une aura de sentiments et de pensées lui montrera si la voix est son meilleur moi ou seulement son imagination. Lorsqu'une scène du jour passe en un éclair dans son sommeil, il pourra comprendre par des nuances si la scène représente simplement les soucis du jour, ou si elle est un prologue à des commentaires utiles du subconscient. Lorsque des éléments étranges ou révoltants lui apparaissent, son propre subconscient doit lui apprendre à distinguer ce qui n'est qu'une caricature onirique de son révoltant comportement, ou ce qui est au contraire un défi radical à son être.

Les rêveurs devraient souvent demander dans un rêve, ou immédaitement après, disait-il, à se faire montrer quelle partie de leur mentalité avait été en action dans le rêve, et pourquoi. Certains des rêveurs de Cayce furent surpris par le colloque qu'ils étaient en mesure de suivre en eux-mêmes. D'autres étaient ravis d'être capables, ressentaient-ils, de pouvoir distinguer leur propre voix intérieure de la contribution au rêve d'être désincarnés.

L'une des caractéristiques des interprétations de rêves de Cayce était de placer un petit élément du rêve au sein d'un plus vaste cadre de signification lorsqu'il sentait que c'était à cela que le rêve voulait en arriver. Un homme qui rêvait de la mort de son frère, et qui en avait le cœur brisé, vit son attention attirée sur les aspects religieux du rêve qui le distinguaient d'un pressentiment prémonitoire. Le rêveur voyait, du fond de son propre superconscient, disait Cayce, la signification de la mort du Christ, que Cayce appelait le « frère Aîné », au profit de ses semblables. Un rêveur qui s'était vu raccompagnant chez elle une étrange jeune dame à la sortie d'un bal, fut prié de considérer comment servir les autres assurait la plénitude de la vie. Un homme d'affaires qui rêvait d'un voyage en train apprit qu'il s'agissait à la fois de l'activité du marché des valeurs de la question du voyage de l'âme qu'il était en train d'étudier à ce moment. Selon l'optique de Cayce, les rêves pouvaient avoir leur signification à différents niveaux en même temps, et il fallait les interpréter en conséquence.

Selon Cayce, une bonne partie de l'art d'interpréter les rêves se situe dans l'art antique de l'*Urim* qui consistait à reconnaître des symboles de signification relativement universelle. Il soulignait la signification purement personnelle du contenu de nombreux rêves, allant de pièces d'habillement à des scènes de guerre. Mais il poussait aussi ses rêveurs à voir, dans certains rêves poétiques et évocateurs, la présence de symboles qui ont largement cours dans les mythes et les arts. Le feu signifie souvent la colère, la lumière, la pénétration et l'assistance divine, de même que le mouvement ascendant. Un enfant signifie souvent des commencements utiles exigeant une assistance complémentaire de la part du rêveur. Un cheval et un cavalier signifient souvent un message venu des domaines les plus élevés de la conscience. Des objets pointus insérés dans des ouvertures pouvaient parfaitement constituer des symboles sexuels — quoiqu'une clé dans une serrure signifie plus typiquement l'ouverture de quelque chose chez le rêveur.

Cayce utilisa ce genre d'interprétation dans moins de 20 % des rêves qu'il interprétait pour la plupart de ses sujets, mais plus souvent quand il interprétait les rêves de sa femme et de quelques autres. Savoir, disait-il, si l'interprétation par *Urim* était appropriée dépendait du type de rêve qui était propre à ce rêveur.

En assignant au terme «Urim» la signification des directives nées de l'interprétation de symboles universels dans le rêve et dans les visions, Cayce résolvait en passant un problème que des générations de lettrés bibliques n'avaient pu résoudre, eux qui n'avaient jamais admis qu'il s'agissait d'une sorte de divinination du Nouveau-Testament.

Un des aspects de l'interprétation des rêves par Cayce était plus difficile à reproduire pour les rêveurs : c'était les moments où il prédisait leurs rêves, et même quelle nuit et à quelle heure de la nuit ils se produiraient. Dans l'étrange et l'incohérent monde des rêves, ce petit aspect de ses talents semblait incroyable, même en tenant compte du pouvoir de sa suggestion sur l'inconscient du rêveur. Mais il disait qu'il pouvait y arriver parce qu'il voyait dans la psyché du rêveur des éléments qui rendaient le rêve inévitable, un peu comme quelqu'un qui, du haut d'un bâtiment élevé, pourrait prévoir la collision de deux voitures s'avançant dans des rues séparées en dessous de lui. Il ajoutait que les rêveurs apprendraient aussi à reconnaître à quel moment certains rêves étaient des signes précurseurs d'un nouveau thème ou d'une nouvelle série, et de prédire pour eux-mêmes combien d'autres allaient suivre, comme ses rêveurs le faisaient déjà à un moindre degré.

Concevoir des analogies et des illustrations de l'objectif que, disait-il, le rêve cherchait à atteindre faisait également partie des talents de Cayce en matière d'interprétation des rêves. Une scène onirique sur l'action simultanée de divers niveaux de conscience, disait-il, était comme de voir un pianiste suivre en même temps sa partition et faire fonctionner ses doigts. L'individualité de l'âme au sein de sa plus grande destinée est comme l'individualité d'un arbre venant d'une semence et en laissant une derrière lui, conforme au modèle et pourtant arbre unique en lui-même. Des cellules malades dans un corps sont comme des gens qui attirent des associés autour d'eux et entreprennent ensuite un mouvement de leur propre initiative.

Mais ce talent pour les images, qui était une charmante part de l'interprétation des rêves par Cayce, peut être également naturel chez le rêveur. C'est le talent qui conduisit Frances à rêver qu'elle annulait un voyage pour rester avec son bébé alors qu'elle cherchait à comprendre les soucis de sa mère dans l'autre plan de l'existence. Il conduisit un autre rêveur à voir la pensée religieuse de 1925 comme la grande coque d'un navire échoué sur la plage : magnifiquement bâti, mais ne menant nulle part.

Dans la conception de Cayce, déterminer le but d'un rêve est un pas capital vers son interprétation. Il expliquait que la psyché, ou l'être total, essaie de fournir tout ce dont le rêveur a le plus besoin. Si le rêveur a besoin de pénétration et de compréhension, elle lui donne des leçons et même des dissertations. S'il a besoin d'être secoué, elle lui apporte des expériences, belles ou horribles. S'il a besoin d'informations, elle lui rapporte des faits. Les rêves font partie d'un programme d'autorégulation, de mise en valeur, d'auto-entraînement auquel c'est toujours la propre âme du rêveur qui préside.

C'est pourquoi un pas important vers l'interprétation du rêve est de spécifier ce qu'il est venu accomplir. Et le rêveur, selon Cayce, est en mesure de le découvrir par lui-même. La discussion par une connaissance d'un problème de titres était une indication qu'il fallait noter et étudier ces valeurs. Mais des valeurs en action, avec des chiffres réels, ou décrites avec des instructions données par une sorte de voix particulière devaient être un signal, pour le rêveur, d'agir et non plus d'étudier.

Une partie de l'enseignement de Cayce poussait les rêveurs à se réveiller après un rêve vivace, à le repasser en esprit de manière à pouvoir s'en souvenir plus tard, et puis à se rendormir avec l'intention de faire interpréter ce rêve, comme c'était souvent le cas, soit par des épisodes complémentaires, ou par des passages en forme de dissertation, ou par la voix d'un interprète d'un « interviewer » comme l'avait appelé un rêveur.

Il n'est pas surprenant que ceux qui avaient étudié des centaines de rêves avec Edgar Cayce aient subi des tensions majeures dans leurs existences, et même des crises conjugales ou vocationnelles. Il leur montrait dans leurs rêves des visions à vous couper le souffle, des possibilités de créativité qui devaient les faire chanceler et qui secouaient la force de leur ego. Il leur montrait qu'ils pouvaient faire tout ce qu'il faisait.

Après ses quelques premiers élèves, Cayce n'instruisit plus jamais des rêveurs comme tels. Il préféra entraîner des gens dans un pèlerinage spirituel d'ensemble, qui comprenait aussi des rêves mais qui accordait un plus grand poids à la méditation, à la prière et aux services quotidiens en faveur des autres. Plus tard, il n'instruisit plus les gens que par groupes dans lesquels ils pouvaient aisément s'aider mutuellement dans l'étude, dans l'amour, dans l'intercession mutuelle, par des voies que ses principaux sujets oniriques connaissaient rarement.

Mais chaque fois que les rêves ou l'interprétation des rêves intervenaient dans cet enseignement plus vaste, il insistait sur la possibilité pour le rêveur de reproduire en rêve tout ce qu'il accomplissait dans ses interprétations, et même de le reproduire à l'état de veille.

L'énigme de la portée des rêves

Cayce lui-même, lorsqu'il était en état de veille, s'interrogeait sur la portée de ses interprétations et de ses rêves. C'est pourquoi, il rêva de la question.

Ce rêve, comme nombre de ceux qu'il eut, se produisit pendant qu'il était en transe, en train de parler et de se concentrer sur les besoins de quelqu'un d'autre. Une partie de son esprit restait disponible pour le rêve, même pendant une séance d'interprétation.

Peu après la perte de son hôpital, lorsqu'il se demandait à quoi, après tout, lui servaient ses dons, il raconta ce qui suit :

Je me vis prêt à donner une séance d'interprétation et à établir le processus par lequel on obtenait une interprétation. Quelqu'un me le décrivit. Il y avait un centre ou un point à partir duquel, entrant en transe, je me mettais à rayonner vers le haut. Cela commençait comme une spirale, sauf qu'il y avait des anneaux tout autour : ils étaient d'abord tout petits et à mesure qu'ils s'élevaient, ils devenaient de plus en plus grands. Les espaces entre les anneaux étaient les différents lieux de développement atteints par les individus et d'où j'allais tenter d'obtenir des informations. C'est la raison pour laquelle un corps (une personne) d'un développement très très bas pouvait se situer tellement bas que personne, même en donnant des informations (psychiques), ne serait en mesure d'apporter quelque chose qui en vaille la peine. Certaines parties du pays produisaient leur propre radiation. Par exemple, il serait beaucoup plus facile de donner une interprétation pour un individu situé dans la radiation qui avait affaire avec la santé ou avec la guérison — pas nécessairement un hôpital, mais dans une radiation de guérison — que ce ne le serait pour un individu placé dans une radiation purement commerciale. Je pouvais être capable de donner une bien meilleure interprétation (comme le fait fut démontré) pour une personne se trouvant à

Rochester dans l'État de New-York que pour une autre qui se trouvait à Chicago, en Illinois, parce que les vibrations de Rochester étaient beaucoup plus élevées que celles de Chicago. Plus un individu était près de l'un des anneaux, plus il serait facile d'obtenir des informations. De n'importe quel point intermédiaire, un individu le pouvait par son propre désir se diriger vers l'anneau. S'il n'était que curieux (en sollicitant une interprétation), il serait tout naturellement entraîné vers le centre, loin de l'anneau, ou dans l'espace situé entre les anneaux.

Cayce soumit ce matériau à une interprétation par laquelle il apprit que c'était une authentique vision de la manière dont ses conseils étaient assurés.

La vision avait été correcte en commençant par montrer Cayce comme « une petite tache, en fait comme un simple grain de sable, » car « dans les affaires du monde », Cayce n'était rien d'autre. Cependant, lorsqu'il donnait des interprétations, il s'élevait lui-même, ou il était élevé, dans une sorte d'entonnoir qui s'étendait vers l'extérieur et vers le haut jusqu'à ce que tout finisse par être inclus dans ses vastes dimensions. Il était transporté « directement vers ce qui est ressenti par l'expérience de l'homme comme au sein des cieux eux-mêmes ». Tandis qu'en état de transe, il rendait ses activités corporelles « nulles », il ne faisait qu'utiliser, pour ainsi dire, « la trompette de l'univers, essayant d'atteindre ce qu'il cherchait. » La réponse à cette portée venait alors de l'entité appropriée, quelque point qu'il avait aperçu dans sa sphère propre et qui « lançait sa note comme un luth lance des sons », afin de répondre à sa recherche d'informations.

Cette interprétation était métaphorique, mais son sens atteignit Cayce. Elle se poursuivit en l'assurant qu'il avait correctement vu comment chaque individu, chaque groupe, chaque classe, chaque masse ou chaque nation se trouvait à quelque point de la vaste spirale où ses efforts l'avait placé, sur les réseaux établis par une « Énergie Créatrice Toute Sagesse ». Chaque point était relié aux autres, disait l'interprétation, comme les nerfs connectent chaque

144

portion d'un organisme vivant à son centre. Chacun pouvait instantanément être détecté ou entendu par le centre.

Il avait aussi correctement vu que l'impact des interprétations variait selon qu'elles étaient données à des sujets de Rochester ou de Chicago. Mais la différence n'existait pas pour les conseils de guérison qui pouvaient aussi bien être donnés à un endroit qu'à un autre. La différence se trouvait dans la résonnance qui se produisait à l'intérieur de l'individu, dans son milieu, lorsqu'il recevait l'assistance de Cayce. Chacun l'entendait et répondait comme ses circonstances et son développement propres le poussaient à entendre et à répondre.

À partir de ce moment, surtout dans ses «interprétations de vie», Cayce murmurait souvent en commençant : «Haut dans la spirale des vibrations» ou «Bas dans la spirale des vibrations.» Ou encore : «Cette ville se trouve sur le même point que la spirale qu'Allentown en Pennsylvanie». Ceux qui l'entouraient, au cours de son existence, n'étaient pas capables de discerner la structure qu'impliquaient ces commentaires, mais cette structure était bien réelle dans la vision d'Edgar Cayce en sommeil.

Il considéra cette interprétation comme une assurance qu'il était possible pour un homme, avec ses faiblesses et ses limitations (qui étaient nombreuses comme le lui montraient ses interprétations) d'atteindre un état de conscience où c'était bien plus que lui-même qui entrait en ligne de compte pour répondre aux besoins de quelqu'un.

Ses interprétations prirent la même voie lorsqu'il expliqua la portée du rêve à un rêveur — un de ses sujets principaux — qui lui rapportait une expérience onirique inoubliable à propos d'un être aimé qui était mort. Cayce lui expliqua que l'expérience avait été une rencontre réelle. Puis il écouta patiemment le rêveur lui commenter un diagramme qu'il avait dressé pour lui-même afin de montrer comment les êtres de différents plans se rencontrent là où les plans se recoupent. Quoique inconscient, Cayce suivit le diagramme comme s'il pouvait le voir, et puis il se mit à le modifier.

L'homme, dit-il, devait dessiner une étoile. Les pointes triangulaires qui dépassaient étaient comme la psyché totale de chaque individu. À la pointe se trouvait la conscience qui touchait le corps de la personne et qui s'y reposait, émergeant même partiellement du réseau des sens et des pulsions du corps. Mais lorsqu'on s'éloignait du bout de la pointe, la psyché s'élargissait. Et lorsqu'on atteignait la partie du cercle où les rayons triangulaires touchaient leurs voisins, on obtenait une vision de télépathie, ou d'harmonisation avec ceux qui étaient proches de vos pensées et de vos soucis. Et à l'endroit où chaque structure pointue se déployait dans le corps central de l'étoile, là se trouvait l'âme de cette personne, uniquement orientée vers sa propre pointe mais aussi toujours présente au centre de l'étoile. Alors, disait Cayce (et ici, son analogie était comme celle de la spirale), le rêveur verrait comment chaque individu pouvait s'éloigner en pleine conscience de sa propre pointe pour atteindre le corps principal de l'étoile et pénétrer dans son centre. Plus il se rapprochait du centre réel, plus il pouvait pénétrer complètement dans la conscience et dans l'âme de chaque autre personne ou de quelque autre plan de conscience représenté par les autres pointes de l'étoile.

Il y a un centre dans l'Univers, disait Cayce. Oui, vraiment, un Centre. Chaque homme, chaque être, chaque créature et chaque création étaient connus et constamment aidés depuis ce Centre.

Celui qui, en rêve ou en transe, s'approchait de ce Centre, s'approchait de tous les autres qui avaient besoin de lui et de tous ceux qui pouvaient apporter leur assistance.

Telle était la réponse à l'énigme de la portée des rêves, quelque compliqués que fussent les lois et les procédés qui étaient en jeu.

Pour Edgar Cayce, il semblait clair, même si d'autres personnes sérieuses de son époque en doutaient, qu'aucun homme n'était seul dans l'Univers. Et il lui semblait évident que le Fait central, brillant comme le centre d'une étoile, pouvait être atteint en rêve comme une réalité.

Chapitre VII

Comment se souvenir
de ses rêves

Les interprétations d'Edgar Cayce étaient taillées sur mesure pour chaque individu qui en réclamait une (spécialement en ce qui concerne les interprétations de rêves, où il traitait chaque personnage et chaque situation du rêve en fonction de leur signification pour le rêveur).

Lorsqu'une personne rêvait de son frère, cela pouvait représenter son propre côté peu développé, et correspondre à quelque chose qu'elle n'aimait pas chez son frère. Cependant, lorsque le même frère rêvait de lui, il pouvait y voir un avertissement littéral à propos des problèmes de santé de son frère, et pas du tout une représentation symbolique.

Lorsqu'une femme rêvait d'un médecin, cela pouvait l'avertir que son corps était prêt pour la conception. Lorsque son mari rêvait du même docteur, cela pouvait constituer une évaluation subconsciente de l'étroitesse de vues d'un médecin consacré.

Si Cayce considérait que les rêves étaient tellement personnels, indiquait-il également des processus qui pourraient être étudiés par les rêveurs d'aujourd'hui?

Savoir jusqu'où on peut généraliser les conseils que Cayce donnait aux rêveurs est une bonne question pour les chercheurs. C'est seulement lorsqu'on aura compris les processus qu'il décrivait pour tels rêveurs particuliers, lorsqu'on pourra les répéter et les varier, qu'il sera possible de savoir à quel point ses rêveurs et les conseils qu'il leur donnait ressemblaient aux autres rêveurs et aux conseils dont ils ont besoin aujourd'hui.

Une telle recherche est à peine commencée. Ce n'est que vers le milieu des années 60 qu'on a indexé et reproduit les interprétations de Cayce de manière à pouvoir isoler et étudier toutes celles qui concernent les rêves, en même temps que la correspondance qui s'y rapporte et le compte-rendu des cas particuliers. Cependant, les grandes lignes de ses théories et de ses procédures oniriques étaient évidentes pour ses collaborateurs directs dès la fin des années 1920. Ceux-ci ont continué à rendre compte de leurs rêves et à les étudier, tout en encourageant les autres à faire de même, selon des lignes représentaatives de la pensée de Cayce.

En particulier, le fils de Cayce, Hugh Lynn Cayce, a encouragé le développement de dizaines de groupes d'étude qui se servent souvent des rêves au sein de la société nationale appelée Association pour la Recherche et les Éclaircissements (A.R.E.). fondée avant la mort de son père pour étudier les phénomènes et les processus qui étaient discutés dans les interprétations de Cayce. Hugh Lynn Cayce, et d'autres qu'il instruisait (parmi lesquels Elsie Sechrist, l'auteur de *Rêve, votre miroir magique*) ont appris pendant trente ans à des gens ordinaires à faire travailler leurs rêves. Ces explorateurs profanes du continent intérieur de l'inconscient n'ont pas effectué de recherches de laboratoire, mais ils ont été les naturalistes du pays des rêves. Parmi leurs découvertes, il faut compter les preuves d'un certain nombre d'affirmations de Cayce à propos des rêves : qu'ils contiennent une part de perception extrasensorielle de divers types, qu'on y trouve des matériaux qui suggèrent la réincarnation, qu'ils sont affectés par les tendances de la prière, qu'ils peuvent contenir une forte dose d'expériences mystiques du divin, que le style de chacun de ceux qui rêvent est unique, que les rêves peuvent constituer, pour les profanes, la base de leur auto-analyse.

La recherche systématique des matériaux oniriques de Cayce est également en cours. Un psychothérapeute au moins a réexaminé des dizaines de rêves de ses clients pour voir jusqu'où ils concordaient avec les processus décrits par

Cayce. Et des étudiants d'un cours avancé de psychologie onirique ont commencé à comparer ses interprétations de rêves avec celles de Jung et de Freud. Hugh Lynn Cayce a effectué des expériences pour tester l'effet sur les rêves des stimuli évoqués dans les interprétations : les médicaments, le jeûne, la méditation, certaines lumières colorées, l'émission télépathique de cibles et l'auto-analyse systématique.

Tout ce travail préliminaire confirme que les rêveurs d'aujourd'hui peuvent trouver des directives dans le rappel, l'interprétation et la mise en application du matériau de leurs rêves selon les lignes de conduite suggérées par Cayce dans ses interprétations.

Question : comment peut-on apprendre à se souvenir de ses rêves ?

Beaucoup de gens ne se sont pas souvenu d'un rêve depuis des années, et certains ne se souviennent jamais d'avoir rêvé. Cela signifie-t-il qu'ils ne rêvent pas, ou qu'ils ne se souviennent pas de leurs rêves ?

Cayce prenait soin de distinguer les rêves des individus normaux, sains et développés, des songes de ceux qui souffraient d'un dérangement du cerveau ou d'autres parties du système nerveux. Les êtres normaux, estimait-il, rêvent sans aucun doute régulièrement, peu importe qu'ils se souviennent de leurs rêves ou pas.

Longtemps avant l'existence des laboratoires modernes de sommeil, dans lesquels les non-rêveurs présumés sont réveillés lorsque leurs muscles se contractent pour les aider à se souvenir immédiatement de leur rêve, Cayce, sur leur demande, rappelait à des dormeurs non seulement des rêves particuliers mais des nuits entières de rêves, avec tant de force et de détails qu'il accélérait la mémoire propre du rêveur. Après une telle expérience, l'individu savait qu'il rêvait, et qu'il rêvait beaucoup (ce qui est le cas pour les gens normaux ainsi que l'a démontré la recherche onirique moderne).

149

Ceux que Cayce instruisait n'avaient pas grand mal à apprendre à se souvenir de leurs rêves une fois qu'ils y exerçaient leur esprit. Ils devaient être certains d'être prêts à affronter tout ce qui se présentait dans leurs rêves, et à en faire quelque chose. Ils avaient ensuite à faire pénétrer d'une manière ou de l'autre dans leur subconscient leur désir d'avoir des rêves assez vivaces pour qu'ils les réveillent, ou pour qu'ils demeurent dans leur conscience le matin. Certains y arrivaient en se disant, avant de s'endormir, qu'ils désiraient rêver et s'en souvenir ensuite, exactement comme quelqu'un se dit qu'il doit se réveiller à cinq heures pour partir en voyage. D'autres le faisaient en priant qu'on les guide à travers leurs rêves. D'autres enfin acquéraient le premier stimulus nécessaire pour se rappeler leurs rêves en en parlant et en les interprétant.

Dans une interprétation qu'il fit d'un de ses propres rêves, Cayce indiqua que le corps joue un rôle dans le rappel des rêves. On retrouve plus facilement un rêve si on essaie de s'en souvenir et de le revoir avant de remuer le corps, le matin ou lorsqu'on se réveille au milieu de la nuit. Évidemment, un repos suffisant est également important, et c'est pourquoi Cayce ne cessait de recommander le repos à ceux avec lesquels il se livrait à un entraînement onirique. Il ne s'agissait pas seulement d'un nombre suffisant d'heures de repos, mais du repos que l'on obtient facilement dans la relaxation, l'exercice, les distractions, le changement de rythme, et la remise de sa vie entre les mains de Dieu.

Il avait fermement déclaré à plusieurs rêveurs que pour se souvenir de leurs rêves, ils devaient les consigner par écrit et relire souvent leurs rapports. Lorsque lui-même négligeait d'enregistrer ses rêves, ses interprétations lui reprochaient de ne pas y appliquer son esprit : une partie de la suggestion qui lui était faite d'assurer ses interprétations oniriques, comportait «l'esprit inquisiteur» du rêveur. Dans une interprétation, Cayce fut prévenu lui-même dès le début qu'il «n'enquêtait pas» suffisamment sur ses rêves. Vers la fin de sa vie, Cayce avait pris l'habitude pratique de discuter de ses rêves avec sa famille, même s'il ne les consignait pas par écrit.

Cayce encourageait ses rêveurs à commencer avec tout ce qu'ils pouvaient se rappeler, ne fût-ce que des fragments. S'ils lui en donnaient une version brumeuse, il la corrigeait. Il faisait cependant moins de corrections pour ses rêveurs systématiques qu'un débutant ne s'y attendrait, car les rêveurs eurent tôt fait de découvrir qu'en cas de doute, leurs propres inclinations dans le souvenir étaient généralement correctes.

Commencer par l'état d'esprit que l'on avait au réveil pouvait être utile, avait-il déclaré. Selon lui, les actions accomplies par l'individu la veille et au cours de la période présente de son existence étaient comparées chaque nuit avec ses idéaux les plus profonds. En conséquence, celui qui se réveille grincheux et agité devrait commencer par examiner le contenu de ses rêves et de son existence. Et celui qui se réveille dans un état d'esprit clair et paisible peut être certain que lorsqu'il se rappellera ses rêves, ils ne témoigneront pas d'un sérieux conflit intérieur.

Dans l'idée que Cayce se faisait des rêves, les processus qui les commandaient n'étaient pas différents de ceux de l'état de veille. De même qu'un rêve peut utiliser la perception extrasensorielle pour dévoiler l'avenir, ou le lointain, ou l'inconnu, de même le peut un pressentiment, une impression ou une voix intérieure à l'état de veille. De même qu'un rêve peut dévoiler les faiblesses de caractère du rêveur, de même le peut une introspection profonde. De même qu'un rêve peut constituer une dissertation sur les lois de la conscience, de même le peuvent une étude approfondie et un examen sérieux de ces mêmes lois par le sujet.

Le rêveur peut utiliser une image révélatrice du passé du rêveur pour transmettre un message, mais c'est ce que font aussi les images et les associations mémorisées de l'état de veille, tout comme le choix habituel des mots et les lapsus. C'est pourquoi Cayce incitait ses rêveurs à lui rapporter non seulement leurs rêves mais aussi les événements de leur vie quotidienne où leur subconscient semblait avoir la haute main. Et en les aidant grâce à eux, il les incitait aussi à

151

s'aider eux-mêmes en étudiant en même temps que leurs rêves ces produits de l'état de veille.

Finalement, il considérait qu'il était important pour le processus du rappel des rêves que les rêveurs agissent sur les rêves dont ils se souvenaient. L'action d'ajouter un élément conscient à l'activité subconsciente qui provoque le rêve met en route des courants au sein de l'économie globale de l'esprit du rêveur, des courants qui servent à faciliter le souvenir de rêves suivants, et à favoriser finalement l'interprétation de tous les rêves.

L'action la plus simple consiste à consigner un rêve par écrit ou à le raconter. Cette action est renforcée lorsque le rêveur répète un certain nombre de fois dans son esprit les parties les plus saillantes du rêve, qu'il soit ou non capable de les interpréter. Car si le rêve atteint la conscience si peu que ce soit, c'est qu'il a quelque chose à voir avec elle et qu'il profitera d'une attention consciente. Si le rêve constitue un avertissement, le fait de le repasser dans son esprit renforcera l'avertissement, ne serait-ce que de façon subtile. S'il s'agit d'une mise en garde, l'effet d'éveil et de sensibilisation de l'esprit du rêveur sera renforcé. S'il s'agit d'une leçon, le fait de répéter le rêve en pensée lui servira d'exercice.

Ensuite, il convient d'utiliser, si possible, le rêve dont on se souvient. Pas de façon contraignante, évidemment. Mais le subconscient est comme une source des bois qu'il faut creuser pour qu'elle continue à couler si on veut l'utiliser au mieux. Le rêveur peut se concentrer sur telle portion du rêve qui le touche plus fortement, en considérant qu'elle doit être en rapport avec son idéal le plus intime. Car les rêves, dit Cayce «sont des visions qui peuvent être cristallisées». Dans les rêves, les vrais espoirs et les vrais désirs d'une personne prennent corps et force en elle, et non seulement de vagues souhaits.

Essayer d'interpréter le rêve vaut mieux encore, car rien ne facilite son rappel comme un acte conscient direct ou le rapport avec un important contenu onirique.

L'interprétation, expliquait Cayce, consiste à «peser» le contenu d'un rêve avec des aspects plus familiers de l'existence et de la pensée du rêveur. La compréhension procède toujours par comparaison. Les deux pas les plus importants dans l'interprétation des rêves sont de comprendre à quoi le rêve *se rapporte* et de sentir vers quoi il *tend* : ce qu'il cherche à changer ou à doter d'une nouvelle signification. Pour interpréter un rêve, il faut le comparer à ses affaires extérieures aussi bien qu'à ses pensées, ses sentiments et ses intentions internes. Souvent un même scénario de rêve se rapporte aux deux. Le progrès dans l'interprétation des rêves est un progrès dans la capacité d'associer facilement et avec à-propos des comparaisons aux rêves en saisissant le sens de la référence et la tendance du message ou du stimulus. Une grande partie de l'enseignement de Cayce consistait précisément à enseigner ce processus.

Outre l'interprétation d'un rêve, on peut améliorer le souvenir qu'on en a en apportant à son action subconsciente un encouragement encore plus grand de la conscience. L'étude en est un moyen : l'étude des lois et des processus qui semblent être en œuvre dans le rêve ou dans une série de rêves, ainsi que dans le rêveur lui-même et dans ses propres affaires. Comme lorsqu'on utilise deux étoiles de la Grande Ourse pour situer l'Étoile Polaire, on peut aligner deux ou plusieurs rêves similaires, et peut-être quelques réflexions et éléments de l'état de veille, pour voir clairement d'importantes caractéristiques de la vie : savoir comment les niveaux de l'esprit agissent les uns sur les autres, comment l'amour appelle l'amour, comment la crainte et le doute rendent infirme, comment la concentration accélère la perception extrasensorielle, comment l'effort de demander un service provoque l'assistance et des vivants et des morts, comment la prière entraîne la conscience vers un Centre qui n'est pas le sien. Les livres aussi peuvent être utiles et Cayce ne se contentait pas d'en conseiller à ses rêveurs, quoique très peu ; il y ajoutait l'explication des passages difficiles qu'ils étudiaient dans des œuvres comme *Tertium Organum* d'Ouspensky ou de *Varieties of Religious Experience* (La diversité des expériences religieuses) de James. Cependant l'étude essentielle ne se fait pas dans les livres mais dans l'expérience, et surtout dans le déploiement lent et sûr de la psyché du rêveur, où l'on peut voir par de prudentes comparaisons (et non par une introspection morbide) tous les modèles créatifs qui sont en action et qui gouvernent aussi la nature et les royaumes de l'esprit qui les entourent. On peut même dire, affirmait Cayce, que tout ce qu'un individu peut comprendre des œuvres de Dieu, il peut le retrouver en lui-même lorsqu'il répond au reste de la création.

Mais si l'étude est un élément important pour ajouter de la conscience aux rêves, et donc également pour assurer les rêves plus clairs et pour mieux s'en souvenir, l'étude seule ne suffit pas. Une réponse plus active au rêve, ou à une série de rêves, est également cruciale pour améliorer le souvenir des rêves. Cayce appelait une telle action « application », et il incluait un passage sur l'application dans chacune de ses interprétations de rêves. L'étude est une forme d'application, bien évidemment, mais il avait souvent à l'esprit quelque chose de plus précis. Le rêveur doit mettre en mouvement, avec ses muscles et avec ses nerfs, sa perspicacité, ses trucs et ses stimulations oniriques, et mettre ses vérités à l'épreuve de l'expérience pour acquérir la pleine compréhension et la pleine assistance que les rêves lui apportent. Cayce ne cessait pas d'enfoncer le même clou dans la tête de ses rêveurs : « Agissez, agissez, agissez! » disait-il à un homme hébété par ses rêves.

Le répertoire des applications critiques de Cayce comportait deux sortes d'action sur les rêves : l'harmonisation et le service. On peut utiliser ses expériences et ses états oniriques pour se mettre à l'unisson avec son moi le plus élevé que l'on atteint en rêve, et à l'unisson avec Dieu tel qu'il apparait dans les rêves. On peut travailler à se mettre en harmonie avec ses semblables en partant d'impressions oniriques, et même avec l'esprit des valeurs et du marché. Cette forme d'application devrait être pratiquée quotidiennement avec la matière des rêves que l'on a interprétés.

Le second type majeur d'application est de donner et de servir. S'occuper de soi-même et de sa propre famille est important, que l'on soit marin ou philosophe. Mais il est encore plus important, une fois que les besoins essentiels ont été assurés, de tendre une main secourable à ceux qui sont moins fortunés. Dans l'optique de Cayce, rendre service ne constitue pas une gentillesse, et ce n'est pas un devoir pénible. C'est le sceau de la réalité, la manière dont l'âme cherche à vivre selon son droit de naissance et pas seulement au jour le jour. L'Univers est ainsi fait que rendre service est le but primordial de l'homme sur la terre, en reportant sur d'autres, dans la mesure où on le peut, une partie de ses meilleures possibilités de glorifier Dieu. Si çela s'accomplit convenablement, sous l'action d'une constante harmonisation à chaque nouveau pas, (et Cayce insistait là-dessus), on n'aura pas à se préoccuper de se remodeler constamment dans des états de plus en plus parfaits. Les prochains devenirs se présenteront à l'héure dite, qu'il s'agisse de la gestion de sa fortune, de médecine, d'idées, d'inventions, de famille ou d'ennemis, de beauté ou de justice.

Enfin, Cayce croyait qu'on pouvait améliorer la manière de se souvenir de ses rêves, au-delà de l'étude et des programmes d'action pré-établis, en répétant délibérément le genre de réponse qu'un rêve inaugure. Un état de prière, en rêve, peut se poursuivre par des prières systématiques, et les interprétations suggéraient souvent aux rêveurs (parmi lesquels Cayce lui-même) de petites prières ou de petites affirmations que l'on pouvait reformuler et utiliser souvent dans le cours de la journée. Si un rêve inaugure une attitude plus aimante envers sa femme, on peut ne pas se contenter de comprendre la nécessité d'un tel amour et de prendre certaines décisions à ce sujet, mais on peut poursuivre l'action par les promenades quotidiennes avec sa femme. On peut ajouter une partie consciente aux rêves en ne se limitant pas à agir, mais en célébrant, en amplifiant et en développant la pleine force du rêve.

Chacune de ces démarches favorise le souvenir des rêves. Elle en façonne aussi la profondeur et la clarté, car elle sert à façonner le rêveur lui-même.

L'alternative au rappel des rêves et à leur interprétation n'est pas toujours agréable, disait Cayce. Lés individus ne peuvent pas aller constamment à la dérive. S'ils ne déchif-

155

frent pas leur identité et la direction de leur existence au moyen des rêves (ce que, disait-il, toute personne normale devrait tenter de faire), alors ils pourraient être amenés par l'inflexible action de leurs âmes refoulées dans quelque crise qui les obligerait à composer avec eux-mêmes. Ce peut être une crise médicale. Ce peut être la fin d'un mariage ou la perte d'une situation. Ce peut être la dépression ou la retraite. Il y a des lois qui régissent cette ferme discipline. Il les appelait une partie du « karma », ou l'action de semer et de récolter la moisson de ses actes et de ses pensées, que ce soit dans une existence ou dans plusieurs.

Question : que deviennent les rêves dont on ne se souvient pas?

Cependant, Cayce indiquait clairement que même les plus décidés de ses étudiants ne pouvaient se souvenir de tous les rêves qu'ils faisaient, et qu'ils ne devaient pas s'y attendre. Beaucoup de rêves ne sont destinés qu'à accroître le développement total du rêveur sans atteindre sa conscience. Ce sont des développements nocturnes que la psyché s'accorde depuis la perspective plus large du subconscient ou de celle, plus large encore, de l'âme ou des Forces Universelles. De tels rêves font leur travail et disparaissent.

D'autres rêves ne marquant la conscience que partiellement, et on ne s'en souvient que partiellement. Si le rêveur travaille à se souvenir de ses rêves et à s'en servir, il n'a pas à se soucier de ces fragments, car ce ne sont que des rêves de tracas quotidiens, limités à la conscience et aux niveaux de l'esprit qui en sont le plus proches, sans apporter de réponses utiles nées du subconscient. D'autres fragments encore, relativement peu nombreux, servent à masquer les bruits et les rythmes du corps et permettent au rêveur de continuer à dormir, alors que l'autres font l'inverse : le réveiller quand il doit se lever, sans autre contenu mystérieux. Enfin, il y a des rêves alimentaires dont il n'est pas facile de se souvenir parce que, bien qu'ils soient parfois vivaces, il n'ont «ni queue ni tête». Ce sont des cauchemars qui serpentent, très différents de ces cauchemars violents qui atteignent leur but et réveillent le dormeur. En général, disait Cayce à ses rêveurs, un rêve dont on ne se souvient pas entièrement se répétera, avec des variantes qui n'en changent ni le sens ni l'intensité.

Cayce ne soulignait pas l'effet de «censure» des rêves sur lequel insistait tellement Freud. Il agissait manifestement dans un certain nombre de rêves qu'il interprétait, spécialement dans les premiers rêves qu'étudiait le rêveur avant que celui-ci n'ait accepté les côtés désagréables ou socialement inacceptables de sa personnalité. Mais Cayce préférait souligner que l'irritabilité, la concupiscence ou l'autoritarisme souvent attribués à un autre dans le rêve se trouvaient en réalité dans le rêveur lui-même qui les projetait sur les autres. Il notait néanmoins une forme de censure qui se produisait souvent : ses rêveurs tendaient à oublier ou à négliger les parties désagréables ou révélatrices de leurs rêves plus facilement que les autres. Ils tendaient aussi à oublier les conclusions heureuses lorsque leur effet contribuait à augmenter le sens de leurs responsabilités.

En plus de la question des rêves dont on ne se souvient pas, Cayce s'intéressait à celle des rêves que le rêveur connaissait mieux par leur effet sur son corps et ses émotions que sur son esprit. Lorsque le rêveur pleure ou crie ou hurle dans son sommeil, ou lorsqu'il marche et s'agite, il devrait s'inquiéter de son état de santé général, de même que lorsque ses rêves sont constamment et furieusement irréels et désagréables. Dans de tels cas, faisait remarquer Cayce, les autres processus imaginatifs du rêveur risquaient également d'être affectés : l'imagination, les rêves éveillés, et même les images normales de nourriture, de boisson ou de compagnie. Cette distorsion résulte d'une incapacité physiologique du réseau sensoriel du système nerveux, ou du système nerveux autonome qui contrôle les émotions corporelles, ou les deux. Il faisaient également remarquer dans des dizaines d'interprétations de tels rêves, que la fonction des glandes endocrines du rêveur était presque toujours en cause, et qu'il fallait s'en occuper en agissant sur les poisons du corps, sur les faiblesses de la circulation et sur les lésions ostéopathiques.

Les rêves relatifs au corps malade, fiévreux ou blessé, disait Cayce, ne valaient pas qu'on s'en souvienne ou qu'on les interprète. Mais la plupart des autres qui s'insinuent dans la conscience, y laissant des traces et des impressions claires, valent qu'on prenne le temps de les interpréter. En 1924, lorsque l'interprétation des rêves n'était pratiquée que par les médecins dans des buts psychiatriques, ou par des occultistes pour la divination, Cayce soulignait que les rêves constituent une assistance normale par laquelle la personnalité et le corps se règlent eux-mêmes pour que s'arrangent les affaires du rêveur. On devrait, disait-il, leur accorder une plus large place dans les activités de la «famille humaine».

Question : Y a-t-il un danger à se souvenir de ses rêves et à s'en servir?

Edgar Cayce voyait un danger à *ne pas* se souvenir de ses rêves et à ne pas les utiliser. Cela pouvait forcer la psyché à prendre contact avec elle-même par le truchement d'une crise ou d'une maladie.

Mais il voyait aussi un danger à se souvenir de ses rêves et à s'en servir.

Le danger principal se trouve dans les puissantes énergies de l'esprit. Ce sont des forces qu'il ne faudrait pas libérer chez le rêveur novice, ni chez la personne qui maintient l'interaction de ses niveaux internes par des procédés non-oniriques tels qu'une saine prière, une créativité artistique, un amour honnète, un dur travail et de bonnes distractions.

Mais celui qui, à travers ses rêves, cherche à éveiller et à compter les vigoureuses énergies de son subconscient sans mener en même temps une vie saine, sans aspérités, bien équilibrée, celui-là se met lui-même en péril.

Cayce ne cessait d'avertir ses rêveurs qu'ils devaient «raison garder» lorsqu'ils exploraient le pays des rêves. Ils devaient continuer à prendre des décisions quotidiennes responsables sans trop s'en remettre à lui ou à leurs rêves. Sur ce point, il était inflexible. Ils devaient continuer à acquérir de l'adresse et des connaissances, ce qui était le travail de la conscience, aussi vite qu'ils entrouvaient le subconscient. Un homme doit constamment s'appliquer à son travail et à ses pensées et une femme à ses affections et à ses relations, même si leurs rêves les invitaient à de nouveaux développements.

Lorsque ses rêveurs atteignaient les confins de leurs expériences oniriques avec les perceptions extrasensorielles et le sens de la beauté et de la sainteté, il leur disait qu'on attendait d'eux un équilibre plus grand encore, un «niveau étal» évitant les extrêmes de toute nature, qu'il s'agisse de régime alimentaire, de pensée ou même d'étude des rêves. Faute de quoi, les mêmes forces qui avaient agi si utilement à un certain moment pouraient devenir destructrices pour le rêveur à un autre moment.

Les rêveurs pouvaient non seulement perdre leur capacité de guidance et de croissance par les rêves — ce qui constituait toujours une possibilité réelle par le narcissisme, les échappatoires, le fanatisme, l'hypocondrie et le messianisme — mais développer en eux-mêmes des énergies dynamiques qui ne partiraient pas facilement et qui les troubleraient sérieusement si elles étaient ignorées ou mal utilisées. Dans une phrase révélatrice, Cayce avertit un rêveur qu'une mauvaise et égoïste utilisation de ses expériences oniriques, une fois qu'elles avaient commencé à atteindre une certaine stature et un certain paroxysme dans sa psyché, déchaînerait ces «forces désintéressées» qui pouvaient être néfastes pour le rêveur. Il ne se référait pas à des entités désincarnées, mais à des forces naturelles de la psyché du rêveur, aussi puissantes qu'elles étaient naturelles.

Cependant, en général, les rêves façonnent leur contenu à la mesure de ce que le rêveur peut effectivement traiter. Ils sont auto-régulateurs et auto-correcteurs. Si le rêveur accorde trop d'attention à ses rêves, les rêves eux-mêmes ramènent son intérêt vers ses soucis quotidiens. S'il se laisse fasciner par un aspect des rêves, comme les incursions oniriques dans le pays des morts, il constatera qu'il se rend ridicule dans cet environnement onirique jusqu'à ce que la chose lui paraisse évidente. Mais il y a aussi une limite à l'auto-régulation des rêves. Si le rêveur désorganise son corps ou l'équilibre de toute sa psyché, il désorganise aussi la fonction régulatrice des rêves, et ils se déroulent de façon incohérent. Il peut aussi altérer la fonction régulatrice en se suggestionnant avec force, avant de s'endormir ou pendant des intervalles de demi-veille.

Cayce tenait beaucoup à prévenir le «forcing» des expériences oniriques de n'importe quel type. «Il ne faut pas courir avant de savoir marcher, déclara-t-il à un enthousiaste». «Il faut faire confiance à son âme et à son Créateur pour obtenir ce dont on a besoin durant la nuit, déclara-t-il à d'autres». Travailler de façon responsable avec ses rêves n'est pas la même chose que de les obliger à se substituer à la vie.

En dépit des avertissements qui parsemaient ses conseils comme des fils brillants, l'un des principaux élèves de Cayce perdit son équilibre au cours d'une période de maladie mentale qui contribua aussi à la perte de sa situation et à l'échec de son mariage. Un autre perdit sa profession et sa famille. Tous deux perdirent leurs dons et cessèrent d'utiliser les rêves qui avaient fait d'eux des millionnaires et, pour un temps, des gens heureux et productifs. Frances aussi eut des ennuis, comme nous l'avons vu. Mais tous avaient été avertis, comme l'avait été cet homme qui avait demandé : «Serais-je capable de prévoir ma propre mort?» qu'il avait vu représentée dans un rêve. La séance d'interprétation de ce jour-là se fit sur un ton d'élévation inhabituel, qui contenait des promesses d'une grande utilité pour le rêveur, s'il y était fidèle, mais aussi des avertissements.

Alors, lie-toi les pieds, mon fils; maintiens ta route droite, sachant que tu as un avocat auprès de Père... et lorsque tu seras appelé en raison des actes commis avec ton corps, bénis seront ceux qui auront été

accomplis sous les directives de tes efforts. Garde...
garde la foi, la promesse en ton moi... garde en toi la
lumière qui guidera tant d'âmes qui cherchent leur
voie.

Mais ensuite, l'interprétation ajoutait :

Ne sois pas dominé par trop de connaissances. Ne te
laisse ni charger ni détruire par ce qui peut t'être donné
(dans les rêves)... Ce n'est pas par ton propre pouvoir
que ces forces (prophétiques) peuvent être créées...
car la chair et le sang peuvent manifester une vérité spi-
rituelle, mais ne peuvent diriger un esprit dans quel-
que direction que ce soit! L'assistance et le secours
peuvent venir de la chair et du sang (en rêve ou autre-
ment), même pour ceux qui sont près de la fosse... et
pourtant là se trouve ce golfe infranchissable. C'est plu-
tôt celui qui fait sa volonté une avec celle du Père qui
peut être assuré d'une attention toute spéciale grâce à
Ses directives. Conserve ceci... et ne t'égare pas en
voulant bien faire. Garde ton moi tout près de Lui...
car la pierre d'achoppement se trouve toujours dans
l'exagération de la puissance et des capacités engran-
gées dans le propre moi de l'individu et dans le mau-
vais usage du moi dans les relations mutuelles. Garde
la foi, mon fils, garde la foi.

Le conseil ne fit aucun effet. Le rêveur qui, pendant cinq ans, avait sondé toutes les possibilités des rêves et qui s'était entendu dire que ses capacités pouvaient excéder celles de Cayce, fut bientôt écarté de sa famille et réduit à vendre des bibelots pour gagner sa vie.

Travailler avec les rêves, comme toutes les activités humaines qui engagent pour un temps tous les niveaux de l'individu — l'amour, le combat, le maintien de sa puissance, l'éducation des enfants, la défense des vérités et la création de tableaux — porte en soi en danger. Et ce danger est là parce qu'il se trouve dans l'être humain. Son insondable potentiel est toujours associé à l'insondable liberté de sa volonté. Tel est l'image que donnait Cayce du danger d'utiliser les rêves.

Chapitre VIII

Comment commencer à interpréter les rêves?

Edgar Cayce, ayant donné des conseils sur leurs rêves à plus de soixante personnes au cours de deux décennies, les encourageait immanquablement à interpréter leurs propres rêves.

Si étranges que fussent les matériaux des rêves, ils ne provenaient pas, selon lui, d'une intelligence étrangère. Même lorsque les visions d'un rêveur trahissaient une plus grande sagesse que la sienne propre — sur les désincarnés ou sur les Forces Universelles — le rêveur ne voyait cependant uniquement que ce qu'il pouvait comprendre et il commençait déjà à s'extérioriser. Cela signifie qu'il existe toujours chez le rêveur une petite dose du contenu de chaque rêve, un petit noyau de signification qu'il pourra localiser s'il est patient.

Mais Cayce était moins enclin à encourager les gens à interpréter des rêves pour les autres. Bien entendu, il disait à ses rêveurs qu'ils pouvaient faire tout ce qu'il faisait — et une partie de ce qu'il faisait était précisément d'interpréter des rêves pour les autres. Mais il traitait ce don comme quelque chose d'insolite, et il n'y encouragea qu'un seul de ses principaux rêveurs, un homme qui rêvait de lui-même interprétant des rêves pour les autres! Ses interprétations, disait Cayce, étaient tout à fait saines dans certains cas, et elles pouvaient même devenir meilleures s'il voulait prendre le temps d'y travailler.

Interpréter des rêves, selon la définition que donnait Cayce du processus, ne consistait pas à rechercher un symbole dans un manuel des rêves et à l'appliquer à un rêve déterminé. On interprète un *rêveur*, pas un rêve. C'est pourquoi Cayce prenait tant de mal, dans chacune de ses interprétations de rêves, à spécifier quelle partie de la psyché du rêveur était appelée à se manifester dans le rêve et ce que cette part de sa psyché cherchait à accomplir. Si quelqu'un comprend le rêveur dans le rêve, il peut accomplir le premier pas important en matière d'interprétation : déterminer laquelle des deux fonctions principales des rêves se trouve à l'avant-plan dans un rêve particulier : a) la solution d'un problème et son adaptation aux affaires extérieures ou b) l'éveil et la mise en garde du rêveur envers quelque nouveau potentiel qui se trouve en lui.

Pour la plupart des gens, il n'existe qu'un seul rêveur qu'ils comprennent avec toute la profondeur nécessaire : eux-mêmes. En conséquence l'étude qu'il faut faire avant tout dans l'interprétation des rêves concerne soi-même à tous les niveaux. Les plans conscients, les buts, les intérêts, les attitudes, les décisions, tous ces éléments doivent être inventoriés. Le subconscient aussi devrait être étudié, avec ses habitudes dissimulées, ses craintes, ses aspirations, ses dépendances, ses défenses. Il y a encore deux autres domaines qui appellent l'étude : le corps avec ses cycles, ses besoins, ses habitudes, ses tensions, tous les éléments qui peuvent se refléter dans les rêves ; et l'âme, toujours présente chez le rêveur et mettant sa marque sur lui comme le fait le corps, mais avec ses idéaux, ses questions pénétrantes, ses souvenirs fâcheux cachés à toute vue directe. Au delà du rêveur, mais résonnant en lui pour son étude et pour sa croissance, il y a le domaine de l'Universel, avec ses énergies et ses desseins atteints par son superconscient.

«Étudie-toi toi-même, étudie-toi toi-même» était le premier conseil de Cayce lorsqu'il enseignait à interpréter les rêves. Il disait aux gens de rechercher leurs souvenirs, de collationner leurs idéaux de travail en colonnes (physiques, mentaux, spirituels), de savoir ce qu'ils honoraient chez les autres et de le comparer avec eux-mêmes, de comparer leur auto-perception avec ce que les autres percevaient chez eux. Il chargeait ses rêveurs de rechercher des lois, comment X se présenterait quand Y était présent dans des conditions Z.

Il ne prônait pas le narcissisme lorsqu'il encourageait l'interprétation des rêves, car dans le cours des dernières années, lorsqu'il instruisait les gens en groupe, il les poussait spécifiquement à parler entre eux de leurs rêves et de leurs visions mutuelles, puis de noter par écrit le sens communautaire de ce qu'ils avaient découvert. Travailler avec d'autres qui étudiaient également les rêves stimulait la psyché vers des rêves et vers des interprétations utiles.

Auprès de ces mêmes groupes, il développa ensuite l'importance qu'il avait attribuée à la méditation quotidienne sur une affirmation, et à la profondeur du silence. «Il existe, disait-il, une disposition d'esprit dans laquelle l'interprétation arrive vite et sonne juste. Souvent on y arrive en déchiffrant un rêve aussi loin que la conscience le permet, puis en priant à ce sujet et en l'abandonnant ensuite. Lorsqu'on reprend à nouveau ce rêve, dans une disposition d'esprit plus calme, il peut en résulter une surprenante clarté».

L'étude de la Bible peut aussi amener calmement l'esprit à une unicité avec lui-même, là où la signification des rêves est transparente. De plus, comparer des éléments du rêve avec des passages spécifiques de la Bible peut éveiller chez le rêveur le sens des grands symboles, l'«Urim» de la famille humaine qui se répète dans les rêves et dans le mythe, dans l'art et dans la légende à travers tous les âges. L'un des exercices d'entraînement les plus courants de Cayce était d'assigner à un rêveur un passage particulier de la Bible qu'il devait étudier avec son rêve. Mais il était libre aussi, quoiqu'il le fît moins communément, de comparer ses rêves avec les expériences de Confucius, de Moïse, de Bouddah et de Socrate, qu'il traitait avec un évident respect.

Savoir si le rêveur devait également étudier des livres sur la théorie onirique semblait à Cayce devoir dépendre du rêveur. Il ne l'en décourageait jamais et parfois le lui conseillait vivement, spécialement chez un rêveur qui avait l'esprit vif et curieux. L'un des événements le plus étranges dans tout le recueil des interprétations de Cayce se produisit lorsque ce rêveur demanda un conseil sur des passages déterminés qu'il était en train de lire, et qu'il obtint une réponse immédiate alors que Cayce, à l'état de veille, n'avait jamais lu les livres en question. L'expérience avait en quelque sorte, transmis l'idée des livres à Cayce endormi, car par la suite, il illustra des points pour d'autres rêveurs en se référant à des idées tirées des mêmes livres qu'il n'avait toujours pas lus.

Comme lorsque Cayce tirait du néant les noms de médecins spécialisés dans des interprétations physiques, il s'abreuvait aussi, quoique moins fréquemment, à des sources d'érudition. En expliquant à un rêveur les problèmes d'hérédité et d'environnement, il cita une étude qui traitait de dizaines de cas comparés dans des chaînes héréditaires et incita le rêveur à lire le livre.

Dans toutes ces directions, on peut commencer à s'entraîner soi-même à la tâche d'interpréter ses propres rêves.

Mais il y avait aussi, bien entendu, le problème de l'interprétation des rêves d'un esprit malade qui, selon Cayce, opérait toujours dans un corps malade. Cayce n'hésitait pas à recommander à ces rêveurs une assistance professionnelle. Il soulignait clairement que l'assistance professionnelle a ses limites, comme lorsqu'il déclara à un rêveur qu'il faisait une fixation sur l'idée de son propre complexe d'Oedipe à l'instigation de son médecin. Mais il incitait vivement d'autres rêveurs à réclamer une assistance professionnelle, dans plus d'une douzaine de ses interprétations.

Question : Pourquoi les rêves sont-ils tellement troublants?

Edgar Cayce rêva un jour qu'une pastèque mangeait un porc. Lorsqu'il entreprit une interprétation sur ce rêve, il s'entendit dire que cette vision ridicule, tout à fait à l'écart de la vie réelle, reflétait la manière ridicule dont il se comportait habituellement. Un scénario qui semblait vide de sens faisait un excellent sujet satirique une fois qu'on avait établi son dessein. En général, c'est ce qu'on doit attendre de la matière des rêves. Tous les discours et toutes les pensées, comme le remarquait Cayce, comportent de subtiles nuances d'association. Un étranger ressemblera vaguement à quelqu'un d'autre. Une situation difficile peut ressembler à une autre dont on se souvient ou que l'on craint. Un drapeau peut entraîner toute une chaîne de pensées à demi acceptées à propos de son pays. Dans l'état de veille, ces petites associations sont maintenues à l'arrière-plan. Dans les rêves, elles se présentent au centre de la scène.

Cayce déclara à un courtier qu'il avait rêvé d'un vieil ami de collège parce que celui-ci était un sujet brillant et studieux, exactement les qualités que le rêveur possédait en ce moment et qui étaient nécessaires dans son travail qui consistait à étudier une nouvelle phase du marché. Il déclara à une femme enceinte qu'elle rêvait d'une amie de collège à cause du snobisme de celle-ci, comparable aux airs qu'elle se donnait elle-même à propos du bébé attendu.

Dans l'état de veille, les faits ont une association. Dans le rêve, les associations dictent les faits. Étant donné la manière dont ils fonctionnent, les rêves ne sont pas tellement troublants, après tout.

Les rêves qui trouvent leur origine dans le subconscient, lorsqu'ils correspondent aux soucis quotidiens du rêveur, construisent leurs scénari ; et leurs personnages pour montrer deux choses en même temps. Ils répètent pour le rêveur certains de ses soucis et de ses intérêts conscients, certaines décisions ou certains plans qu'il essaie de faire « de façon déductive » en se basant sur tout ce qu'il sait. En même temps, ils lui montrent comment cette situation se présente « inductivement » lorsqu'elle est examinée dans les faits par la perception extrasensorielle du subconscient. Étant donnée cette double tâche compliquée, il est surprenant que les rêves ne soient pas plus troublants qu'ils ne le sont. Mais parfois Cayce lui-même disait d'un épisode onirique : «Il vaut mieux le laisser aller. Il reviendra dans une version plus intelligible».

Un rêve relatif à une araignée parlante qui s'empare de la maison d'un homme semblerait absurde. Absurde, ce l'est, à moins de savoir ce que Cayce vit tout de suite ce que la femme de cet homme ne savait pas, et ce que l'homme lui-même se refusait à admettre, à savoir qu'une relation extra-conjugale qui venait de commencer sur une petite échelle était en passe de briser son foyer. Comme une araignée, elle tissait des toiles qui devenaient de plus en plus solides. Et les commentaires destructeurs de la maîtresse accomplissaient un travail mortel, comme l'araignée qui parlait. La seule solution, déclara Cayce au rêveur, était celle qui se trouvait dans le rêve : arracher toute cette affaire de sa vie, rapidement et chirurgicalement. Le rêve se présentait comme suit :

Je me tenais dans la cour arrière de ma maison, et j'avais mon manteau sur moi. Je sentis quelque chose à l'intérieur du tissu de la manchette de ma manche gauche. J'essayai de l'extraire, mais c'était attaché au tissu et cela se brisa en sortant, laissant une partie à l'intérieur. Je vis que c'était un cocon, et là où il se brisa sortit une petite araignée noire. Le cocon était noir et laissa échapper un grand nombre d'œufs — tout petits — sur la manche de mon manteau que je commençai à déchirer et à arracher. L'araignée grandit rapidement et s'enfuit, en parlant anglais, tout en courant. Je ne me souviens pas de ce qu'elle disait, sauf quelque chose à propos de sa mère.

Lorsque je la revis, c'était une grande araignée noire, et je paraissais savoir que c'était la même qui avait grandi. Elle était presque aussi grande que mon poing. Elle avait sur elle une tache rouge, mais pour le reste elle était d'un noir profond. Cette fois, elle était entrée dans ma maison et avait tissé une toile à travers tout l'arrière du bâtiment, à l'intérieur, et elle m'observait confortablement. Je pris un balai, et la fis tomber d'un coup hors de la maison. Je crus que je l'avais tuée, mais alors, elle parla encore davantage. Je me sou-

viens de lui avoir mis le pied dessus, croyant que cette fois elle était morte.

La prochaine fois que je la vis, elle avait tissé une longue toile à l'extérieur de la maison, dans la cour de derrière, à partir du sol, tout près de l'endroit où je l'avais d'abord sortie de ma manche. Et elle était en train de courir rapidement vers le toit lorsqu'elle me vit. Je ne pouvais pas l'atteindre, mais je lançai mon chapeau de paille devant elle et je coupai la toile. L'araignée tomba sur le sol, en se remettant à parler, et cette fois, je la hachai en morceaux avec mon canif.

Cayce termina son interprétation de ce rêve en avertissant le rêveur que les aspects de cette relation « s'étaient développés à un tel point qu'ils pouvaient présenter une menace pour le cœur et pour l'âme... Prenez garde, prenez garde!« Mais le conseil fut inefficace. Le rêveur prit l'interprétation et partit de chez lui pour n'y plus revenir.

Un tel rêve est troublant si on essaie de l'interpréter tout seul. Il ne l'est pas si on connait le rêveur et si c'est lui qu'on interprète : sa situation doit être symbolisée par quelque chose d'insidieux, de suffisant, de bavard et de répugnant.

Une situation tout à fait différente provoqua un autre rêve d'araignée, cette fois chez Cayce lui-même. Il vit un ivrogne rejeté dans l'oubli à coups de pieds se transformer en une araignée menaçante. Lorsqu'il chercha une interprétation de ce rêve, il découvrit qu'il appartenait à une série consacrée à la manière de répondre aux critiques que faisaient des gens qui considéraient que ses interprétations étaient l'œuvre du diable. Le premier mouvement de Cayce fut de frapper en retour aussi violemment que dans le rêve. Mais la conséquence des représailles est d'accroître l'opposition et de la rendre encore plus mortelle, comme le rêve le montrait avec cet ivrogne irresponsable qui se transformait en porteur de venin.

Cayce reconnaissait cependant que l'interprétation des rêves n'est pas une matière simple, précisément parce que les gens ne sont pas simples. Parlant des rêves dans des centaines d'interprétations, il désigna les quatre sortes d'imagerie des rêves : absurde, littérale, symbolique et visionnaire.

Question : En quoi les images des rêves diffèrent-elles ?

L'imagerie absurde ou vide de sens — comme celle qui accompagne les fièvres — se produit lorsque le corps réagit contre ses propres tensions plutôt que d'utiliser des images d'auto-régulation et d'auto-accroissement. Cayce considérait que ce matériau était produit chimiquement, dans le flux sanguin, soit à cause de l'alcool créé par l'abondance de sucreries ou par les sécrétions endocrines qui peuvent produire un rêve érotique accompagné d'une éjaculation nocturne. Une telle imagerie était rarement entremêlée d'images sensées dans le même rêve, mais apparaissait dans des rêves ou dans des fragments qui lui étaient propres. Lorsqu'un rêveur érotique rapportait un fragment dans lequel la chevelure d'une jeune fille lui caressait agréablement le visage, Cayce disait que c'était « purement physique » et que cela n'avait pas besoin d'être interprété ni de provoquer de l'anxiété chez le rêveur. Cependant lorsque le rêveur rapportait un rêve complet dans lequel, notamment, des jeunes filles lui chantaient à l'oreille de vilaines chansons, Cayce considérait qu'il s'agissait de quelque chose d'important qui montrait comment de petites pensées d'imagination érotique captent l'oreille du subconscient et créent des tendances qu'il est difficile de contrôler.

En second lieu, dans l'explication que donnait Cayce de l'imagerie du rêve, on trouve une catégorie plus commune que l'imagerie absurde : l'imagerie littérale. Cayce croyait que la fonction des rêves chez les gens normaux qui ne souffrent pas de grandes tensions servait les mêmes buts que leur pensée consciente : résoudre les problèmes créés par les circonstances extérieures. Si le travail du rêveur consiste à s'occuper des machines, il rêvera de la manière dont il les entretient. Si sa profession exige qu'il engage des ven-

169

deurs, il rêvera des qualités que ceux-ci doivent avoir. Si une femme se préoccupe des premiers pas de son bébé, elle rêvera de la manière dont il faut lui apprendre à marcher. Si elle se sent complètement éclipsée par les airs d'importance que se donne son mari, elle rêvera de sa suffisance. Si elle se préoccupe de l'aider dans ses affaires, elle pourra rêver d'inviter ses associés à une agréable réception, ou de se rendre à la direction de sa société, selon ce qui lui convient le mieux.

Cependant, l'imagerie littérale se présente rarement seule. Parmi les rêveurs de Cayce, on en trouve plusieurs exemples. Une image précise du décès de la mère d'un ami s'accompagnait également d'éléments symboliques indiquant comment il faut envisager la mort et venir en aide à l'ami lorsque la mort se présente. Une image littérale et précise des cotations de certaines valeurs le lendemain matin s'accompagnait souvent de l'image d'un ascenseur qui monte pour suggérer leur prochaine augmentation, mais aussi le danger de s'élever trop au-dessus de leur niveau normal. Dans l'interprétation des rêves par Cayce, le littéral et le dramatique étaient souvent entremêlés.

Comment, dès lors, peut-on identifier le littéral parmi les éléments purement imaginatifs? Ici encore, en interprétant le rêveur, et non le rêve tout seul. Il faut connaître les pensées conscientes et les activités du rêveur pour isoler le contenu littéral des rêves qui représente ses soucis quotidiens. Quelqu'un qui se fait du souci pour un parent malade doit considérer dans ses éléments littéraux un rêve relatif à ce dernier. Mais quelqu'un qui fait un rêve à propos de la maladie imaginaire d'un parent, ou d'un parent frappé d'une maladie étrange, ne devrait pas y chercher des directives de santé littérales. Un homme qui investit dans des valeurs peut attendre des commentaires oniriques littéraux sur le mouvement des valeurs, mais celui qui gagne de l'argent dans le commerce des chevaux doit s'attendre à trouver dans ses rêves des éléments littéraux sur les chevaux, pas sur les valeurs.

En dépit de la place étonnamment considérable donnée par Cayce aux éléments littéraux dans les rêves, une place qui dépasse de loin celle qui leur est assignée par les psychologues et les analystes du siècle qui a redécouvert les rêves, il considérait néanmoins que la plus grande partie du contenu des rêves était symbolique ou «emblématique». À cet égard, il se rapprochait davantage des experts du laboratoire et du divan.

Dans la conception que Cayce avait des rêves, leur imagerie principale est comme une figure de style, dépeinte et représentée. Les pieds et les chaussures ont souvent quelque chose à voir avec la position ou le fondement de quelqu'un dans ce qu'il est en train de tenter. Les rêves relatifs à la bouche et aux dents se rapportent souvent à cette ennuyeuse fonction de la bouche : parler. Le rêve d'un homme sans tête constitua, dans un cas précis, un avertissement sans détours du subconscient du rêveur de ne pas perdre la tête dans les soucis de son travail.

Mais les rêves sont moins faits de figures conventionnelles de style que d'images personnelles à la manière dont un air quelconque peut être complètement oublié par un homme alors qu'il accélère le pouls d'un autre, à cause du souvenir d'un être aimé et de «notre chanson». Selon Cayce, chaque rêveur a son propre répertoire de symboles ou d'emblèmes personnels, chargé des ombres de la signification des rêves. Les hommes qui sont très attirés par les femmes verront leurs tentations et leurs talents représentés par des femmes. Les rêveurs qui étaient fascinés par la radio dans ses premiers temps trouvaient dans l'imagerie des émissions un fondement à leurs tendances messianiques et à leur harmonie avec le divin invisible. Un homme intéressé par les valeurs de la Warner Bros au moment de l'avènement du film parlant découvrait que l'imagerie onirique de «Vitaphone» ne représentait pas seulement les excellentes perspectives des actions de la société, mais aussi son besoin de s'en remettre à ses voix intérieures pour obtenie des directives sur le marché des valeurs.

Pourquoi les rêves utilisent-ils des éléments emblématiques plutôt que de donner au rêveur des directives explicites? Cayce affirmait que les rêves sont chargés d'une mission qui dépasse la fourniture d'informations et de directives. Il ne cessait de répéter que les rêves apportent une «expérience« au rêveur. Ils sont destinés à faire battre son cœur, trembler ses genoux, chanter son esprit. Ce sont des «événements» pour le rêveur, pas seulement un langage imagé. Voir un taureau obstiné, comme cela se produisit dans un rêve de Cayce, ne voulait pas seulement lui dire qu'il était lui-même obstiné mais devait l'aider à ressentir en lui toute l'énergie aveugle qui, dans le rêve, l'avait fait reculer. Les rêves sont faits pour *changer* quelque chose chez le rêveur, pas seulement pour l'informer. Pour accomplir ces deux missions d'information et de transformation, les rêves doivent utiliser des emblèmes : des éléments qui sont à la fois une signification et une incitation.

Un rêve dans lequel Cayce vit le plancher d'une maison s'effondrer pour découvrir par dessous un cimetière ne constituait pas seulement un message pour lui dire que ses efforts du moment s'établissaient sur de pauvres fondations, mais pour qu'il comprenne aussi que ces fondations étaient aussi répugnantes qu'un cimetière, et, pour lui, aussi mortes et inutiles. Un mari, plus vieux que sa femme, qui voyait celle-ci nager dans un lac dangereux pour ramener une prise sur l'autre rive, n'était pas seulement averti ainsi qu'il devait la respecter, mais aussi qu'il devait la féliciter pour les progrès qu'elle faisait vers la maturité. Une tache sur la chemise d'un homme qui n'était pas honnête en affaires ne servait pas seulement à lui rappeler son sale comportement, mais à réveiller en lui le respect de lui-même qui s'était terni.

Le quatrième type de matériaux du rêve que Cayce appelait souvent « vision » ou « visionnaire » est aussi fortement destiné à changer le rêveur que l'imagerie littérale servait à l'informer. Comme les emblèmes, ces éléments ont à la fois une signification et un élan, mais c'est l'élan qui est à l'avant-plan, et il est radical. Cayce considérait que les gens ordinaires étaient capables de faire des rêves d'une grande puissance poétique, quoique rarement, dans la mesure où ils cherchaient véritablement à se développer. Parmi les scènes animées qui emplissent la nuit, un rêve se présente de temps à autre qui semble sortir des pages de la mythologie ou des Écritures.

Il fit lui-même un tel rêve. Il se produisit deux ans après la perte de son hôpital et de son université, alors qu'il luttait encore pour découvrir la signification de ses dons, et comment il allait gagner sa vie. Il faisait partie d'une série de rêves qui s'étalaient sur plusieurs années et qui le poussaient à placer sa confiance dans son Créateur plutôt que dans de riches donateurs ou dans l'épate créée par sa propre clairvoyance. Il représentait aussi avec exactitude le sens inné de la mission de son existence, dont un conflit qui dépassait les forces personnelles. Il l'entraîna cependant au paroxysme d'une intense affirmation de soi qu'il pouvait partager avec d'autres dans son travail. Sa richesse de détails exprimait très exactement une psyché qui n'avait pas seulement fait de lui un photographe compétent, mais un photographe lauréat de plusieurs prix.

Je me dirigeais vers un camp. J'avais sur l'épaule une courroie à laquelle était attaché un petit étui qui me rappelait un étui à jumelles, mais je savais qu'il contenait un message que je devais apporter à celui, quel qu'il fût, qui commandait l'armée vers laquelle je me dirigeais.

Cette petite boîte avec un message était un symbole qui se répétait dans ses rêves. Elle représentait le sentiment qu'il avait quelque chose d'important à communiquer aux gens dans l'étrange et ingrat travail qui consistait à parler en état de transe. Son rêve continuait ainsi :

L'escalade de la montagne était rude.

Ce symbole aussi apparaissait souvent, et ses interprétations l'appelaient le sens du voyage de son existence, grimpant toujours plus haut pour se mettre à l'unisson de son Maître.

J'atteignis le camp très tôt dans la matinée. Il commençait seulement à faire jour. Au moment où je descendis dans le petit ravin, je savais qu'il y avait un cours d'eau d'une largeur telle qu'une personne pouvait facilement l'enjamber.

Le symbole de l'eau fraîche se répétait aussi dans ses rêves, et il en vint à le considérer exactement comme le qualifiaient ses interprétations : « l'eau vive » de la spiritualité qui

173

devait être offerte aux gens pour les aider du mieux qu'il le pouvait là où ils en avaient besoin.

> *Je vis une troupe d'hommes habillés de blanc : souliers, pantalons, manteaux et casques blancs. Chacun d'eux avait deux courroies sur les épaules, dont une portait un grand récipient qui ressemblait à une cantine.*

Des êtres habillés de blanc symbolisaient pour Cayce, comme pour d'autres, ceux qui étaient purs au service de Dieu. L'image lui en était même apparue dans des visions à l'état de veille, plusieurs fois au cours de son existence.

> *Ils se tenaient par groupes de quatre, chaque groupe devant un feu au-dessus duquel était placé une sorte de poêlon. Ils faisaient le feu avec quelque chose qu'ils versaient de la cantine. Cela ressemblait à de la sciure, mais c'était rouge, vert et brun. Ce pouvaient être des copeaux de bouchon et de la sciure. De l'autre récipient, ils versaient quelque chose dans la poêle, et lorsqu'ils le mélangeaient, cela ressemblait à une omelette, ou simplement quelque chose de bon à manger, mais j'ignorais ce que c'était. Je ne voyais ni armes, ni fusils, ni épées, ni rien de ce genre, et pourtant, je savais que c'était une armée.*

L'image d'un guerrier du Seigneur était également si forte pour Cayce qu'elle lui apparut même une fois dans une vision à l'état de veille.

> *Je ne connaissais personne, mais de haut en bas du ravin, je pouvais voir des gens préparer leur petit déjeûner par groupes de quatre. Et je leur demandai où était l'officier qui les commandait. Sa tente se trouvait plus loin, à l'un ou l'autre bout du ravin. Je pouvais apercevoir au loin une grande tente blanche.*

Ce n'était pas la premnière fois qu'il rêvait qu'on l'emmenait auprès de l'invisible détenteur de l'autorité.

> *Plusieurs personnes prirent la peine de me montrer par où m'y rendre. Après un moment, j'arrivai à un endroit où il y avait un autre petit ravin qui tournait vers la droite. Et au moment où nous arrivions juste en face (moi et ceux qui m'avaient suivi), nous entendîmes*

dans l'obscurité quelqu'un qui marchait sur les bâtons.
Nous pouvions entendre les bâtons qui craquaient et
nous nous arrêtâmes pour écouter.
Et là nous vîmes apparaître une troupe de gens habillés
de noir. Ils n'avaient pas la peau noire, mais leurs vête-
ments étaient noirs, non pas noirs mais foncés, gris,
bruns, etc. Tout ce qui les enveloppait était sombre.

Il était caractéristique, pour Cayce, de voir les «légions des
ténèbres» non en noir, mais seulement vêtues de sombre.
Éveillé ou endormi, conscient ou en transe, il luttait avec
des gens dont il savait qu'ils avaient tort ou qu'ils étaient mal
dirigés. Mais pour lui, ce n'étaient pas des monstres... Ils
étaient seulement dans les ténèbres. Son monde n'était pas
un monde paranoïde, noir et blanc, quoique ses divisions
fussent authentiques.

Alors, un ange de lumière se dressa entre nous, de
sorte que nous ne pouvions voir la foule ou le groupe
d'êtres sombres.

Le symbole de l'ange était aussi familier à Cayce que sa
Bible constamment lue. Pour lui, il n'y avait cependant rien
de banal dans ce concept, à la fois en raison des quelques
intenses visions qu'il avait eues au cours de son existence et
à cause de la crainte révérentielle qui se marquait même
dans ses interprétations les rares fois où le sujet des anges
était mis en avant.

Alors apparut l'ange des ténèbres. Les statures des
anges étaient bien plus grandes que nos statures
humaines, plus élevées, plus lourdes. Bien entendu, ils
avaient une contenance plus brillante. Lorsque l'ange
des ténèbres apparut, il était sombre comme les gens
qu'il conduisait, mais il était beaucoup plus grand. Ses
ailes ressemblaient à des ailes de chauve-souris, cepen-
dant je savais qu'elle n'étaient ni plumes ni chair, mais
un moyen d'aller plus vite chaque fois qu'il le désirait.

On sentait nettement dans ce récit l'imagination d'un artiste
photographe. Cayce était le sujet d'une expérience, et ne se
contentait pas de considérer une idée dans son rêve.

Il semblait que les ailes allaient des reins aux épaules
plutôt que d'être simplement quelque chose qui lui

poussait hors du corps. C'était pareil pour l'ange des
ténèbres et pour l'ange de lumière. L'ange de lumière
avait des ailes qui ressemblaient aux ailes d'une
colombe, mais elles s'étendaient depuis les reins jus-
qu'aux épaules, laissant les bras et les jambes libres.
Maintenant, l'action commençait :

L'ange des ténèbres insista pour qu'il (l'ange de
lumière) ne se mette pas en travers de son chemin,
mais il demanda qu'il y eût un combat entre quelqu'un
qu'il choisirait et quelqu'un que choisirait l'ange de
lumière. Alors on dégagea un endroit entre les deux
troupes pour faire comme une sorte d'arène, et je fus
choisi pour être celui qui devait se battre contre le
groupe des ténèbres. Et nous combattîmes.
Je constatai que je n'avais pas remis mon message, et
je ne savais pas au juste ce que je devais faire à ce
sujet... J'avais attendu tellement longtemps, et je ne
leur avais pas dit ce que j'étais venu faire, et je me
demandais pourquoi ils m'avaient choisi.

C'est en cela que se manifestait la poignante anxiété de
Cayce à propos de son existence, de ses dons et de son
message. Il ne pouvait pas deviner qu'avant deux ans, il
serait provisoirement emprisonné à Détroit pour avoir pratiqué la médecine sans diplôme. À cette époque, ses anxié-
tés de l'état de veille portaient plutôt sur des questions d'argent : il en gagnait tout juste assez pour que sa famille et lui
puissent manger, comme l'avaient montré certains de ses
rêves.

Je continuais à sentir la courroie et le petit paquet qui y
était attaché. Je n'avais que ce paquet, et je me
demandais pourquoi je n'avais pas eu faim, alors que
les autres semblaient avoir à manger et que moi je ne
transportais que ce message.
Alors, je commençai à me demander si mes forces
allaient m'abandonner, si le lutin ou l'enfant des ténè-
bres allait me jeter dans la poussière. C'aurait été une
chose affreuse.

Une partie des expériences subies par Cayce sous la tension, ainsi que le montraient clairement ses rêves, ne consti-

tuait pas seulement une tendance à la dépression, mais une tendance à vouloir répondre aux femmes attrayantes qui souvent l'entouraient. C'était une tendance qu'il combattait avec un sens très vif de sa réalité et de son danger potentiel, à la fois pour sa famille et pour son travail, pour «son message».

Mais je savais qu'il ne le pourrait pas si j'arrivais à trouver un seul mot à dire. Et j'essayais, et j'essayais d'y penser, mais je n'arrivais pas à le trouver. Je n'arrivais pas à me souvenir de ce qui était écrit dans le message que je devais porter.

Finalement, exactement comme s'ils sortaient du centre de moi-même, vinrent les mots que je prononçai à haute voix : «Et voilà que je serai avec vous toujours, même jusqu'à la fin du monde!» Et lorsque je l'eus dit, chacun des êtres des ténèbres tomba en arrière, et il s'éleva chez les gens en blanc un grand cri qui se répandit partout dans le ravin. Et tandis qu'ils tombaient en arrière, le chef ou l'ange des ténèbres (comme celui contre qui je combattais s'était écroulé) tendit la main gauche et me frappa sur la hanche gauche.

Le coup me réveilla, et j'éprouvai une violente douleur dans la hanche.

L'éclatante conclusion de son rêve avait une ressemblance évidente avec le rêve biblique de Jacob luttant avec l'ange. Elle montrait aussi que Cayce était conscient de n'être pas — et qu'il ne serait jamais — un homme à la vertu et au comportement parfaits, mais un homme touché et blessé par les ténèbres, comme l'étaient les autres. C'était une appréciation exacte qui se retrouvait dans ses autres rêves.

Mais le cœur de la vision était cette citation biblique qui paraissait jaillir du centre de son être et qui définissait son travail comme plus important qu'une innovation psychique : un moyen d'éveiller les gens à la présence infaillible de Dieu. Cependant, il faut le dire, pour «délivrer son message» par sa parole et par son exemple, Cayce devait être conscient de sa pensée centrale, au beau milieu de sa propre détresse. Si le message ne s'adressait pas à lui dans sa propre incertitude et dans ses propres déboires financiers, comment pourrait-il le transmettre aux autres?

Dans cette vision, la pensée centrale n'avait pas été très différente de celle qui l'avait frappé à l'état de veille, lorsque deux ans plus tôt, en perdant son hôpital, il avait cru mourir, ainsi que le lui révélaient ses interprétations. Et puis, un jour, il rapporta : «Alors que j'étais à l'église, les mots du recueil des chansons me parlèrent et dansèrent devant mes yeux. Les mots «Ma grâce est suffisante pour toi» semblaient imprimés en moi-même».

Peu des rêves de Cayce, et peu des songes de ceux qu'il assistait de ses conseils, étaient aussi forts que ce rêve symbolique des légions de lumière et des ténèbres, avec cet étui petit mais vigoureux qui renfermait la véritable pensée qui leur était destinée, à lui et à ses rares disciples. Mais de tels rêves se produisaient, et Cayce leur accordait un grand poids.

De tels rêves étaient-ils l'expression d'une maladie mentale?

Il fallait interpréter le rêveur, et pas seulement le rêve. Si l'existence de Cayce était organisée aurout de mobiles religieux, et s'il se sentait en pleine détresse dans sa vocation, alors de tels symboles étaient peut-être adéquats et non maladifs. Dans sa vie, à une autre époque, quand il était un magnat du pétrole et qu'il descendait dans les meilleurs hôtels, ces symboles auraient pu revêtir une autre qualité, plus adéquate. Alors il aurait pu entendre, dans ses interprétations, le genre de reproche qu'il avait adressé à un de ses rêveurs qui lui rapportait le rêve suivant : «Vends ou achète cinq cents actions de la General Motors. Je suis le Seigneur ton Dieu.»

«Il est évident, avait déclaré Cayce dans son interprétation, que le rêveur n'avait pas obtenu des directives divines. Cela ressortait clairement du fait que les instructions de vendre ou d'acheter n'étaient pas claires. Il avait mis le rêveur en garde contre le fait qu'un tel rêve révélait un manque d'équilibre dans son existence, tant dans sa compréhension que dans ses actes. La ligne de démarcation entre l'assistance divine et la maladie mentale était très ténue, mais elle était présente. C'était en fait « un golfe infranchissable », selon les termes déjà utilisés à propos de l'ambition qu'avait eue un rêveur d'impressionner les autres en prédisant sa propre mort. Tous les vastes contenus symboliques n'étaient pas nécessairement destinés à ranimer le courage du rêveur. Ils pouvaient aussi constituer une caricature de sa propre prétention.

Étant donné l'incertitude de l'interprétation du contenu de toute espèce de rêve, comment pourrait-on jamais en être sûr?

Question : Est-il possible d'être sûr d'une interprétation de rêve?

La première réponse de Cayce à cette question était en rapport avec son insistance sur le rôle de « l'expérience » dans les rêves. Si la fonction de bon nombre de rêves était d'entraîner le rêveur dans une existence et dans un développement absolus, alors un tel mouvement a également une importante fonction interprétative. Une interprétation faible qui ne relève qu'une partie du sens du rêve, mais force le rêveur à penser à un important aspect de son existence, n'est, après tout, pas si faible que cela. Cayce accordait plus de valeur au progrès qu'aux affirmations.

Mais il est certain que ceux qui cherchaient à interpréter leurs rêves avec l'assistance d'autrui désiraient obtenir des moyens sérieux de vérifier la validité de leurs interprétations. Cayce leur en offrait trois.

Le premier était la comparaison entre leurs rêves comme tels. Il arrive très souvent que plusieurs rêves d'une même nuit portent sur la même question, sur le même problème, sur le même éveil. Ce qui est clair dans l'un d'eux devrait pouvoir répandre une lueur utile sur les autres de la même nuit. Pour les mêmes raisons, il faut évidemment examiner les épisodes successifs d'un même rêve, même s'ils semblent illogiquement rattachés les uns aux autres en surface, et cela qu'ils soient sans cesse revus ou qu'ils soient étalés par fragments. Et il faut aussi comparer les interprétations d'un rêve avec celles d'autres rêves antérieurs sur le même sujet. Souvent, dans ses interprétations, Cayce utilisait les mots : « comme on l'a déjà vu », pour se référer à des rêves antérieurs, et pour inviter le rêveur à interpréter à la lumière du recueil complet des rêves qu'il a déjà enregistrés, plutôt qu'à viser un seul rêve à la fois.

L'interprétation des rêves peut et doit être validée partiellement par comparaison aux changements avec les éléments de rêves antérieurs. Si un thème est souvent répété, il est probable que le rêveur n'a pas bien saisi son sens ou n'a pas agi en conséquence. Mais si un thème montre une progression d'un rêve à l'autre — par exemple une atténuation de la rage sexuelle par respect pour l'amant — alors le rêveur peut en conclure et qu'il interprète correctement les éléments du rêve, et qu'il combat de mieux en mieux les forces qui, en lui, provoquent les rêves.

En second lieu, un rêveur peut valider ses interprétations en les comparant aux impressions subjectives qu'il en retire. Un sentiment de relâchement de la panique intérieure peut être le signe d'une saine interprétation, si désagréable que soit la vérité à laquelle le rêveur doit faire face. Le sentiment d'une vigilance accrue, sans craintes inutiles, peut signifier que l'on a correctement compris un avertissement à propos d'un événement fâcheux dans les affaires extérieures, et que le rêve faisait prévenir. Une certitude relative de l'interprétation peut résulter de la manière dont un thème se répète dans une série de rêves. Car, selon Cayce, la certitude psychologique provient d'une répétition stable, du sentiment que c'est une loi qui s'applique. De même, l'énergique accélération de nouvelles résolutions ou de nouveaux sentiments, de nouvelles attitudes dans la vie, peut également être le signe que l'on a parfaitement saisi le message essentiel d'un rêve.

Cayce encourageait ses rêveurs à s'en remettre à la « voix encore faible qui s'élevait en eux » une fois qu'ils avaient appris à distinguer cette voix de la clameur de la conscience, de l'anxiété ou de la rationalisation. C'était une voix dont ils pouvaient se servir, soit pour les guider dans l'interprétation des rêves, soit pour les aider à conduire une voiture, à conclure une affaire ou à mener une discussion.

En troisième lieu, Cayce offrait à ses rêveurs un test encore plus compréhensif de la validité de leurs interprétations. Il leur disait de considérer la qualité de leur existence. S'ils se développaient, s'ils fonctionnaient comme il convient jour après jour, il y avait des chances qu'ils aient compris le contenu de leurs rêves et qu'ils agissent en suivant le courant plutôt qu'en essayant de le remonter.

Le test de leur existence pouvait tout simplement se limiter à voir s'ils étaient grognons. Mais ce qui était encore mieux que d'examiner leur manière de vivre, de s'approuver ou de se désapprouver, c'était d'examiner la qualité de leurs relations. Cayce ne se fatigait jamais de souligner l'importance absolue des «fruits de l'esprit» pour déterminer la qualité toujours croissante de l'existence. La patience, l'amabilité, la serviabilité, la longanimité ne sont pas, selon Cayce, les marques d'un faible caractère féminin mais de quelqu'un qui s'est découvert et qui a trouvé son Créateur, et qui ne projette pas ses craintes sur les autres. Le rêveur que ses relations les plus proches — ses parents, sa famille et ses partenaires — approuvent jour après jour est un rêveur qui s'est soumis à la meilleure des épreuves de la validité de l'interprétation de ses rêves, même s'il s'agit d'une épreuve très générale. Ce sont ces gens-là qui peuplent la plupart des rêves, disait Cayce, parce que ce sont ceux qui connaissent le mieux l'être et le comportement d'un rêveur.

Il ne faut pas ignorer non plus les aptitudes quotidiennes de l'existence lorsque l'on veut apprécier la validité de l'interprétation des rêves. Lorsqu'il travaille bien ses rêves, disait Cayce à propos d'un songe déterminé, un rêveur devrait mieux jouer au golf. Il devrait prendre de meilleures décisions dans ses affaires, faire de meilleurs discours, gagner plus d'argent, même si tous les autres facteurs demeurent identiques. Une femme devrait se trouver plus vigilante devant les dangers et les maladies de ceux dont elle a la charge. Elle devrait s'habiller avec plus de goût, recevoir mieux, parler plus intelligemment de politique ou de religion, faire de meilleurs achats, mieux diriger ses domestiques : toutes matières dans lesquelles il avait démontré aux rêveurs qu'ils pouvaient être aidés par leurs rêves.

Finalement, parmi ce troisième type de validation par l'élan et la qualité de l'existence du rêveur, Cayce déclarait à ses rêveurs qu'ils devaient compter les appréciations de ceux qui leur étaient associés dans des groupements de recherche spirituelle, comme ceux auxquels Cayce les encourageait à participer dans les jours qui avaient suivi la perte de son hôpital. Ceux qui se rassemblaient avec un rêveur pour discuter franchement et honnètement avec lui de la texture réelle de leurs existences ne pouvaient se tromper facilement ou totalement à son sujet, spécialement s'ils priaient quotidiennement les uns pour les autres comme ils le devaient. Les interprétations des rêves pouvaient leur être soumises, car les membres du groupe pouvaient interpréter son existence et pas seulement son rêve.

Question : Comment peut-on améliorer l'efficacité des rêves?

Peu de déclarations faites par Cayce aux rêveurs qu'il entraînait furent aussi bien vérifiées que celle selon laquelle les rêves changeaient dans la mesure où on les travaillait.

Les rêves changeaient en longueur. D'abord, ce n'étaient que de courts fragments. Puis, pendant un certain temps, c'étaient de longs rêves décousus, comme si le rêveur se promenait dans le parc de son domaine. Puis les rêves se développaient dans un contexte plus précis. Cela se produisait en partie parce que les rêveurs sentaient les rêves importants dont ils devaient se souvenir pour les soumettre à Cayce, et en partie parce que leurs psychés semblaient établir le contenu onirique et l'expérience qu'ils désiraient dans une forme plus précise, avec des commentaires plus concis, dans des scènes qui comportaient en elles des pensées interprétatives.

Les rêves contenaient aussi plus d'expérience religieuse à mesure qu'ils se développaient au cours des années. Une partie de ce changement reflétait peut-être la propre orientation de Cayce. Mais une partie pouvait provenir de la tension que subissait le rêveur lorsqu'il découvrait qu'il pouvait rêver de valeurs boursières, ou de rencontres avec les morts, ou d'existences passées, ou de maladies et de remèdes. Tout cela pouvait paraître étrange dans la culture américaine, alors qu'il en allait tout autrement au Thibet, et posait, pour le rêveur, le problème de la finalité de son existence. Mais une partie du changement pouvait provenir de la clarté d'esprit du rêveur et de la capacité de son âme ou de son superconscient de le traverser après qu'il ait calmé les pressions des éléments subconscients plus immédiats.

Les rêves montraient une tendance à s'occuper de thèmes familiers à des niveaux de plus en plus profonds. Un homme dont les premiers rêves sexuels soulignaient la maîtrise vit revenir le thème sexuel dans une série de rêves, plusieurs mois plus tard, et il mettait cette fois l'accent sur la passion et la compassion. Puis, plus tard encore, il y eut des rêves suivis d'un examen inquisiteur de toute sa vie sexuelle, examen à la fin duquel une voix expliquait que le couronnement de la virilité était le don de sa semence aux autres, une semence destinée à assurer leur développement total. C'était l'idée grecque du Logos Spermatikos développée dans les rêves d'un homme d'affaires du vingtième siècle, dépourvu de toute culture classique (mais qui, selon Cayce, avait été Grec dans une vie antérieure).

Les rêves présentaient des cycles que des analystes ont notés, en alternant des périodes de semaines ou de mois pendant lesquels ils assuraient l'édification du rêveur avec d'autres périodes durant lesquelles ils le prenaient à part. C'était comme si la psyché l'élevait systématiquement vers de nouveaux seuils de maturité et puis broyait inlassablement ses impuretés jusqu'au moment de le relever à nouveau.

Un trait frappant dans ce qu'un homme avait rapporté de ses rêves était l'émergence d'une voix qui lui parlait en songe, soulignant le point important d'un rêve, en commentant les scènes, ou lui donnant simplement des instructions ou lui adressait des reproches. D'autres aussi subirent ce phénomène, mais pas de façon aussi intense.

Cayce insistait vivement sur le fait que la manière de rêver d'un individu lui est aussi personnelle que ses empreintes digitales, ou que les marques laissées dans l'âme par son long voyage à travers plusieurs existences.

Une autre forme de changement pouvait se manifester aussi par la proximité des rêves et des impressions de l'état de veille. Quelqu'un qui rêvait qu'il parlait avec les morts sur un autre plan commençait à sentir leur présence pendant certains moments de tranquillité à l'état de veille. Un homme qui rêvait du mouvement des valeurs avant qu'il ne se produise commençait aussi à sentir, en arpentant fiévreusement le parquet de la Bourse, ce qui allait arriver à des valeurs dans les minutes qui allaient suivre. Une mère qui rêvait des soins de santé dont son bébé avait besoin commença à savoir avec exactitude, alors qu'elle était éveillée, s'il était malade ou s'il n'était que capricieux. Un jeune homme qui était timide et ergoteur avec les étrangers en vint à rêver non seulement de la manière de régler ses rapports avec chacun, mais de bénéficier de suggestions spontanées sur la façon d'approcher les gens et de les écouter.

Un changement remarquable dans les rêves, qui se produisait après de nombreuses années d'études, était le glissement vers des soucis qui dépassaient largement le cadre des affaires personnelles du rêveur. Des questions politiques, des tendances religieuses, les besoins des nations sous-développées, le conflit des valeurs modernes, le long voyage de l'âme, le contrôle des épidémies, tous ces éléments entraient dans le champ de vision des rêves. C'était comme si le rêveur se frayait un chemin à travers ses propres couches extérieures pour atteindre celles, plus profondes, qu'il partageait avec les autres dans l'existence présente. Évidemment, Cayce prétendait que les questions qui apparaissaient de cette manière étaient influencées par les intérêts que le rêveur avait développés au cours d'existences antérieures. Mais il ne minimisait pas l'importance des rêves transpersonnels,, une fois que le rêveur avait assuré une prise ferme sur sa propre existence. Au contraire, il prêtait une très forte attention à ce genre de rêves, car ils correspondaient parfaitement à sa théorie qu'aucune vie n'était pleinement vécue si elle n'était pas vécue pour les autres.

Finalement, les rêves de ceux que Cayce entraînait leur offrirent de nouvelles expériences au cours des années. Certaines de ces expériences étaient radicales. Lorsqu'un rêveur rencontra pour la première fois en rêve un parent qui était mort, il en fut secoué pendant des semaines. L'effet fut encore plus considérable lorsque des rêveurs éprouvèrent la rare mais décisive expérience de rencontrer le Christ dans leurs songes. Mais même la simple expérience qui consistait à connaître les pensées et les sentiments exacts de quelqu'un de vivant laissait son empreinte sur eux.

D'autres expériences nouvelles étaient moins surprenantes et plus aventureuses : par exemple, avoir un aperçu sur une expérience passée, découvrir les plans d'une invention, observer un paysage maritime onirique d'une rare beauté, découvrir que deux personnes avaient fait le même rêve au cours de la même nuit, rêver de l'endroit où se trouvait un coffre contenant un trésor et de sa forme, rêver d'un ami, juste avant qu'il n'arrive.

Cette «nouvelle expérience onirique» — et c'était caractéristique — signalait l'addition de ce type de rêve au répertoire permanent du rêveur. À partir de ce moment, il pourrait rêver de cette manière à n'importe quel moment. En fait, cela lui arriverait probablement. Car une fois que la psyché avait ouvert la porte à un type particulier de rêve, elle semblait en programmer toute une série, afin d'entraîner le rêveur à ce nouveau type de rêve, pour autant qu'il ait envie de rêver de la sorte. Il semble que le choix soit possible en ce qui concerne les types de rêves. Cayce déclara à une femme qui hurlait de peur lorsqu'elle vit en rêve son frère mort qu'elle n'avait pas à s'effrayer : de tels rêves ne se reproduiraient pas si elle ne le désirait pas, à moins qu'elle les recherchât secrètement dans un coin de son esprit à cause de leur nouveauté et des frissons qu'ils lui donnaient.

185

Si les rêves changent de façon tellement marquante pendant les périodes où on les étudie et où on s'en sert, peuvent-ils être cultivés délibérément ?

La première réponse de Cayce à la question de cultiver des rêves plus clairs et plus utiles était toujours la même : servez-vous de vos rêves ! Un amateur de photographie qui, ayant pénétré dans la chambre noire, avait trouvé sa lampe de secours en mille morceaux sur le sol, s'entendit dire simplement que la lumière qui le guidait s'éteindrait s'il ne l'utilisait pas avec une plus grande confiance. L'un des avertissements que Cayce répétait le plus sérieusement était : « Savoir et ne pas agir est un péché ! » Un rêveur qui avait vu de guerriers antiques équipés pour la bataille, mais festoyait indolemment avec des mets délicats se fit dire que sa propre inaction devant les suggestions de ses rêves le rendait tout aussi ridicule aux yeux de son moi supérieur.

Cependant, disait Cayce, ni l'activité aveugle ni une étude forcée des rêves ne pouvaient améliorer la qualité de ceux-ci. Toute personne qui cherche à se développer, que ce soit en rêve ou à l'état de veille, doit chercher et assurer ses propres idéaux d'action. Les mots ne suffisent pas. On peut professer l'amour de Dieu, mais ne chercher qu'à le flatter, disait Cayce au cours d'une interprétation dans laquelle il mettait le rêveur au défi de distinguer entre ce cri profond : « Comme le cœur palpite devant la source vive, ainsi mon âme palpite devant Toi, oh mon Dieu » et cette simple affirmation : « Je sais que Tu es un Dieu juste qui récompense ceux qui cherchent Ton visage ». Toute la différence entre un grand idéal et un idéal méprisable tient dans ces deux citations bibliques. Les idéaux qui ont de l'importance sont situés dans les rudes aspérités de la vie : dans la puissance, dans la richesse, dans la renommée, dans la mort, dans le sexe. Qu'a réellement fait et qu'a réellement pensé le rêveur à ce sujet, et pourquoi ? Son idéal était-il vraiment le sien, né de sa réflexion, de ses propres décisions, de plus de réflexion encore ? Ou n'était-il que purement conventionnel ?

Une fois que quelqu'un a clairement déterminé son idéal le plus profond, si difficile qu'il ait été à formuler et à dépeindre, il doit commencer par mettre sa psyché à l'unisson avec lui, ou ses rêves le montreront en constant conflit avec lui-même. Pour harmoniser sa psyché avec son idéal, et en fin de compte avec son Créateur, il faut écarter les craintes nées de ses erreurs passées. Il existe bien une crainte saine qu'une âme doit éprouver, disait Cayce, si elle tourne constamment le dos à ce qu'elle connaît de mieux. Mais s'attarder de façon morbide sur les erreurs et les excès du passé n'a pas sa place dans un programme de rêves de perfectionnement. Cayce était catégorique à ce sujet, il rejetait l'auto-critique chaque fois qu'elle apparaissait et il insistait pour qu'on remplace le sentiment de culpabilité par une action immédiate. Dans l'une de ses déclarations les plus frappantes, il avait dit à un rêveur qui avait de désagréables souvenirs d'indulgence sexuelle aux dépens des femmes qui avaient été dans sa vie qu'«aucune situation n'est jamais perdue». Quel que soit le manquement, même si c'est la cruauté, si le rêveur remet carrément sa vie entre les mains de ce qu'il connait de meilleur, il découvrira que ses fruits amers se transformeront, au fil des années, en vin de la compréhension à l'égard des autres. Ce qui a été «la pierre d'achoppement» de quelqu'un, disait-il souvent, peut devenir le véritable «marche-pied» qui le propulsera vers l'amour et l'assistance à autrui, à cause d'une profonde action de sensibilisation, pour autant que la psyché ait été orientée de manière à permettre à cette transmutation de se produire.

Cayce enseignait à ses rêveurs d'autres procédures de grande envergure. Ils devaient développer leur propre philosophie de l'existence, de sorte que la totalité de leur esprit puisse agir avec conviction, droit vers l'âme à travers le subconscient. Ils devaient reporter le sens des symboles oniriques sur les symboles qu'ils utilisaient à l'état de veille, depuis le décor d'un bureau jusqu'aux sceaux symboliques dont ils garnissaient leurs murs. Ils devaient découvrir de nouveaux types de rêves, y faire baigner les grands symboles des cultures antiques, prier pour être guidés à propos du contenu de rêves particuliers, noter par écrit les impressions de veille du jour où ils avaient rêvé d'un thème donné.

Il leur enseignait aussi des trucs d'interprétation par les préceptes et par l'exemple. Il fallait, comme il le faisait lui-même, chercher d'abord l'impulsion générale d'un rêve. S'était-il terminé heureusement ou de façon désagréable? Quelle était l'attitude ou l'humeur générale qu'il provoquait chez le rêveur, et en quoi cela pouvait-il être adéquat? Un rêveur avait vu un ami Juif forcer sa femme à chanter des chants chrétiens? Cayce lui dit qu'il ne devrait pas avoir grand mal à voir, dans ce rêve, sa propre tendance à forcer les convictions des membres de sa famille.

Quel choix, s'il y en avait un, le rêve pouvait-il offrir? Un homme se vit, dans un rêve, envisager d'allumer un feu d'artifice pour distraire les jeunes filles sur la plage, mais les fusées avaient été prises et allumées par un autre qui récolta les applaudissements des assistants, et le rêveur ne pouvait s'en consoler. Cependant, tandis qu'il regardait le feu d'artifice, son attention fut attirée par la beauté des étincelles qui subsistaient dans le ciel et qui se reflétaient dans l'antique océan. Le choix, dit Cayce, était un choix qui se présentait souvent : jouer pour se faire applaudir par ses semblables, ou contempler les étincelles de l'éternel qu'il pouvait suivre chez ses semblables et dans toute la création. Un mari se vit en rêve suivre une attrayante jeune fille qui ondulait suggestivement des hanches en marchant dans la rue. Mais il remarqua aussi, lorsqu'elle appela un taxi, qu'elle savait exactement où elle allait et qu'elle résistait aux avances qu'on lui faisait. Quelle voie le rêveur allait-il suivre dans ses relations avec les autres? demanda Cayce. Un sentier de séduction, ou le sentier dans lequel il connaissait si bien son but que les autres étaient attirés plutôt qu'écartés?

Toutes les références aux rêves ne doivent pas être compliquées. Cayce lui-même, ayant rêvé de Salomon, fut prié, dans l'interprétation, de rechercher la sagesse de Salomon, mais dans son attirance pour les femmes. Une femme qui rêvait qu'elle se trouvait sur un navire dans le brouillard s'entendit répondre qu'elle avait entièrement perdu le nord dans son existence. Un homme d'affaires ayant aperçu en rêve deux silhouettes, une forte et une mince, fut averti qu'il avait vu en rêve, en bande dessinée, deux attitudes à l'égard d'une situation qui se présentait dans ses affaires : un gros optimisme et un faible pessimisme.

Mais la note qui se retrouvait comme un fil d'argent avec les sept cents interprétations, était familière dans tous les types de ses interprétations : médicales, psychologiques, commerciales, d'actualité. Cette note, c'était le service aux autres.

Pour certains rêveurs, le service dans les rêves signifiait littéralement rêver au profit des autres, et leur apporter conseils et assistance. Mais il y avait peu de pareils rêveurs parmi ceux qui consultaient Cayce. D'autres étaient encouragés à dessiner ou à écrire des histoires tirés de leurs rêves, à apprendre par leurs rêves les lois du développement humain, à enseigner ces lois à des classes d'adultes intéressés ou à apprendre aux autres à rêver. Les dons de chacun étaient différents.

Mais quel que soit le don, disait Cayce, il y a une loi de son développement qui s'applique à tous les dons. Sa première application doit se faire au profit de ceux qui sont les plus proches du rêveur. Si quelqu'un ne peut être aimant à l'égard de sa femme, aucun rêve ne peut l'aider à encourager l'amour chez les autres. Si quelqu'un ne peut apprendre à ses enfants les principes fondamentaux de la vie, il ne faut pas qu'il essaie de les prêcher à d'autres. Si quelqu'un ne peut guider un associé dans une décision commerciale, grâce à ses rêves, il ne peut pas espérer pouvoir aider le gouvernement. Telle est la loi du développement. Il faut d'abord que le rêveur change et se développe. Puis il doit trouver un moyen de partager sa croissance avec ceux qui lui sont les plus proches dans son existence quotidienne ; alors seulement il trouvera des rêves qui pourront occasionnellement aider les dirigeants de sa profession, ou sa classe sociale, ou son école d'art, ou son mouvement réformiste, en l'aidant à les aider !

C'est une loi qui fut soulignée par l'échec des premiers rêveurs entraînés par Cayce, incapables de s'en tenir au potentiel élevé que Cayce voyait pour eux, et qu'ils avaient réalisé un moment dans leurs rêves et dans leurs vies. Ils s'écartèrent les uns des autres dans leurs familles. C'était un coup auquel la psyché surtendue ne pouvait résister, disait Cayce, alors qu'elle essayait d'atteindre les sommets du rêve. Avec ses rêveurs suivants, il mit tout d'abord l'accent non sur leurs aptitudes au rêve, mais sur l'amour et la créativité. Il y avait de l'amour et de la créativité dans le rassemblement des camarades qui se réunissaient pour prier et pour étudier. Seul ce courant — celui de donner, de toujours donner — pouvait maintenir le flot des rêves dans toute sa pureté et dans toute sa force.

Son jugement se révéla sain. Avec ce type d'entraînement, des ménagères devinrent écrivains, tout en demeurant de bonnes épouses. Un capitaine au long cours devint administrateur d'une société de recherches, tout en demeurant un bon capitaine. Un chef scout devint animateur en dynamique de groupe, tout en conservant son allant. Un instituteur devint ministre de la prière, et fut meilleur professeur. Un sténographe devint curateur d'enregistrements de perception extrasensorielle (et il apprit à diriger d'autres sténographes). Une mère devint médium, et resta une bonne mère. Chacune de ces personnes travaillait ses rêves, et les travailla à fond pendant des années, Aucune d'elles ne déchira le tissu de son existence.

Si les rêveurs de Cayce voulaient se développer dans l'art de rêver, ils devaient se développer ensemble.

La perception extra-sensorielle dans les rêves

Chapitre IX

Les rêves du futur et du présent inconnu

Le siècle de la redécouverte des rêves a aussi été celui de la recherche scientifique des phénomènes psychiques.

Deux sortes de recherches ont empli les rayons des bibliothèques de livres et de journaux sur la télépathie, la clairvoyance, les médiums, la psychokinésie, la survie après la mort, la radiesthésie, les visions provoquées par la drogue, le retour des animaux à leur maison. L'une de ces recherches consiste à recueillir des expériences spontanées : c'est le travail des naturalistes de l'esprit. L'autre type de recherches, c'est l'établissement des lois qui régissent les variations des phénomènes : c'est le travail des chercheurs de laboratoire. Ces deux types ont fourni d'énormes monceaux de données.

Cependant, on ne peut dire que l'expérience psychique soit un fait scientifique. La première et la plus importante raison en est l'absence de théorie. Tant qu'on n'aura pas montré exactement comment les phénomènes psychiques agissent, comment ils se déclenchent, se modifient et s'arrêtent, les découvertes ne seront que des données suggestives. La théorie est également nécessaire pour lier les événements psychiques à des phénomènes de l'esprit mieux connus : à la mémoire, aux émotions, à la perception, à la faculté d'apprendre.

Une seconde raison qui rend incertain le statut moderne des phénomènes psychiques est qu'ils sont souvent associés à la philosophie du dualisme — de deux substances de base appelées «matière» et «esprit» — qui est une philosophie mal acceptée par la pensée scientifique moderne.

Une troisième raison qui explique ce statut incertain est le fait que ces phénomènes n'ont pas encore été sufisamment maîtrisés pour être mis en usage pratique. La science peut traiter de sujets étranges pour autant qu'elle puisse présenter des résultats, ainsi que le montre l'histoire de la psychanalyse.

Mais l'accueil assez frais réservé aux phénomènes psychiques à l'époque moderne n'a pas empêché qu'on les rapporte. Edgar Cayce fut très rabroué par les savants de son temps : cela ne l'a pas empêché de continuer à donner ses séances d'interprétation, quel qu'en fût le sujet. Ses interprétations continuaient à souligner le fait que les phénomènes psychiques étaient des processus naturels légitimes que l'on pouvait étudier, reproduire et appliquer. Spécialement dans les rêves.

Rêver de l'avenir

Vers la fin des années 1920, aucun rêve sur l'avenir ne pouvait avoir une plus grande valeur aux yeux d'un investisseur que les prévisions sur le grand krach d'octobre 1929 qui inaugura la Dépression et balaya des fortunes. Comme les principaux rêveurs de Cayce travaillaient au cours des années qui précédèrent l'effondrement de la Bourse, ils avaient une toute première occasion d'utiliser leurs rêves pour se protéger.

La première indication du krach de 1929 apparut à la fin de 1927 lorsqu'un des rêveurs rapporta à Cayce un type de rêve qui lui était maintenant devenu familier : une voix, ou un «interlocuteur» de son propre subconscient ou superconscient lui avait parlé :

Un entretien dans lequel il m'apprit que quelque chose se passait ou allait se passer sur le marché de l'acier, une baisse ou une liquidation dans laquelle l'U.S. Steel ne progresserait que de 5 points au cours ou à la fin des deux années à venir.

Si Cayce disait souvent que les conseils d'un interlocuteur étaient littéraux, il déclarait aussi que des indications sur le marché pouvaient être symboliques, comme dans ce rêve. Ce que le rêveur devait voir ici pour des deux ans à venir était sa propre chance de «liquider», ou de gagner de l'argent sur les valeurs en écoutant son «interlocuteur» ou sa propre voix intérieure durant cette période. Mais cela s'accompagnait d'un avertissement : s'il n'utilisait pas ses capacités de perception extrasensorielle de façon efficace pendant les deux années à venir, il n'aurait plus l'occasion de le faire avant qu'un délai de «cinq points» ou de «cinq ans» se soit écoulé. En d'autres mots, le rêveur avait jusqu'en 1929 pour faire d'importants gains à la Bourse grâce à ses rêves, ou il lui faudrait attendre jusqu'en 1932 pour pouvoir à nouveau réaliser des gains significatifs.

Deux semaines plus tard, il rêva à nouveau dans le cadre de cet horaire du futur :

L'interlocuteur : les conditions actuelles dureront encore un an et demi. Ma réponse : Je ne vois pas quelles conditions. L'interlocuteur : Non, vous les voyez pas en ce moment, mais vous les trouverez en temps voulu.

Interprétant ce rêve, Cayce incita le rêveur à réfléchir à la manière dont il s'était inquiété de trouver les fonds pour l'Hôpital Cayce. Le rêve s'était poursuivi par une réponse à cette question. La substance de cette assurance, disait Cayce était que, durant dix-huit mois, le rêveur continuerait à s'inquiéter de trouver des fonds et que vers la fin de cette période (pour le début de 1929) «il y aurait un grand afflux d'argent de diverses sources» car «les moyens de poursuivre l'œuvre arriveraient en grand nombre, en grandes quantités.» Mais Cayce était formel : cette promesse de beaucoup d'argent ne portait pas au delà de cette période. Les choses tournèrent de telle façon qu'elles donnèrent raison au rêveur du Cayce. Il y eut encore dix-huit mois de travail pénible. Puis, au début de 1929, l'argent commença à rentrer. Les rêveurs furent bientôt millionnaires et Cayce avait un important portefeuille d'actions. L'Hôpital fut fondé cette année-là et des plans furent établis pour l'Université. Ce fut l'époque de la plus grande richesse dans la carrière de Cayce.

Puis, exactement un an avant le krach, un rêve relatif aux actions de Montgommery Ward poussa le rêveur à s'informer sur «l'effrondrement général» qu'il sentait venir. Cayce confirma qu'il y aurait «un effondrement général» qui commencerait par les chemins de fer, mais que si le rêveur et ses associés continuaient à se fier à leurs directives intérieures, ils auraient acquis pour lors «pouvoir et fortune».

En janvier 1929, un rêve relatif à des directives données par son père décédé en matière de valeurs poussa un rêveur à demander : «Cela signifie-t-il que nous devrions tout vendre?» Cayce lui répondit que son père n'avait fait que lui indiquer le début de l'effondrement qui se produirait plus tard dans l'année. La même nuit, le rêveur reçut un avertissement à propos de messages qu'il cherchait à obtenir par l'intermédiaire d'un médium. Cette source était en contradiction avec les indications du père du rêveur à qui celui-ci avait appris à faire confiance.

J'étais assis à l'école avec mon frère. Le professeur était là. Il nous posa certaines questions. Je répondis à l'une d'elles en disant : «je suis associé avec mon frère dans des opérations boursières.» Mon frère m'interrompit avec colère en disant : «C'est Papa». Puis le professeur me montra un individu d'aspect très laid, une sorte de type à l'apparence féroce. Tous les autres disparurent. Le professeur me donna un gant retourné. À l'intérieur de ce gant, il y avait une protection contre cet individu. Nous nous enfuîmes dans le hall en essayant de lui échapper. Il avait l'air d'un individu rusé qui cherchait à se faire passer pour quelqu'un d'autre.

Selon Cayce, le rêveur avait clairement compris la leçon — comme le suggérait le décor de l'école — selon laquelle des désincarnés essayaient de lui apporter des directives discutables à travers un médium, même s'il leur arrivait parfois de donner des directives positives. Il prévint le rêveur que les deux frères pouvaient être mis sur une mauvaise voie par une représentation erronée de diverses phases des phénomènes, et il les incita à chercher protection ou « couverture » par « l'intérieur » représenté ici par le gant retourné, signifiant une harmonisation avec le divin, et pas seulement avec des désincarnés.

Ce fut le recours aux médiums qui leur créa finalement des difficultés dans leurs opérations boursières, bien après le krach de 1929. Mais ils n'avaient pas de difficultés dans leurs rêves.

En mars 1929, l'un des frères fit un rêve très précis :

En ce qui concerne le marché, j'eus l'impression que nous devions tout vendre, y compris les bons de caisse. C'était un rêve qui concernait ma femme et deux asociés. Un taureau semblait suivre mes vêtements rouges. J'essayai de le capturer. Il y avait une référence spéciale à Westinghouse et à Wright Airplane.

Le rêveur, dit Cayce, avait vu une « parabole » dans laquelle le taureau représentait une attitude obstinée chez ses associés à propos du marché et de leurs tentatives communes de continuer à le soutenir. Mais, ajouta Cayce, l'allusion à Westinghouse et à Wright comme valeurs de l'un des associés dans le rêve était un avertissement au rêveur d'avoir à protéger ses valeurs individuelles, exactement comme il protégerait sa femme d'un danger. Car il y aurait bientôt une « tourmente » provoquée par de nombreux changements, comme on s'en rendra compte par un mouvement de baisse de longue durée. » Il incita le rêveur à prendre le parti de ne pas laisser trop de latitude à ces valeurs qui, apparemment, semblaient cependant *très* sûres, et il ajouta que l'impression du rêveur, au sujet de la liquidation de toutes les valeurs que détenait le groupe — même celles qui étaient au comptant — signifiait que d'énormes changements étaient sur le point de se produire.

En plus de quatre ans, jamais le rêveur n'avait reçu un tel avertissement par ses rêves.

Dans une interprétation subséquente donnée le même jour, Cayce indiqua que la couleur rouge des vêtements du rêve représentait un danger sur les opérations à la hausse (*bull-market*) et ajouta ce commentaire : « il faut s'attendre à un très long déclin ». Cependant, ajouta-t-il, « il n'y aura pas vraiment un marché à la baisse immédiatement, parce que il y a eu au cours de ces derniers mois une bien plus grande tendance aux combinaisons financières qu'il n'y en eut probablement jamais auparavant ». Celles-ci allaient ralentir le déclin. Il allait aussi se produire une division importante dans les milieux financiers et dans

> ...ce combat à peine commencé. Lorsque celui-ci se terminera, nous pouvons nous attendre à un effondrement et à une baisse considérables, voyez-vous ? Cette solution (fiscale) se produira entre ceux qui croient pouvoir utiliser les réservers des nations contre les individus. Et cela provoquera des troubles considérables dans les milieux financiers, à moins qu'une autre des conditions bancaires les plus stables ne vienne à la rescousse.

Cayce exhumait les aspects de l'effondrement financier qui se préparait, indiquant qu'une bataille décisive allait se produire entre les représentants de deux politiques monétaires différentes : ceux qui estimaient que les instances gouvernementales devaient intervenir et ceux qui estimaient que les entreprises financières privées pouvaient sauver la situation.

Vers la fin de mars, Cayce fit un commentaire sur des éléments oniriques relatifs à Macy. Selon lui, les valeurs de Macy et quelques autres allaient atteindre un sommet, mais il y aurait ensuite « un long mouvement de baisse », qui serait entraîné par l'enquête gouvernementale sur les banques et les spéculations sur le marché financier et sur les valeurs d'État. Il incita aussi les deux frères rêveurs à liquider un autre portefeuille de valeurs qu'ils détenaient car celles-ci « sont au plus haut de leur cotation pour plusieurs jours ».

Quelques semaines plus tard, il y eut un étrange rêve qui poussa Cayce à étendre ses commentaires sur le marché des valeurs. Le rêveur rapportait qu'il s'était endormi après avoir lu le Livre d'Ezéchiel et avoir recherché l'assistance divine. Dans le rêve, on lui reprochait un meurtre qu'il n'avait jamais commis. Il se trouvait dans une situation apparemment désespérée, et pourtant, il n'en était pas trop effrayé. C'était une image exacte de la manière dont le krach prévu le frapperait avant longtemps. Il nota particulièrement l'usage, dans le rêve, d'injections hypodermiques. Cayce affirma qu'il s'agissait d'emblèmes prémonitoires d'injections opérées par des financiers qui tenteraient de soutenir le marché. Il poursuivit :

> Matériellement, ils sont divisés entre ceux qui voudraient considérer l'Administration de la Réserve Fédérale comme le critère d'activité, et ceux qui veulent utiliser les monnaies en rapport avec le marché dans les différents centres d'activité. En tant qu'individus, ils n'agissent pas tellement comme membres de l'Administration — car l'Administration de la Réserve Fédérale est elle-même divisée sur la question : d'une part les individus qui se sont fait un dogme du fonctionnement de l'Administration, et d'autre part ceux qui veulent seulement utiliser ses possibilités. Et ceux-là sont poussés, de part et d'autre, par les puissances d'argent. Mais si on permettait à ceux-ci de courir sans contrôle dans n'importe quelle direction, il y aurait sûrement un effondrement qui provoquerait la panique sur les marchés monétaires, pas seulement en ce qui concerne l'activité de Wall Street, mais avec la fermeture des Commissions dans chaque centre et le réajustement dans ceux-ci des parités monétaires.

Cayce et le rêveur étaient en train de voir avec un exactitude prophétique les détails de la lutte mortelle évoquée dans le rêve. Ils prévoyaient l'abandon prochain de l'étalon-or, la fermeture des Bourses et la véritable panique qui allait suivre en octobre et novembre.

En juillet 1929, l'un des rêveurs rapporta :

Voix : « Ne garde que ce que tu peux payer au comptant. » Je vis Fleischmann à 82,83,82. Un grand krach bancaire qui provoqua de sérieux troubles sur le marché. Je vis la Western Union à 160...

Cayce lui confirma qu'il obtenait des suggestions correctes

pour être armé contre les futurs désordres du marché, y compris la prévision exacte de la faillite d'une banque. Mais si le rêveur continuait à écouter sans peur cette voix intérieure — et il souligna l'importance d'agir sans peur mais dans la « simplicité de la foi » — alors il pourrait obtenir toutes les directives nécessaires.

Ces rêveurs et leurs associés directs traversèrent sans mal le krach d'octobre 1929. Quelques jours plus tard, Cayce encouragea les principaux rêveurs du groupe à prendre des vacances. Ils continueraient, disait-il, à recevoir une assistance précise « d'une façon qui ne laisserait place à aucune équivoque », sur la manière de prendre leurs principales décisions sur le marché des valeurs.

Que vos esprits ne soient pas troublés. Que vos corps ne soient pas surmenés. Ne laissez pas votre moi mental se désiquilibrer sous les cris et l'agitation qui vont se développer en cette période.

Il les incita à prendre quelques jours de congé « pour qu'ils puissent trouver en eux cette tranquillité d'intention qui naît de la constante prière, avec ceux qui les aideront et les guideront en ce moment ». Puis, lorsqu'ils retourneraient à la Bourse, ils trouveraient à nouveau de l'aide, pour « ceux qui cherchent conseil auprès de la Commission, à Ses pieds. »

Les rêveurs survécurent sans grands pertes à la plus éprouvante tempête financière des temps modernes. Leurs rêves les mettaient à l'avance au courant des plus importants mouvements de valeurs. Comme Cayce l'avait dit à l'un d'eux cinq ans plus tôt, en l'incitant tout d'abord à noter ses rêves par écrit, il allait être capable de voir les mouvements d'affaires autour de lui « avant qu'ils ne se produisent. »

Rêves à propos de son propre avenir

Selon Cayce, ce n'étaient pas seulement les questions d'affaires qui se présenteraient d'avance à l'esprit du rêveur. Au début de l'enregistrement de ses rêves, il avait dit à Frances : « toute situation qui devient réalité a d'abord été

200

rêvée». Il parlait évidemment des développements majeurs qui étaient les excroissances de l'orientation et des habitudes d'une existence, ou de périodes de l'existence.

Il lui avait dit cela alors qu'elle était à peine mariée depuis une semaine, et qu'elle rêvait d'un petit garçon ou d'un enfant faible d'esprit. Il l'incita à ne pas s'enfermer dans de telles pensées, dans de telles craintes — mais le rêve devint une réalité pour elle vingt-cinq ans plus tard, lorsque son fils unique devint malade mental.

Frances avait rêvé aussi, au début de son mariage, de la cassure qui se produirait un jour dans son foyer. Mais elle ne fut pas la seule à en rêver. Le matin de son mariage, son nouvel époux rapporta plusieurs rêves. L'un d'eux, dans lequel une voix l'avertissait de faire très attention, le montrait en train de choisir, dans un magasin, six voiles noirs pour son visage. La voix lui dit que ces voiles représentaient des obstructions à sa compréhension et à ses progrès. Cayce le confirma en disant que le rêveur entrevoyait six voies différentes dans lesquelles il allait devoir changer, soit en abandonnant quelque chose, soit en dissimulant quelque chose grâce à une assistance plus forte que la sienne, maintenant qu'il allait se marier (et incidemment se marier avant l'âge conseillé par Cayce, quoiqu'il eût déjà trente ans). La même nuit, il rêva qu'il était rentré à New-York avec sa femme qui était très sérieuse et qui demandait qu'on lui donne une chance de se joindre aux études psychiques de Cayce et de son mari. Cayce mit le nouveau mari en garde contre un excès de sérieux à l'égard de sa jeune femme, un sérieux que des rêves ultérieurs représentèrent comme du dogmatisme.

Une semaine plus tard, le nouvel époux rêva que sa femme et lui contemplaient un beau flanc de montagne lorsqu'elle s'éloigna brusquement pour aller regarder l'autre versant en lui laissant un petit calepin sur lequel elle avait écrit : «ceci est un adieu». Le rêveur fut frappé de panique.

À nouveau, Cayce lui expliqua qu'il voyait le danger qu'il y avait à aller au-devant des désirs de sa femme, en lui donnant plus que ce qu'elle pouvait digérer, et en se hâtant d'aller regarder l'autre versant de la montagne de ses inté-

201

rêts. Plus tard, des développements personnels mirent fin au mariage. Mais il y avait davantage dans cet avertissement, car le calepin était un carnet de notes d'agent de change, et Cayce mit en garde le rêveur et son épouse contre les tentations qu'ils allaient avoir de placer l'argent, la situation et les biens coûteux au-dessus du vrai Royaume de Dieu qu'ils devaient chercher et partager.

Les relations conjugales furent le sujet du rêve d'un autre jeune marié qui devait divorcer quelques années plus tard :

> Je nous voyais, mon beau-père et moi, nous promenant dans la cour de l'appartement de Park Avenue. Le fait que nous étions là sans nos femmes semblait être mis en évidence. Nous paraissions être complètement seuls, mais nous ressentions de façon égale l'influence de ma belle-mère et de ma femme.

Lorsque Cayce examina ce rêve, il dit au rêveur qu'il était loin de voir les choses du point de vue de sa belle-mère et de sa femme : une situation qui, plus tard, deviendrait critique lorsque la belle-mère viendrait vivre avec eux.

Un homme à qui ses parents reprochaient de faire appel à Cayce rêva que ses oncles le mettaient en garde contre un scorpion mortellement venimeux. Mais alors, le rêveur et un assistant tirèrent du scorpion un certain fluide qui guérit la maladie d'un des oncles. Et chacun se réjouit. Ce rêve, dit Cayce, montrait au rêveur qu'un temps viendrait où l'oncle aurait besoin de l'assistance de Cayce pour une grave maladie, et qu'il l'obtiendrait, ce qui se produisit effectivement.

Un homme d'affaires rêva d'une femme qui avait été une terrible ennemie pendant des années. Il était assis à côté d'elle dans un théâtre, avec des tickets qui coûtaient plus de treize dollars, et ils étaient les meilleurs amis du monde. Cayce indiqua que leur amitié avait été brisée au début à cause de l'invervention d'un importun et qu'au cours de la treizième année de leur désaccord, ils auraient l'occasion de se réconcilier, et que le rêveur la saisirait.

Des rêves relatifs à l'avenir personnel concernaient aussi la santé et le bien-être du rêveur, ou des gens qui étaient importants à ses yeux.

La femme de Cayce, qui rêvait souvent de l'avenir, et dont les rêves étaient plus poétiques que beaucoup d'autres, rapporta un rêve relatif à une parente, qu'elle soumit à son mari pour une interprétation.

J'étais chez elle, avec une autre parente qui me faisait visiter la maison. Je remarquai surtout les rideaux blancs à toutes les fenêtres, puis l'arrivée par un passage souterrain...

Cayce en hypnose l'interrompit à cet endroit pour dire : «Bientôt, vois-tu, quelqu'un doit être enterré là» Elle poursuivit :

... d'un flot d'eau et j'essayais de...

Il l'interrompit à nouveau pour dire, comme il l'avait souvent fait dans ses interprétations, que l'eau était l'élément dont toute vie était née, et que par conséquent, la mort était la libération de la personne vers un autre plan, avec le corps qui retournait vers le premier élément dont il était né, ce qui était représenté par le flux de l'eau. Mme Cayce poursuivit :

... et j'essayais d'aider à emmener les enfants à...

Et Cayce l'interrompit à nouveau pour indiquer que l'âme retournait à l'état infantile, dans un nouveau commencement de son long voyage, en mourant. Alors Mme Cayce termina :

...en voyant un réservoir bourré d'explosifs qui nous effrayait...

Il nota qu'elle rêvait de la crainte qu'avait cette femme de la mort. Mais il rappela à son épouse que, dans le rêve, ils avaient échappé aux explosifs. Ceci montrait l'attitude correcte à adopter devant la mort : rien que la femme ne doive craindre car «elle (la mort) est au Commencement». Trois semaines plus tard, la femme mourut. Elle mourut sans avoir à supporter le fardeau d'une anxiété inutile de la part de sa parente Gertrude Cayce.

Tous les aperçus de l'avenir qu'avaient les rêveurs de Cayce n'étaient pas aussi solennels. Un futur père rêva momentanément pendant qu'il priait, et il se sentit glisser dans un état dissocié. Une voix lui dit : «Du vingt-sept au neuf». Quoiqu'on fût en février, Cayce lui dit que la voix l'aidait à se débarrasser du souci pour lequel il était en train de prier : le bien-être de sa femme et de l'enfant à naître. Les dates en question étaient du 27 mars au 9 avril. C'est pendant cette période que l'enfant allait naître, joyeusement et sans problèmes. Deux mois plus tard, l'enfant naissait effectivement à une des dates prévues par le rêve : le 4 avril.

Un certain nombre de rêves relatifs à l'avenir personnel devaient, selon Cayce, être interprétés comme des rêves relatifs aux talents de quelqu'un, ce qui, pour un homme, apparaissait souvent sous une forme féminine. Un rêveur qui avait développé en lui une considérable science psychique, mais qui était tenté de l'utiliser à son seul avantage personnel, comme il était tenté d'utiliser aussi les interprétations de Cayce, rapporta le rêve suivant :

Quelqu'un était paralysé à la suite d'une attaque d'apoplexie. J'avais l'impression que c'était mon frère, pourtant, quand je soulevai le corps pour le transporter ailleurs, il se changea en une fille ou une femme, une amie de ma mère. Je transportai le corps en constatant combien le côté paralysé était raide, et aussi que la tête penchait bizarrement sur mon bras. Je tentai de la remettre en place pendant que j'engageais la conversation.

Dans l'esprit de Cayce ce rêve constituait un sérieux avertissement, et il y consacra deux interprétations. Le rêveur était prévenu qu'il allait perdre ses propres capacités psychiques et qu'il en serait aussi affecté que par la paralysie de son frère ou de l'amie de sa mère. On l'avertissait également que quand on demandait une interprétation pour son profit personnel, à Cayce en état d'hypnose, une partie de cette attitude égoïste suintait et avait des conséquences physiques sur le système nerveux et la circulation sanguine de Cayce. Il n'y avait aucun danger pour Cayce, expliquait cette interprétation, à traiter de valeurs boursières pour entraîner un rêveur à rêver. Mais lorsque quelqu'un cherchait à obtenir des conseils boursiers seulement pour les dollars, dans le but de battre les autres sur le marché, alors c'était dangereux pour Cayce.

Cet avertissement onirique n'eut qu'un effet partiel comme le montrèrent plus tard d'autres avertissements. On remarquera que le rêveur perdit ses propres facultés psychiques dans les sept ans qui suivirent. Et Cayce qui, deux décennies plus tard, s'efforça de donner des centaines d'interprétations à tous ceux qui en avaient besoin après que sa biographie eût été publiée, mourut après une attaque qui le paralysa, en conformité avec ce rêve prémonitoire.

Enfin, il y avait des rêves sur l'avenir personnel du rêveur qui ne servaient qu'à le mener vers de plus grandes aventures. Il y avait des rêves de visiteurs qui se présenteraient, d'un voyage maritime qui allait s'accomplir, de la prochaine réincarnation d'un ami, d'une prochaine fortune, d'un gros succès à venir auprès du public. Lorsque Cayce et sa famille se préparaient à déménager de Dayton dans l'Ohio, pour aller s'établir à Virginia Beach en Virginie, mettant ainsi en œuvre une très ancienne directive de ses interprétations, il eut une série de rêves qui lui montrèrent la totalité de l'hôpital qui serait un jour bâti ici, et qui le fut. Et il eut aussi un rêve à propos des désagréments du déménagement pour sa famille.

Regardant le train avec Gertrude comme mécanicien, nous nous précipitâmes dans une voiture, des plumes volaient, et des dindons étaient dans la boîte à outils. L'interprétation lui indiqua que toutes ces images étaient de bonne augure pour le déménagement; comme dans des rêves précédents où il avait été question de nourriture, le problème des provisions pour la famille était symbolisé par les dindons. Et les «outils» pour le travail quotidien seraient fournis aussi. Un certain nombre d'affaires de la famille paraîtraient être mises en pièces dans le déménagement, comme l'évoquaient les plumes qui volaient. Mais Gertrude fournirait la force motrice nécessaire pour l'empaquetage et le voyage, et son mari ferait bien de l'écouter, pour autant qu'elle ne cherche pas «à lui marcher sur la tête» comme le rêve en suggérait la possibilité.

Rêves à propos de l'avenir professionnel et public

Des rêves à propos de l'avenir du travail quotidien furent soumis à Cayce par centaines. Nombre d'entre eux se rapportaient aux cotations de valeurs ainsi qu'aux sociétés et aux industries que celles-ci représentaient. Tous les aspects de la vie professionnelle d'un agent de change se présentaient dans les rêves, y compris ses employés, sa comptabilité, ses appels téléphoniques, ses clients, ses concurrents, ses modèles de réussite, les procédures légales, les procès, les emprunts, ses associés, et même l'heure à laquelle il fallait effectuer des ventes.

L'un des rêveurs de Cayce commença à rêver de son avenir professionnel selon le scénario suivant :

Je rêvai qu'un homme essayait de me vendre un appareil de radio. Puis quelqu'un déposa du poison sur la poignée de ma porte et me poussa à venir la toucher. J'étais terriblement effrayé. Il essaya de me forcer à toucher la poignée empoisonnée. Je me débattis et me réveillai, couvert d'une sueur froide.

Cayce dit que le rêve était prémonitoire. On allait bientôt présenter au rêveur une transaction en valeurs de sociétés de radio qu'on qualifierait de « magnifique affaire ». Le poison était la représentation graphique de la situation venimeuse qui s'ensuivrait si le rêveur acceptait la transaction. Pendant seize à vingt jours, lui dit Cayce, il ferait bien de se tenir à l'écart de toutes transactions en matière de radio.

Les perspectives étaient plus favorables, dit Cayce, dans le rêve suivant fait par le même courtier :

J'ai entendu L.M. qui parlait dans notre appartement, mais lorsque je me réveillai, je découvris qu'il n'était même pas venu nous voir. C'était très clair et tellement réel que j'ai même pensé que c'était arrivé des heures après mon réveil.

Selon Cayce, les deux associés avaient vécu une expérience de rencontre mentale par télépathie, avant une affaire que l'autre allait bientôt proposer au courtier.

Un rêve encore différent à propos de partenaires apporta au même rêveur quelques conseils pratiques.

Je vis un escalier de secours d'incendie qui représentait pour moi une manière de m'échapper, et paraissait se référer aux actions de Pacific Gaz et Électricité que nous gardions maintenant depuis longtemps en réserve pour notre compte. Horace B. m'avait donné l'ordre de vendre les siennes, et cela m'avait trotté dans la tête. L'escalier semblait supporter une terrible pression, mais qui ne l'ébranla pas. Un homme qui gardait depuis longtemps en réserve des actions du Pacific Gaz et Électricité et qui est membre de la Bourse de New-York, sauta sur l'escalier de secours pour éprouver sa solidité. L'escalier résista à l'épreuve.

Cayce assura au rêveur qu'il avait bien rêvé de ces valeurs particulières, et que le rêve lui conseillait de suivre, pour ses ventes, l'exemple de ces hommes. « C'est à dire que si l'entité découvre que ces hommes, membres de la Bourse, gardent ces valeurs en portefeuille, faites comme eux. Et lorsqu'ils vendent à découvert, vendez avec eux, comprenez-vous ? » Puis Cayce ajouta, comme il le faisait souvent, que ces valeurs, allaient augmenter d'un point cinq-sixièmes à l'avantage du rêveur dans un très bref délai.

La variété des rêves sur l'avenir en affaires était frappante. Il y eut une prévision exacte de la faillite d'une firme de courtage. Un rêveur vit une de ses employés le quitter, ce qu'elle fit peu après. Dans un rêve, le rêveur contemplait un cimetière alors qu'il passait en bus. Il s'agissait, dit Cayce, de la hausse de valeurs stagnantes, mais des « Yellow Cabs », pas d'une compagnie de bus, qui allaient monter des neuf points indiqués dans le rêve.

Cayce lui-même eut un rêve inquiétant à propos de son propre travail, alors qu'il manquait d'argent. Sa femme l'assignait en justice pour incompétence mentale. Dans ce rêve, il donnait toute une série d'interprétations psychologiques en faveur de tous ceux qui se trouvaient au tribunal. L'interprétation qu'il donna ensuite de ce rêve porta sur un ami bien déterminé qui était apparu dans la scène du tribunal et indiquait que cet ami était en mesure d'accroître la demande d'interprétations fournies par Cayce, lui assurant ainsi le revenu dont il avait besoin. Tout se passa comme Cayce l'avait rêvé, car il se mit rapidement en rapport avec son ami.

Mais ce n'était pas seulement la vie professionnelle des rêveurs qui peuplait la scène pendant la nuit, assurant des prédictions du futur, généralement sous la direction du subconscient du rêveur. Certains rêveurs bénéficiaient aussi de prédictions sur le service social et sur les actions sociales auxquelles ils s'intéressaient.

Les rêveurs de Cayce étaient intéressés par l'hôpital et par l'Université qu'ils essayaient de fonder dans le but d'étudier son œuvre. Tous les événements importants relatifs à ces institutions furent prédits dans leurs rêves. L'un de leurs principaux problèmes était de trouver le médecin-chef qui devait diriger l'équipe hospitalière. Il devait être ouvert à plusieurs écoles de médecine et être néanmoins très qualifié. Il se trouva que celui qu'ils avaient choisi d'abord fut bientôt insatisfait, comme un rêve de Cayce l'avait fait prévoir deux ans plus tôt.

Je croyais devoir aller à New-York pour parler de l'institution aux gens de là-bas, et ils me dirent que le docteur était arrivé, aussi je revins. De nombreuses personnes que je connaissais bien, et d'autres que je ne connaissais pas, vinrent avec moi, et nous nous rendîmes vers l'endroit où ils disaient que se trouvait l'institution. Le docteur avait fourré Gertrude et ma secrétaire dans un grand chaudron et les faisait bouillir, mais cela ne semblait pas du tout les faire souffrir. Elles nageaient tout simplement dans l'eau sans aucun vêtement. J'essayai de les en tirer et me brûlai la main. Lorsque je m'éveillai, je vis que j'avais sur la main une tache ou une griffe rouge.

L'interprétation précisa à Cayce qu'il aurait à travailler avec les gens de New-York pour arriver à une claire compréhension des devoirs, des aptitudes et de la supervision du médecin — sans quoi ils tomberaient tous dans le pétrin (*land in hot water*). La griffe sur sa main était quelque chose qu'il avait remarqué subconsciemment avant de s'endormir et représentait le même type de défaut dans son corps que les plans relatifs au médecin dans son esprit.

Cependant, tous les rêves relatifs au futur hôpital n'étaient pas des mises en garde. Un des rêveurs de Cayce l'avait vu en rêve un an et demi avant qu'il n'ait été construit, complet avec ses installations de récréation et l'équipement de stérilisation qu'il aurait finalement. Il y trouva même le nom d'un de ses premiers malades.

Mais le même rêveur vit aussi d'avance la nature de la débâcle dont allaient être victimes les mécènes de l'hôpital. Ce rêve se produisit un an avant son ouverture.

Je regardais des photos de différentes choses de Virginia Beach relatives à l'hôpital. Je vis deux trains : l'un était le champion qu'on appelait le Pankhurst...

Ici, Cayce l'interrompit en lui rappelant que c'était *l'autre* train du rêve qui avait été appelé le Pankhurst. Alors le rêveur poursuivt :

Les trains roulaient vers Chicago et New-York...

Cayce l'interrompit à nouveau sur un ton impatient, et le reste du rêve ne lui fut pas lu. Le rêve se situait sur deux niveaux, dit-il (une caractéristique qu'il notait souvent dans les rêves). Sur un niveau, c'était un rêve relatif aux valeurs boursières, montrant comment les rails pouvaient être le critère d'un futur mouvement du marché des valeurs précédant le grand krach qui devait se produire un an plus tard (l'effondrement général). Il se rapportait aussi au conflit national d'intérêts financiers qui se préparait, dans lequel un des côtés serait le « champion » de la vérité, et l'autre une influence perturbatrice. Et il soulignait la nécessité d'une coopération entre les grands intérêts financiers de New-York et de Chicago, comme le rêveur l'avait vu.

Mais il ajouta ensuite que le rêveur traitait également d'une autre question. Une autre crise viendrait lorsque les « photos » ou les opinions sur la manière de diriger l'hôpital seraient exposées pour que chacun les étudie. À ce moment, la question serait aussi de savoir si des individus comme le rêveur serviraient comme « champions » de la vérité et des principes, ou qu'ils apporteraient la discorde par la sévérité de leurs exigences de voir les autres vivre selon certains standards.

L'hôpital ferma ses portes quatre ans plus tard dans un climat d'acrimonie, lorsque des membres du conseil se reprochèrent les uns aux autres de vivre slon des principes, et le reprochèrent aussi à Cayce. Peu d'entre eux se mettaient eux-mêmes en cause, ou se présentaient en «champions des principes» comme les y incitait le rêve. Il n'est pas surprenant que Cayce ait pressé le rêveur de réétudier constamment ce rêve et qu'il ne cessa de le lui rappeler en en discutant d'autres.

Question : Comment le futur est-il symbolisé dans les rêves?

Cayce insistait sur le fait que pour le subconscient, qui a la faculté d'entrevoir le futur, les valeurs temporelles ne sont pas aussi réelles que dans l'esprit conscient. Le subconscient voit les choses étalées sans limites, dans la direction où elles se trouvent maintenant, jusqu'à ce que le rêveur emploie sa volonté à les changer. Ce ne sont pas alors des symboles particuliers mis de côté pour représenter le futur, car l'idée même du futur est étrangère au subconscient.

Pourtant, disait Cayce, il existe des moyens de rechercher le futur dans les rêves. On peut comparer avec les éléments du rêve quelque chose dont le futur vous préoccupe consciemment : ce quelque chose devrait faire l'objet de commentaires dans le rêve.

De plus, il existe des «forces dynamiques» ou des «esprits» qui peuvent figurer dans les rêves en tant qu'exemples. C'est la matière dont le futur a été façonné. Par exemple, «l'esprit» d'une société qui souhaite que ses valeurs boursières soient cotées haut est un «esprit», alors que «l'esprit» des investisseurs qui désirent parfois que ces valeurs se déprécient au bénéfice de leurs propres intérêts n'est pas de même nature. Chacune de ces deux forces doit être étudiée dans des rêves de dénouements futurs. Une bonne décision conjugale ou vocationnelle devrait être mise en valeur par un coup d'œil sur les deux sortes d'« esprit » qui se déploient dans l'avenir. Cayce utilisait le mot « esprit » dans le sens qu'a ce terme dans des expressions comme « l'esprit de '76 », ou « l'Esprit de St Louis » (The Spirit of St Louis, l'avion de Lindbergh) ou « l'esprit d'une réunion » ; il ne voulait pas parler de désincarnés.

Un autre passage vers l'avenir se trouve dans l'examen du passé qui a codifié les problèmes du futur. Un des rêveurs de Cayce, un esprit rebelle, allait se trouver un jour dans une situation où il devrait lui-même faire montre d'autorité. La situation reste vraie que l'on programme son avenir en fonction du fait que l'on a été rebelle dans son enfance, ou qu'on l'aurait été dans une existence antérieure.

Cayce eut lui-même un rêve de ce genre, qui lui donnait un avertissement relatif à son avenir. Plus d'un an avant l'ouverture de son hôpital, il vit une scène très précise : un prêtre était banni, dans l'Égypte ancienne. Des foules étaient rassemblées dans les rues, certains hurlant pour que le prêtre soit banni, d'autres pour qu'il soit délivré, pendant qu'on les faisait avancer à coups de fouets, lui et ses complices.

L'interprétation qu'il s'assura expliqua à Cayce que c'était lui-même qu'il voyait, quand il était prêtre dans l'ancienne Égypte, et que son infidélité conjugale l'avait conduit à l'exil malgré le très réel soutien spirituel qu'il avait offert à son peuple pendant une certaine période de temps. Ensuite, la même interprétation lui fait savoir sur un ton inquiétant que certaines des personnes qui avaient été impliquées avec lui dans cette scène allaient lui faire subir le même genre d'expérience dans son existence présente : « des déceptions, des craintes, des invectives ». Lorsque cela se produirait, il devrait se comporter mieux qu'il ne l'avait fait en Égypte en réagissant « sans malice » et sans aucune autre attitude qui pourrait compromettre le meilleur de son développement en tant qu'âme.

En moins de cinq ans, l'hôpital et l'Université durent fermer leurs portes. Il dut déménager dans une maison qui

211

avait vue sur l'hôpital et d'où il dut assister à sa transformation en night-club. Il souffrit de plusieurs agonies intérieures. Mais il parvint aussi à surmonter son amertume comme il ne l'avait encore jamais fait auparavant dans son existence, ainsi que le révèlent ses rêves. Le résultat fut qu'un tout nouveau groupe de personnes, en majorité des Virginiens, s'assemblèrent autour de lui pour remplacer les mécènes new-yorkais de ses défuntes institutions. Et lui-même, comme on le lui avait promis, développa de nouveaux dons de conseiller qui lui permirent d'assurer à ses associés une meilleure croissance qu'il ne l'avait jamais pu auparavant.

On peut regarder l'avenir en jetant un long regard dans le passé.

Pour Cayce à l'état de veille, la numérologie était moins vraisemblable que la réincarnation. Mais il n'en insista pas moins dans ses interprétations sur le fait que les nombres étaient d'anciens et familiers emblèmes de la psyché humaine, un moyen naturel de représenter le futur. Les interprétations montraient à ses rêveurs de valeurs boursières que les chiffres de leurs rêves ne concernaient pas seulement le cours des obligations, mais les jours ou les semaines de hausse et de baisse des cotations, et la force relative de valeurs données. (Un chiffre de 6, par exemple, était généralement plus faible qu'un chiffre de 5). Un nombre ou une série de nombres pouvaient comprimer toutes ces indications en une seule image onirique, exactement comme les rêves utilisaient le visage d'un individu pour entraîner toute une série d'associations nécessaires pour l'expérience onirique. Comme on pouvait s'y attendre, l'un de ses rêveurs maniait plus facilement les chiffres dans ses rêves que les autres. Dans l'optique de Cayce, le phénomène tendait à varier avec les individus.

En dépit de la relative indifférence du subconscient à l'égard des notions conscientes de temps et d'espace, expliquait Cayce, il pouvait mettre en relief certaines données lorsque c'était nécessaire. Ainsi, un mouvement des valeurs après le Thanksgiving Day était représenté par un restaurant et un festin de vacances. Un mouvement des valeurs pour le printemps s'accompagnait de la vision de vêtements de golf, pour relier l'époque à l'ouverture de la saison de golf, alors qu'un autre rêve ouvrait un aperçu sur Atlantic City pour indiquer que la hausse d'une certaine valeur coïnciderait avec un voyage du rêveur dans cette villégiature. Un autre rêve encore montrait des ferries pour indiquer un mouvement des valeurs après la fonte des neiges.

Il est remarquable de constater que là où des développements futurs importants étaient en vue pour le rêveur, ceux-ci tendaient également à apparaître dans les rêves de ses proches collaborateurs et de sa famille. Quiconque était en rapport avec lui, sans trop de considérations égocentriques, était en mesure d'avoir des aperçus significatifs des mêmes événements. C'était comme si l'avenir pouvait le mieux être défini par l'intersection des rêves de plusieurs personnes, comme Cayce le montra dans des rêves conjoints qui ne portaient pas seulement sur des développements d'affaires, mais aussi sur la mort, la grossesse, la naissance, la maladie, le mariage, les disputes et les changements de situation dans l'existence.

Rêves sur le présent inconnu

Selon Cayce, les mêmes processus agissent souvent dans les rêves du présent inconnu que dans ceux du futur. Le subconscient du rêveur utilise sa perception extra-sensorielle innée, mais ici elle se meut librement dans l'espace plutôt que dans le temps.

Un des rêveurs de Cayce rêva de lait frelaté la nuit même où son frère en rêva aussi.

Nous étions tous allés à une réception avec des amis. Je m'endormis à table et nous rentrâmes très tard. Mon frère sortit de la voiture, rentra chez lui et nous quitta. Cependant, lui et moi nous nous étions d'abord arrêtés pour regarder une bouteille de lait qui portait l'inscription « lait non distillé ».

Dans la première partie du rêve, dit Cayce, il avait vu à quel point les soirées et les rentrées tardives le fatiguaient, comme le montrait le fait qu'il s'était endormi à la réception. La solution était d'y renoncer jusqu'au moment où il serait reposé, exactement comme son frère avait «renoncé» en les quittant dans le rêve. Quant au lait, dont son frère et lui avaient rêvé tous les deux, il était falsifié et devrait être analysé pour le bien des autres aussi bien que pour celui des rêveurs. Suivant le conseil de Cayce et de leurs rêves, les rêveurs firent analyser le lait, ce qui provoqua la fermeture de la laiterie par ordre du Conseil Sanitaire de la ville.

À cause des intérêts que les rêveurs de Cayce avaient dans les affaires, bon nombre de leurs rêves relatifs au présent inconnu portaient sur des valeurs boursières. À l'état de veille, Cayce commença par douter de pouvoir leur donner des informations exactes sur le mouvement des valeurs. Aussi, eut-il un rêve qui le concernait personnellement. Dans celui-ci, il donnait une interprétation médicale, une matière qu'il connaissait bien, et il accomplissait un travail utile. Cependant, il voyait à travers le corps du garçon qu'il décrivait médicalement, et il nota des chiffres sur chacun de ses os. C'étaient les chiffres de cotations de valeurs de chemins de fer qui avaient été évoquées dans la première partie du rêve. Les chiffres s'avérèrent exacts et Cayce fut rassuré sur la parfaite adaptation de ses interprétations.

Toute une série de symboles de valeurs inconnues apparaissaient dans les rêves. Le mouvement des valeurs de l'American Express était symbolisé pour quelqu'un par des chèques de l'American Express. Un voyage de métro signifiait pour un autre des actions du métro. Deux voitures dont les conducteurs avaient perdu le contrôle mettaient le rêveur en garde contre une opération en valeurs automobiles. Une rangée de voitures Pullman appartenant à diverses compagnies de chemin de fer, toutes numérotées, servait à évaluer les obligations des chemins de fer. Un rêve relatif à une foule qui hurlait à cause de la perte d'une paire de caoutchoucs, était une indication sur l'activité des valeurs de caoutchouc. Ce petit rêve s'intéressait en même temps à deux sortes de valeurs :

Je dessinais des lignes sur le trottoir. Cela paraissait
être une combinaison de Sears Roebuck et de Gimbel.
J'avais l'impression qu'elles étaient assez hautes main-
tenant.

Cayce assura au rêveur que les deux actions étaient en effet
à leur point culminant et qu'il fallait vendre. Puis, de la façon caractéristique dont il encourageait les rêveurs qui faisaient leur possible, il ajouta des informations sur les actions
de Wabash Railroad et Missouri Pacific que le rêveur possédait également. Un rêve exact, relatif à la Havana Electric
que l'on allait diviser en cinq actions pour une, fait avant
l'annonce publique de l'opération, rapporta à un rêveur
« un beau paquet » comme il l'écrivit à Cayce. Un rêve relatif
à une action obscure poussée par un associé incita le même
rêveur à s'enquérir auprès de ce dernier le lendemain, et de
faire un nouveau « malheur ».

Dans des douzaines de rêves, des détails exacts étaient
fournis. Par exemple, les mots suivants, prononcés lentement et distinctement : « Bons de Soo Railway 4 % à 99 ou
100 ». Le rêveur comprit par là qu'il devait acheter ces titres
et les garder jusqu'à ce qu'ils aient atteint 99 ou 100. Le
même rêveur, après quelques trois cents interprétations de
rêves par Cayce, eut une expérience onirique étonnante :

Il semblait que je pouvais poser n'importe quelle ques-
tion sur les valeurs et que j'obtenais une réponse. Je
me trouvais sous une lampe allumée. C'était le crépus-
cule. Un homme s'avança vers moi et je lui demandai à
combien l'U.S. Steel avait clôturé. Il dit : « Il a clôturé
en pleine folie, à 178. » ...« Bien », dis-je, « alors l'acier
va monter jusqu'aux environs de 188 ou de 190. »...
Alors, tout le marché s'ouvrit à moi. « Cet homme qui a
acheté du C and O a-t-il tiré un grand profit de l'opéra-
tion ? » « Pas tellement ! » me fut-il répondu. Les actions
ds cuirs semblaient promises à quelque chose, particu-
lièrement Endicott Johnson. Puis les autres dont je ne
me souviens pas... Tout, tout ce que je voulais sem-
blait venir droit sur moi ou dans ma conscience. Même
quand je m'éveillai, j'eus l'impression que je deman-
dais des renseignements sur les titres de Fleischman, et

215

même après mon réveil, la voix me disait encore :
« Servez-vous de votre jugement à propos de Fleisch-
man ».

En plus des suggestions effectives que comportait le rêve, dit Cayce, on pouvait y voir aussi la promesse formelle que le rêveur obtiendrait des directives sur tous les titres qu'il voulait, s'il maintenait son existence et ses desseins dans la voie de la droiture. Il avait vécu une expérience d'unisson, comme Cayce dans le rêve de la spirale ascendante. Il n'est pas surprenant que ce rêveur soit devenu millionnaire en quelques mois.

Une opération commerciale secrète fut décrite dans un rêve comme une Confrérie menant une séance d'initiation. Une vision montra un garçon de bureau qui volait des titres, mais cela s'accompagnait d'un avertissement d'avoir à le traiter aimablement en l'aidant à comprendre que de telles tentations peuvent arriver à tout le monde. Une opération commerciale mal préparée fut décrite sous les traits d'un bébé déficient. Un rêve relatif à des bandits qui rançonnaient des voyageurs dans un train constituait, dit Cayce, un avertissement à un inventeur que quelqu'un essayait de voler son nouveau produit. Mais un concurrent que l'on voyait allumer un feu sous une table n'était au plus qu'une cause de souci, car le rêveur devait voir que le feu n'atteignait jamais le dessus de la table. Un rêve relatif à un hold-up commis par un chauffeur provoqua, sur les conseils de Cayce, le renvoi de l'intéressé. Un rêve dans lequel Cayce vit un porc et un paon l'aida à comprendre que ceux qui paradaient dans le cadre de son travail ne valaient pas mieux que ceux qui caquetaient sans rien faire.

Mais les rêves répandaient aussi librement les faits relatifs aux affaires personnelles que ceux de la vie professionnelle.

Un père fut averti que la gouvernante de sa petite fille jouait à faire peur à l'enfant, grâce à un rêve où il vit un effrayant insecte dans le lit de celle-ci. Une jeune femme qui aperçut son ami dans une situation compromettante avec une autre fille fut avertie que le rêve représentait les faits exacts. Un étudiant d'université qui rêvait qu'il était en pleine discussion comprit la valeur de ses relations avec chacun de ceux qui l'entouraient de près grâce à la manière dont ils se comportaient dans le rêve. Une femme qui rêvait de ses parents discutant des soins médicaux à donner à sa mère invalide vit la véritable qualité vitale de chacun d'eux mise à nu dans le rêve. Un homme d'affaire fut entraîné, par ses rêves, à nouer de nouvelles relations avec deux avocats respectables qui partageaient son intérêt pour les problèmes psychiques, mais qui n'en avaient jamais parlé.

Tout ce qui occupait le rêveur quand il était éveillé l'occupait également pendant la nuit, mais avec des éléments nouveaux ajoutés par les rêves.

Chapitre X

Rêver des morts vivants

Dans la perspective des interprétations de Cayce, la mort est une transition pour l'âme, tout comme la naissance. Mais ce n'est pas une extermination.

Dans un rêve personnel de Cayce, on peut voir comment lui-même envisageait la mort. Le rêve, qui se produisit pendant une interprétation, présentait son point de vue avec ce charme et cette grâce qui étaient les caractéristiques de sa conscience sous son meilleur jour.

Je me préparais à donner une interprétation. Comme je sombrais (dans l'inconscience), je compris que je venais de prendre contact avec la Mort, en tant que personnalité, en tant qu'individu, en tant qu'être.

L'ayant compris, je fis remarquer à la Mort : « Vous n'êtes pas telle qu'on vous représente habituellement, avec un masque ou un capuchon noir, ou comme un squelette, ou comme le Père Temps avec sa faux. Au contraire, vous êtes blonde, vous avez les joues roses, vous êtes robuste et vous tenez une paire de ciseaux. »

Je dus regarder deux fois ses pieds ou ses membres, ou même son corps, pour les voir prendre forme.

Elle répondit : « Oui. La Mort n'est pas ce que beaucoup de gens semblent croire. Ce n'est pas l'horrible chose si souvent représentée. Ce n'est qu'un changement. Ce n'est qu'une visite. Les ciseaux, c'est vrai, sont l'instrument le plus représentatif pour l'homme de la vie et de la mort. Ils unissent en divisant et divisent en unissant. Le cordon ne se déploie pas, comme on le croit généralement, depuis le centre (du corps), mais on le coupe depuis la tête, depuis le front, dans cette partie tendre que l'on voit battre chez l'enfant.

Ainsi nous voyons les vieilles gens inconnus d'eux-mêmes acquérir la force de la Jeunesse en les embrassant là, et les Jeunes trouver par ces baisers la sagesse de l'Âge. En effet, les vibrations peuvent croître à un tel point qu'elles réaniment ou reconnectent le cordon (à cet endroit), exactement comme le Maître le fit pour le fils de la veuve de Naim. Car il ne l'a pas pris par la main — qui était relée au corps comme c'est la coutume du jour — mais il le caressa sur la tête et le corps reprit vie de la Vie Elle-même. Ainsi, vous le voyez, le cordon d'argent peut se briser mais les vibrations...

C'est ici que l'expérience prit fin.

Un homme d'une trentaine d'années, dont le père décédé avait eu une grande influence dans sa vie, rêva qu'il franchissait les barrières de la mort dans une séquence inoubliable. Le rêve commençait par des filles qui avaient une grande importance dans sa vie, et par des symboles oniriques, et puis se déplaça vers le lit où il avait vu mourir son père :

J'eus alors une vision de plusieurs belles femmes, toutes vêtues de couleurs différentes, mais après tout, ce n'étaient pas des femmes mais des lumières, des lumières superbement colorées que j'interprétai comme des entités Esprit. Elles se mirent en rang devant moi. Il y en avait une qui était particulièrement brillante, et je sus que c'était mon père.

Cayce confirma que le rêveur avait pénétré dans le «Plan de la Frontière».

Alors mon frère dit : «Pourquoi n'éteins-tu pas les lumières?» en parlant des lumières électriques de notre chambre. C'est ce que je fis, et, voyez! mon père apparut dans le lit avec moi. J'étais à la tête et lui au pied du lit, mais quoique j'eusse eu l'impression de reconnaître sa forme physique, il n'était cependant pas comme je l'avais vu avant mais plutôt, dans la même forme

219

d'homme, une Lumière dont la couleur ressemblait au Soleil.

La lumière, dit Cayce, représentait la force directrice du propre domaine superconscient du rêveur. Comme une lumière d'autel, on pouvait lui faire confiance pour ce qu'elle lui montrait.

J'éclatai en sanglots et je pleurai amèrement à cause de la proximité de mon père. La lumière vacilla un peu, et beaucoup de choses me traversèrent l'esprit, toutes en même temps. Par exemple, celle-ci : il ne servait à rien de pleurer, cela n'aidait pas mon père. Et pourquoi ne lui parlais-je pas au lieu de pleurer?

Je lui dis : « Je t'aime ». La lumière vacilla à nouveau et je pensai : « Peut-être ne comprend-il pas les mots? » « Aussi portai-je mes mains à mes lèvres et, comme un enfant, lui soufflai un baiser, tout en murmurant des lèvres « Je t'aime ». Alors la lumière prit la forme du visage de mon père et les mots suivants sortirent de sa bouche : « Moi aussi, je t'aime, mon fils! »

La lumière se rapprocha de moi, remontant vers le bout du lit, et elle déballa un paquet. À l'intérieur de l'emballage de papier, je reconnus l'écriture de mon père. Je pouvais distinguer sa signature telle qu'il la faisait et, tout en ne pouvant rien lire du contenu, je reconnus son écriture.

À cette vue, l'émotion manqua de me submerger à nouveau. J'étais vraiment très proche de mon père.

Cayce confirma que le rêveur était entré dans la quatrième dimension de l'existence, au-delà de la mort, où son père l'aiderait à comprendre la nature des choses, comme la suite le démontra :

Alors la boîte qui se trouvait dans l'emballage m'apparut et mon père l'ayant ouverte, elle laissa voir quatre « Chiclets » — des morceaux de chewing gum. « Prends-en un », me dit mon père. Je le fis, et il avait très bon goût. Pendant que je mâchais, il me dit d'en prendre un autre. Je le fis. Il en restait encore deux.

Ici, dans cette simple séquence, dit Cayce, on indiquait au rêveur qu'il aurait à mâcher et à digérer l'existence quadridimensionnelle pour son propre compte, par de telles expériences oniriques, car il ne pourrait jamais la comprendre correctement d'une autre manière.

«Suis-moi!» me dit mon père. Et je vis la lumière sur le mur. Elle était plate comme le reflet d'un miroir, mais pas parfaitement ronde, comme je l'avais cru d'abord. Elle avait une forme. Maintenant, dans mon état conscient, je ne puis me souvenir de la symétrie de cette lumière sur le mur, mais je le voudrais. Elle avait une forme, mais comment la décrire? Quelle forme était-ce? Je demeurai au lit, regardant cette lumière, l'esprit de mon père.

Alors le rêveur entendit une voix qui l'appelait par son nom, une voix qu'il avait entendue auparavant comme l'appel de son propre superconscient, de son moi le plus élevé.

«Suis ton père!» Je me levai du lit et je suivis la lumière. Elle voyageait le long du mur, le quittant parfois, prenant forme dans l'air, de pièce en pièce, pour arriver finalement à la cuisine. Alors, je perdis sa trace. Je suis demeuré abandonné dans l'obscurité, cherchant mon père, cherchant son esprit-lumière.

Le rêveur allait devoir apprendre la vérité sur la vie après la mort, petit à petit, dit Cayce, en se vidant de son «moi». Mais alors viendrait la découverte car, «cherche, et tu trouveras». Le rêve se poursuivait ainsi :

Je revenais à ce moment d'une réception. Il me semblait que j'arrivais de la pelouse d'un beau domaine. Mon frère, sa femme et d'autres se trouvaient à la réception. Je cherchais toujours l'esprit-lumière de mon père et sa guidance. Par dessus tout, j'avais en tête ce que j'avais appris par un rêve de ma femme : que mon père me révélerait la vie dans la quatrième dimension. C'est ce que je recherchais, comme je le fais encore, par dessus tout.

Ici, le rêveur trahissait la fascination que lui causait le problème de la vie après la mort. Une fascination qui, plus tard, lui vaudrait des reproches et un avertissement d'avoir à mener une vie et un pélerinage sans aspérités. Mais en ce moment, quelque chose de plus immédiat lui apparaissait.

221

Alors je vidai le contenu d'une bouteille de whisky que j'avais ramenée de la réception, et je respirai les vapeurs de l'alcool. La Voix : «ce n'est pas dans une telle atmosphère que tu trouveras jamais ton père.» À nouveau, je me retrouvai dans la pièce sombre, cherchant l'esprit-lumière de mon père.

Dans cet incident, commenta Cayce, le rêveur pouvait constater par lui-même comment son goût pour la boisson étouffait ses perceptions psychiques, et comment son goût de faire la fête emportait ses énergies créatrices dans une autre direction que celle de ses recherches dans le rêve. Il devait chercher quelque chose de mieux à donner aux autres que l'excitant momentané de la vie sociale, comme le lui montra la suite du rêve :

Mais quelque chose se produisit alors : voilà que j'étais nu et capable de voler gracieusement dans l'air. D'autres semblaient pouvoir le faire aussi. D'abord, j'observai les autres qui se déplaçaient gracieusement ici et là, partout. «Ce sont vraiment des entités-esprit» pensai-je, «et leur vol représente leur énergie universelle. Mais mon esprit physique doit les voir comme des hommes, sans quoi je ne comprendrai pas.» Un de ces hommes tomba sur la tête. Il se releva aussitôt et s'envola à nouveau gracieusement. «Regarde!» dit la Voix. «Ce n'est pas un être sensible. Il ne s'est absolument pas blessé.» Alors, j'essayai, et je me mis à voler. C'était merveilleux de flotter ainsi gracieusement dans l'air. Mais j'avais un travail à accomplir, un dessein à poursuivre, comme les autres.

Dans ce rêve, comme Cayce le soulignait souvent dans ses interprétations, le contact avec les morts avait pour premier but la transformation et la stimulation du rêveur.

Je descendis à travers le toit d'une maison, et j'y trouvai des hommes en train de commettre un cambriolage. «Oh», leur criai-je, «la vie est si belle ici, et il y a tant de choses à votre disposition! Ce que vous êtes en train de faire n'en vaut pas la peine». Puis, du haut de l'échelle où je m'étais perché, tendant le doigt vers eux, je dis : «Tu ne voleras point! Tu ne tueras point!

222

Tu ne commettras pas l'adultère! Tu ne forniqueras
pas! Tu ne porteras pas de faux témoignage! Tu aime-
ras ton prochain comme toi-même!»
Ils s'écrièrent : «Hypocrite! Tout cela, tu l'as fait!» Et ils
me chassèrent de la maison. Pris de panique, je m'en-
fuis vers une autre où je trouvai un fusil et, me cachant
derrière une table, j'attendis leur arrivée. Quelqu'un
entra et je tirai plusieurs coups de feu sur lui. Celui qui
était entré était mon ami, décédé depuis peu. S'appro-
chant de moi, habillé d'un smoking, il rit en disant :
«Ici, essaie encore...Touche-moi là!»

Ainsi, dit Cayce, le rêveur pouvait voir qu'une existence
mal vécue suscitait une crainte qui lui cachait les réalités de
ma vie tant avant qu'après le tombeau. Une telle crainte
pouvait pousser un homme à tirer aveuglément sur un
mort. Mais le rêveur devait tirer, comme son ami le lui montrait en riant dans le rêve. Néanmoins, il devait «viser» —
en concentrant l'énergie de toute son existence — des cibles
qui en valaient la peine et pas pour détruire les autres dans
un mouvement de panique. Le rêveur le comprit apparemment, même dans son rêve, puisque la scène suivante le
montre dans un tout autre état d'esprit.

Mon ami en smoking et moi-même, nous nous assîmes
à la table et il me raconta une histoire drôle qui nous fit
rire tous les deux de bon cœur.

La plaisanterie, dit Cayce, concernait le côté ridicule de
nombreuses actions humaines, comme de tirer sur un fan-
tôme, lorsqu'elles étaient vues dans la perspective de l'éter-
nité. Il était temps pour le rêveur de rire un peu. Car il est
nécessaire, ajouta Cayce, que «le rire et la joie soient le
message de toute entité, de toutes les manières, et non le
type à la longue figure qui suit son bonhomme de chemin
voyez-vous?»

Le voyage à travers le royaume des morts avait mené
loin. Il avait conduit tout droit à la vie quotidienne du
rêveur. Et la dernière séquence l'y plaça fermement.

À nouveau, je sentis la présence de mon père, je ne le
vis pas comme auparavant, mais je le sentis. Je cher-

223

chais toujours. La Voix : «*Chicago Milwaukee, 69-75*».

C'était une cotation très exacte d'un titre de chemins de fer. Elle servait à montrer, dit Cayce, que la créativité dans la vie professionnelle n'était pas d'un ordre différent que celle qui guidait les recherches au-delà de la mort. Les lois des mouvements boursiers étaient finalement les mêmes par leur origine que les lois spirituelles, les lois physiques, les lois morales. Toutes provenaient de la même Source, du même Dispensateur. Non des désincarnés, mais du Seigneur de vie Lui-même.

C'était là une affirmation que les interprétations de Cayce ne manquaient jamais de faire.

Rêves au profit des morts

Contrairement à ce que les vivants peuvent penser, selon Cayce, un grand nombre de rêves dans lesquels des vivants rencontrent des morts sont faits au profit des morts.

Parfois, les morts désirent simplement être connus et reconnus comme existant toujours. Le rêveur qui, ci-dessus, rapportait la précise expérience vécue avec son père, avait déjà rêvé d'une rencontre avec sa grand-mère décédée. Le rêve avait commencé par une note de beauté, comme c'était le cas pour beaucoup de rêves de contacts par delà la tombe.

> *Nous étions réunis dans une pièce, la plupart d'entre nous heureux de se rencontrer et projetant d'essayer d'accomplir quelque chose. J'entendis une belle musique, et tout le reste parut s'évanouir ; et là, étendue sur un coffre qui se trouvait dans la pièce, il y avait ma grand-mère, la mère de ma mère, qui était morte un jour avant mon père. Heureux, je m'agenouillai près d'elle. Je ne pouvais voir que son visage et son cou, et j'entourai son cou de mes bras. Elle semblait pleurer, ou pas exactement, non. Plutôt en grande détresse. Elle dit : «Aucun de vous ne désire que je vive.»*

224

« Comment peux-tu dire une telle chose, grand-mère ? » répondis-je en essayant de l'embrasser. *Mais elle se montra plus désespérée encore. « Ta mère ne désire pas que je vive, ou elle ne s'en soucie pas », dit-elle. Je resserrai mes bras autour d'elle et j'essayai de lui faire comprendre que ma mère le voulait certainement, mais qu'elle ne comprenait pas. La vision s'arrêta là.*

Cayce confirma que le contact avait été authentique, et il avertit le rêveur, comme il l'avait déjà fait, qu'en cherchant trop souvent le contact avec des désincarnés, on risque de provoquer chez eux de la détresse en les retardant dans l'ensemble de leur voyage. Il ajouta cependant que leur détresse pouvait aussi provenir du fait qu'ils ne comprenaient pas, qu'il n'entendaient pas un appel, exactement comme le rêveur l'avait vu.

Plus affligeant encore était le rêve d'un jeune homme à propos de son beau-père qui s'était récemment suicidé. Dans le rêve, une voix faisait ce commentaire : « c'est l'être le plus mal à l'aise du monde », et à ce moment, le rêveur vit son propre bébé qui pleurait pour avoir à manger. L'image, dit Cayce, était destinée à montrer la faim qu'avait le défunt de soutien spirituel et de guidance. La nuit suivante, le rêveur entendit la voix même de l'homme qui donnait une impression d'agitation incohérente. La voix disait : « Je cherche le repos. Je voudrais partir et me retrouver en bas avec ma famille. » Encore une fois, Cayce déclara que le contact onirique avait été authentique, et qu'il montrait au rêveur à quel point il devait prier pour son beau-père qui était encore un désincarné « rattaché à la Terre ». Il ajouta que la raison pour laquelle le désincarné se tournait vers les gens de la vie terrestre c'était que *« les leçons sont apprises sur ce plan-là, voyez-vous ? »* C'était une remarque que Cayce faisait souvent, à savoir que les âmes qui étaient venues une fois sur terre devaient apprendre leurs leçons sur la terre, où la volonté agit d'une façon différente de l'existence dans les autres plans.

Cependant, les contacts entre les vivants et les morts peuvent être joyeux. Ils se produisent parfois parce que les morts désirent montrer aux vivants à quoi ressemble la mort, afin de les débarrasser de leur crainte et de leur chagrin. Explorant la possible réalité d'un tel contact, une rêveuse se fit pincer dans le côté par une amie désincarnée, de façon si réaliste qu'elle poussa un cri d'effroi. Un autre se fit tirer l'orteil après l'avoir demandé, et il ne le demanda pas une seconde fois. Un rêve entraîna un homme dans le cerveau d'une femme qui mourait du cancer, une parente, et il lui montra avec précision quel soulagement était la mort lorsqu'elle se présentait enfin. Un rêve subséquent lui montra aussi ce que ressent une âme lorsqu'elle se réveille à la conscience après la mort en découvrant qu'elle est encore sous terre avec le corps et en jaillissant de la poussière vers la lumière.

Le fait le plus surprenant que toutes ces expériences oniriques rendent clair pour les rêveurs, dit Cayce, c'est que l'état de mort est, pour l'âme, plus proche d'un état normal que l'existence terrestre. La question que posent habituellement les hommes de savoir si la conscience terrestre survit à la mort est posée à rebours. La question importante pour une âme est de savoir quelle part de sa conscience et de sa créativité ainsi que de ses contacts avec le divin survivra à sa naissance dans un corps.

Le caractère normal de l'état de mort explique pourquoi Cayce, lorsqu'il entrait en transe dans ses interprétations — une transe qui ressemblait fort à un coma pré-mortel — recevait l'indication que «maintenant le corps assume ses forces normales» de manière à pouvoir trouver et donner les informations nécessaires à l'interprétation. Mais la vie sur terre, dans cette optique, a aussi sa valeur. Il y a, pour l'âme, une perception de la création et du Créateur qui peut être obtenue sur terre comme nulle part ailleurs. Ce sont là des aperçus que les «anges» que Cayce décrivait comme des êtres qui n'ont jamais expérimenté l'incarnation terrestre, ne connaîtront jamais.

Les désincarnés ne sont pas seulement récompensés lorsqu'ils sont reconnus par les vivants, ni par la joie d'enseigner aux vivants. Ils peuvent aussi, dans des cas relative-

226

ment insolites, travailler directement avec les vivants pour l'accomplissement de causes qui en valent la peine.

Parce que certaines âmes bien développées voient davantage après la mort que ne le font les vivants (sauf, pour ceux-ci, dans leurs rêves), ces désincarnés sont en mesure de donner au rêveur des directives sur bien des choses : santé, affaires financières, causes sociales, service social, relations avec les vivants. Mais il doivent en payer le prix, insistait Cayce, et il avertissait le rêveur qui obtient une telle assistance qu'il a des responsabilités et qu'il doit étendre ses propres talents à leur maximum absolu quand il est complètement éveillé.

Cayce lui-même avait parfois obtenu l'assistance de désincarnés. Une telle expérience se produisit spontanément quelques mois avant l'ouverture de l'hôpital lorsque quelqu'un qui semblait être sa mère défunte parla à travers Cayce au début d'une interprétation pour quelqu'un d'autre. Cayce se souvient plus tard de ce contact comme d'un rêve, mais ceux qui étaient dans la pièce entendirent prononcer les mots à haute voix. Sa mère, qui l'appelait « Frère », semblait lui parler d'une fontaine que Cayce avait envisagé de construire comme mémorial pour sa mère à l'entrée de l'hôpital. Elle avait le sentiment qu'il devait autoriser ses sœurs à apporter leur écot, de même que son père qui vivait encore (mais plus pour très longtemps comme elle le fit correctement remarquer). Cayce en hypnose cria d'un ton animé : « Mère ! » Puis il répéta ses paroles à haute voix.
Ici, c'est Mère. Et tu n'as pas encore écrit à ta Sœur jusqu'à présent, et tu ne lui as pas dit... Ta Sœur n'aimera pas ça, mon Frère, et elle sera vexée. Écris à ta Sœur, dis-lui, ainsi qu'à Sarah, à Ola et à Mary, elles voudront toutes participer, et elles éprouveront exactement les mêmes sentiments que toi. Et après un certain temps, quand tout se sera arrangé, ce sera tellement agréable pour vous tous de savoir que votre Mère est parmi vous ! Sois gentil, mon garçon. Écris, Frère. Parle à ta Mère. Sois bon avec Papa. Il sera chez nous avant peu. Écris à Sœur, et dis aux enfants que Mère les aime tous. »

Cayce écrivit, et la fontaine fut construite grâce à l'effort commun. Ce fut, bien entendu, l'une des choses les plus pénibles à perdre lorsque l'hôpital fut rendu plus tard à ses fondateurs frappés par la Dépression.

Rencontrer sa mère n'était pas la seule expérience que connut Cayce d'une assistance venue d'au-delà de la mort pour l'aider à trouver de l'argent pour son travail. Des années plus tard, lorsqu'il dut construire un caveau ignifugé dans sa modeste demeure pour mettre à l'abri les comptes-rendus de ses interprétations, il connut une expérience qu'il rapporta à ses amis comme suit :

J'ai eu ce rêve, cette vision ou cette expérience dans la nuit du 4 novembre.

Je me trouvais dans la «salle d'interprétations» de notre bureau, en train de discuter avec certains membres de la famille de la nécessité de protéger et de préserver les comptes-rendus de mes interprétations que nous possédions déjà, et des moyens d'y arriver. Soudain, un «maître» (le Maître, pour moi) apparut et dit : «La Paix soit avec Vous. Demandez à tous ceux que vous avez essayé d'aider de vous aider à leur tour à sauver ces compte-rendus, car ils constituent leurs expériences, et ils sont une partie d'eux-mêmes. Qu'ils y contribuent pour une étagère, une poutre, une fenêtre, une porte, ou pour la totalité du caveau pour vos compte-rendus, donnez-leur toutes les chances de participer à l'ouvrage.»

Cayce écrivit à tous ceux qui avaient eu leurs interprétations retranscrites, et leur expliqua comment apporter leur contribution. Deux ans plus tard, le caveau ignifugé fut inauguré, et il avait été entièrement payé.

Ni le rêve realtif à sa mère, ni celui du Christ ne semblaient à Cayce des expériences qui se limitaient à lui. Il insistait auprès des rêveurs qu'il instruisait que partout où des gens, engagés dans un projet ou un service, priaient suffisamment, ils obtiendraient une assistance d'au-delà du tombeau.

Après qu'un rêveur eût semblé obtenir une assistance onirique pendant des mois à propos de valeurs boursières, grâce à l'aide de son père désincarné, pour amasser les fonds destinés à l'hôpital et à l'Université Atlantic de Cayce, il fit ce rêve charmant :

> Mon père m'indiqua, d'une certaine manière, quelque chose qui concernait le cigare que je fumais.

Le père avait été très amateur de cigares, et Cayce fit un commentaire sur « la joie, la satisfaction et le contentement » constatés dans le rêve tandis que le père et le fils discutaient des arômes des bons cigares. C'était une indication, dit Cayce, des bons sentiments avec lesquels le père et d'autres désincarnés travaillaient en collaboration avec le fils, un travail d'équipe des deux côtés de la tombe pour accomplir une œuvre humanitaire.

Rêves dans lesquels on parle à d'autres des morts vivants

Au cours des mois suivants, le père parut avoir réuni une équipe de désincarnés, experts en matière financière, qui aidaient le rêveur avec des tuyaux quand il était endormi ou éveillé. Cayce considéra que ce développement était positif. Il y apporta sa contribution en entraînant le rêveur à garder son rang dans cette étrange association. Mais les parents du rêveur étaient sceptiques et hostiles en dépit du fait que ses efforts les rendaient riches, lui et ses associés. Piqué au vif par leurs reproches, il fit le rêve suivant :

> Il semblait que je voyageais par bateau pour me rendre quelque part et là je contemplai le Maître, Jésus-Christ. Je criai aussi fort que je pus à tous ceux qui m'entouraient. « Nous pouvons lui ressembler... Je l'ai prouvé! Nous pouvons lui ressembler! Je l'ai prouvé!» Personne ne voulait m'écouter ou me croire.
> J'entrai dans ce qui paraissait être une épicerie, et là j'aperçus un homme qui apparaissait comme le Christ. Ce pouvait être Lui, et ce pouvait ne pas être Lui, mais il était habillé comme l'aurait été le Christ, tout en paraissant plus jeune. Une femme me dit : « N'est-ce pas un Dieu merveilleux?»

« Vous pouvez être comme Lui, » lui répondis-je.
« Oh », répliqua-t-elle, « vous n'êtes pas comme Lui.
Vous êtes un humain mou et sans consistance. »
Je me retournai pour lui montrer le Christ, et ce que je
lui montrai aurait pu être son image sur le couvercle
d'une boîte. Mais Il était là, et je le Le reconnaissais
d'après les images que j'avais vues, un homme plus
âgé, sympathique, et cependant inflexible dans sa Foi
en la Vérité, et dans son attachement et son dévoue-
ment à Ses semblables.
Je m'avançai vers le comptoir du magasin, et je m'as-
sis. Là, derrière le comptoir, je vis l'homme plus jeune
qui ressemblait au Christ, agenouillé en prière. Il
remerciait Son père pour tout.
Je me pris le visage dans les mains et pleurai amère-
ment. « Cela me fait mal en dedans » dis-je en montrant
mon cœur, et il semble que cela concernait mon inap-
titude à me faire comprendre par les autres, et aussi
qu'Il souffrait exactement de la même manière.
Je dis : « À quoi sert le réel, le vrai, si nous sommes
ridicules aux yeux de tous ceux qui sont sur terre ? »
Et je me vis moi-même criant ridiculement mon mes-
sage : « Nous pouvons Lui ressembler, je l'ai prouvé ! »
Puis je Le vis à nouveau agenouillé dans une prière
d'action de grâces et en pleurant, je dis : « Cela me fait
mal à l'âme. »
Alors la voix — ç'aurait pu être Sa voix — parla en
disant : « Ils retourneront sur Terre pour apprendre. Ils
s'agenouilleront et ils adoreront... »

C'était un rêve qui reflétait le centre du message de Cayce en tant qu'expérience pour le rêveur : « Nous pouvons être comme Lui ». Souvent, Cayce citait cette phrase cruciale du rêve.

Mais le rêve contenait aussi un péril mortel, celui de l'importance exagérée que se donnait le rêveur, comme le démontrèrent des rêves ultérieurs. Et Cayce l'interpréta avec circonspection, n'affirmant qu'à la fin de son interpré- tation que le rêve pouvait être considéré comme un mes- sage du Christ. Le rêveur, dit-il, était presque entré dans le

«Saint des Saints, acquérant force et sagesse de Celui qui est force et sagesse.» À travers son rêve, il pouvait commencer à comprendre le cri du Christ lorsqu'il aperçut l'antique capitale de la Palestine : «Oh, Jérusalem, Jérusalem! Combien de fois n'aurais-je pas voulu te rassembler autour de moi comme une poule rassemble sa progéniture sous ses ailes, et tu n'as pas voulu!» Il ne restait alors qu'un moyen, pour quelqu'un de décidé, de transmettre un message difficile à ses semblables : être «souvent en prière», car «ceux qui Le cherchent, Lui, le Maître, peuvent Le trouver» de même que «la force et l'endurance du corps, de l'âme et de l'esprit.»

À certains égards, la leçon la plus dure que Cayce eut à faire accepter par ses rêveurs, lorsqu'ils furent convaincus de la réalité de la vie après la mort et de la possibilité de travailler avec les désincarnés, fut qu'ils ne devaient pas chercher à imposer leur point de vue aux autres par des exploits psychiques. C'est une preuve qu'il ne fallait pas tenter d'administrer, il ne cessa jamais de le leur rappeler. On pouvait inviter les gens à faire des recherches par eux-mêmes, mais les démonstrations et les exhortations devaient être bannies. Exactement comme Jésus l'avait enseigné, aucun «signe» ne devait être donné. Il fallait gagner par d'autres voies le cœur et l'esprit des hommes, par la qualité de l'existence qu'on partageait avec eux.

La même question se posait lorsqu'on parlait aux autres de Cayce, comme il le souligna en commentant un autre rêve lorsqu'il se référa à cette phrase : «Je l'ai prouvé!». Le rêveur rapportait le rêve suivant :

J'entrai dans une pièce où il y avait beaucoup de monde, et je vis un homme endormi... Il était couché là, endormi. Peut-être était-ce Edgar Cayce.

J'étais ennuyé à cause des titres de la Pan Petroleum, et du pétrole. Beaucoup de gens comptaient sur moi en ce moment pour obtenir un conseil. Alors je dis : «Oh, bien, je ne peux parler avec un homme endormi aussi facilement que si je pouvais lui parler même sans échanger un mot comme cela se passe avec mon père, là où je reçois l'avis d'un guide.

Il se vantait, dans son rêve, de son portefeuille de valeurs et d'autres conseils qu'il recevait directement de son père désincarné plutôt que par l'intermédiaire de Cayce en état d'hypnose. Il montrait aussi un certain mépris pour les gens qu'il était censé aider : « Il semble que les autres n'ont pas exigé la compréhension nécessaire pour obtenir cet avis ».

Mais alors le rêve se modifia rapidement pour en arriver à ses meilleurs mobiles :

Alors entra un petit garçon habillé de haillons. J'étais désolé pour lui, et lui posant la main sur la tête, je dis : « Je vais m'occuper de toi et t'aimer ». Alors entra un homme qui semblait être le père de l'enfant et celui-ci me le montra du doigt. Je lui dis : « Je désire emporter votre fils et m'occuper de lui. » Alors l'homme répondit : « je pourrais l'entretenir et l'élever, si seulement j'avais la santé ». Alors il me montra son bras paralysé. Je me sentis terriblement désolé et je pensai que je pourrais utiliser mon pouvoir (de communiquer avec mon guide) pour convertir cet homme, en me servant encore une fois de l'homme endormi, puis parler avec ces gens et leur expliquer en langage clair qu'ils pourraient comprendre ce qu'ils pouvaient faire.

Puis je vis l'homme endormi dans ce qui semblait être la vitrine d'un magasin à rayons multiples, et une foule de gens qui observaient le phénomène à travers la vitre de l'étalage.

Lorsque Cayce discuta de ce rêve, il dit que l'homme endormi représentait à la fois Cayce donnant une interprétation — dans un état où les forces mentales, cosmiques et spirituelles étaient toutes réunies pour être utiles — et le sommeil des assistants eux-mêmes, sommeil dans lequel ils pourraient, par le rêve, atteindre les forces mentales, spirituelles et cosmiques qui pouvaient être mises en étroite relation avec l'expérience de l'état de veille « de manière à acquérir une connaissance dont profiterait le mental, le matériel et le moral, *l'être* tout entier, voyez-vous ? »

Il détournait l'attention du rêveur de ses exploits oniriques pour la fixer sur la question de ce que les autres pouvaient apprendre à faire dans leurs rêves.

Mais comment pouvait-on intéresser les autres? Le rêve mettait en scène deux moyens par lesquels on pouvait essayer d'atteindre les autres.

L'un était représenté par l'homme qui dormait dans la vitrine du magasin. Cet élément n'en appelait qu'à une partie de l'esprit des spectateurs, pas à leur capacité d'une parfaite compréhension. Il approvisionnait l'élément de «mystère», la «compréhension du moment», le sens de «l'extravagance».

L'autre moyen se trouvait dans l'épisode de l'enfant et du père, où le rêveur éprouvait un sentiment de compassion de l'assistance. C'était le moyen de l'«éducation ou de la connaissance pour les jeunes, les estropiés, les mutilés, ceux qui éprouvaient une détresse physique ou mentale» qui pouvait beaucoup mieux «les mettre en rapport avec les Forces Universelles, en rapport avec Dieu» tant dans leurs rêves qu'à l'état de veille.

En outre, les gens qui désiraient comprendre la vie après la mort pouvaient y arriver dans les propres rêves s'ils y étaient attentifs.

Parmi les rêveurs de Cayce, un mari défunt entra dans le rêve pour aider sa veuve à se faire restituer un domaine par un administrateur escroc. Une belle-mère parla d'entre les morts pour mettre un rêveur en garde contre de mauvaises fréquentations. Un père qui avait servi de guide à un rêveur menaça d'abandonner toute assistance depuis l'autre plan si le fils continuait à courir avec des femmes. Un rêveur qui avait rapporté qu'il se battait pour jouer avec un oncle défunt dans un rêve s'entendit dire par Cayce qu'il avait glissé sans le savoir dans «la région frontière» où lui et son oncle s'étaient payés du bon temps ensemble.

Des rêves venaient aux sujets de Cayce pour leur montrer le genre de véhicule ou de corps qu'ils pourraient avoir après la mort, comment ils sauraient qu'ils étaient morts, comment ils progresseraient à travers plusieurs plans et quelle sorte d'assistants ils trouveraient. Beaucoup de choses étaient dévoilées dans leurs rêves à propos de la communication avec les morts : comment leur perception n'était qu'un sens qui semblait en faire plusieurs, comment

233

ils rassemblaient leurs énergies pour prendre contact avec les vivants, comment ils se réunissaient pour écouter ce que les vivants enseignaient au sujet de la mort, comment ils aspiraient à parler par l'intermédiaire d'un médium, comment certains qui étaient peu développés tentaient de dominer une personne vivante qui pouvait être soumise à leur influence par ses attitudes, ses actes ou sa piètre santé.

Question : Quand est-on prêt à rêver des morts vivants ?

En commentant des centaines de tels rêves, Cayce fournit un grand nombre de réponses.

Tout d'abord, quelqu'un est prêt à de tels rêves lorsqu'il les fait. Son subconscient ne lui fournira pas des expériences qu'il ne pourrait maîtriser s'il le désirait. En second lieu, on est prêt à un contact onirique avec les morts quand on ne parle pas d'eux avec légèreté. Dans l'optique de Cayce, de tels rêves pourraient représenter une dangereuse échappatoire.

En troisième lieu, on est prêt à rêver des morts lorsqu'on aime et qu'on sert sainement les vivants. De tels rêves se produisent toujours pour une raison personnelle, un développement personnel du rêveur ou quelque service concret dans le déroulement régulier de sa vie quotidienne. Des messages oniriques qui paraissent servir à un public général sont tout de suite suspects, car un sain contact avec les morts n'était pas destiné à servir les vivants de cette manière.

Quatrièmement, on est prêt à rêver des morts lorsqu'on est aussi disposé à leur apporter une assistance qu'à en recevoir d'eux. Lorsque la prière pour les désincarnés vient librement et naturellement à l'esprit, alors la vision de ceux-ci peut s'ensuivre. Toute autre approche tend à être exploitante. En cinquième lieu, on est prêt à rêver de ses chers disparus, lorsqu'on a dépassé à leur égard ses chagrins et son sentiment de culpabilité, et lorsqu'on leur a pardonné les blessures qu'ils vous ont causées. L'absence de ce sentiment constitue une barrière presque infranchissable.

Finalement, on peut rêver des morts lorsque sa propre vie approche de son terme et qu'il est temps de se préparer au voyage suivant.

Rêver de la réincarnation

Un des « morts » qui veut vivre, dit Cayce, est le rêveur lui-même. Dans ses rêves, il peut se rencontrer lui-même tel qu'il était dans une autre existence.

Il y a deux moyens pour que de tels rêves se produisent. L'un, qui est d'un type relativement commun, consiste à se rappeler une scène d'une vie passée exactement comme elle s'est produite jadis. L'autre, c'est de rêver d'une scène actuelle, mais selon le scénario qui a été conçu par des forces d'une autre existence.

Dans l'optique de Cayce, on ne laisse pas simplement ses existences passées derrière soi. On les vit toutes dans le présent, dans une certaine mesure et à des moments différents de l'existence. En conséquence, les rêves évoquent souvent l'action de la personnalité passée telle qu'elle est mise en œuvre par des événements de la vie présente. De tels rêves montrent le rêveur et ses compagnons habillés de costumes modernes, comme Cayce l'avait explicitement montré, mais ils rejouent le « karma », ou l'héritage des thèmes, des traumatismes et des talents de la vie passée, exactement comme d'autres rêves rejouent des motifs similaires de l'enfance de cette existence — et comme d'autres encore combinent les deux.

Une telle conception rendaient difficile aux rêveurs de Cayce de distinguer entre les rêves enracinés dans le présent et ceux qui avaient aussi des racines dans le passé. Pour Cayce, la distinction n'était pas très importante. Ce qui compte, à son avis, c'est le rôle que joue le rêveur dans le rêve. Qu'il s'agisse d'une existence ou d'une douzaine, il faut toujours l'emporter sur l'égoïsme, mettre ses talents en jeu, donner, refuser et redonner de l'amour. À l'encontre de beaucoup de gens que l'idée de la réincarnation fascine, Cayce en hypnose ne la faisait intervenir que quand elle pouvait spécifiquement aider le rêveur à se comprendre lui-même ou à comprendre quelqu'un d'autre. Autrement, il s'en tenait, pour le rêveur, aux choix du présent.

Mais il y avait des indices selon lesquels tous les rêves sérieux peuvent être compris comme s'ils donnaient corps à un certain degré de thèmes des existences passées. La vie de l'âme est tissée de tous ces fils, même si son dessin actuel est moderne.

Lorsque Cayce rêva lui-même qu'une femme de ses amies était utilisée comme bouclier par des bandits, et qu'il abattit le chef de ceux-ci pour la sauver, l'interprétation lui fit comprendre qu'il devait s'agir, dans leurs relations présentes, comme «le protecteur, le professeur, le guide, le directeur» de la femme à cause de l'association qui avait été la leur dans une vie précédente. Le fait qu'ils étaient tous habillés de costumes modernes dans le rêve ne faisait qu'accentuer le besoin d'une «défense moderne» de son «activité, de ses pensées et de ses desseins». Lorsqu'il rêva qu'il se disputait avec un de ses fils et que celui-ci quittait la maison, on lui dit qu'il assistait au type de tension qu'ils avaient connu ensemble à une époque de l'histoire d'Égypte, et que lui et son fils devraient tous deux prendre garde à leur humeur et à leur langue.

Une femme qui, dans une autre existence, avait séduit les hommes par sa beauté, rêvait d'entrer en compétition avec de jolies femmes pour conserver son mari dans l'existence présente. Une femme qui, dans une autre existence, avait en tant que guerrière, conduit des hommes à la bataille, devait apprendre dans cette vie à contrôler ses désirs de puissance, sous peine de s'aliéner tous ceux qui l'approcheraient. Un homme qui, dans une existence précédente, avait douté de la mission religieuse de son frère, ne cessait de rêver que son frère actuel s'opposait à lui. Un jeune homme qui avait été roi dans une autre vie, fut mis en garde contre les airs de gentilhomme sudiste qu'il prenait dans celle-ci. Une femme brillante qui avait été la fille d'un philosophe rêvait de la manière dont elle pourrait faire céder sa langue à son cœur. Un homme qui, dans une existence passée, s'était servi de son pouvoir pour exiler un dirigeant rêvait constamment de ce que l'on éprouvait quand on était rejeté par ceux qui ont du pouvoir et de l'influence. Un professionnel qui avait été un débauché dans une existence pas si lointaine rêvait constamment qu'il était pris et humilié pour avoir fait l'amour avec une femme qui n'était pas la sienne. Une femme qui avait été actrice rêvait du choix entre être une vérétable artiste et une poseuse. Un homme qui avait utilisé sa puissance militaire pour humilier les autres se trouva rabaissé dans ses rêves par des militaires.

Du moins, c'est ainsi qu'Edgar Cayce voyait le scénario et les intrigues de leurs rêves. Comment les rêveurs pouvaient-ils extraire des perspectives de telles affirmations ? En rêvant de souvenirs actuels d'existences passées, leur répondait-il.

Et ils rêvaient. Ils rêvaient de mots, de noms, de phrases en Égyptien, en Hébreu ou en Persan ancien. Ils rêvaient de scènes étrangères précises : une oasis, un grand homme habillé de vêtements arabes qui était penché sur le rêveur et qui menaçait sa vie, les tentes des Isarélites dressées près de Jérusalem lors de leur retour de Babylone, de rayons et de machines de l'ancienne civilisation de l'Atlantide, de la pêche en Galilée au temps de Jésus, de la cérémonie d'inauguration, en présence de miliers de personnes, d'une pyramide en Égypte, d'une mort en combat dans une arène grecque, de l'accostage de bateaux dans l'ancienne Amérique, du conflit entre les Isarélites et les Moabites, de la domination romaine dans les régions méditerranéennes, de la diffusion de la pensée hindoue hors de l'Inde et de la force morale des anciens enseignements chinois.

Il était caractéristique que de tels rêves n'étaient pas de simples scénarios dans la nuit, mais des épisodes vivaces centrés sur un problème actuel du rêveur.

Lorsque Edgar Cayce se trouvait sous la tension des querelles qui s'étaient élevées entre les commanditaires de son hôpital peu avant qu'il soit fermé et vendu, il fit le rêve suivant au cours d'une interprétation :

> Je pensais que je me trouvais avec Mr et Mme Lot et leurs deux filles qui fuyaient Sodome, sous une pluie de feu et de cendres. Ce dont on a dit : « elle fut transformée en statue de sel » parce qu'elle avait regardé en arrière, signifiait qu'ils avaient réellement traversé la chaleur — venue du feu du ciel — et que tous en furent éprouvés. Je traversai le feu.

À sa surprise, Cayce apprit de sa propre source d'interprétation qu'il avait été là avec Lot comme quelqu'un qui avait été envoyé pour les avertir de ce qui allait arriver. Il avait vraiment accompagné la famille au cours de cette effrayante expérience qui fut à nouveau revue par lui parce qu'il aurait à passer lui-même, bientôt, à travers une autre sorte de « feu », en souffrant avec ses associés. Savoir s'il en échapperait une nouvelle fois dépendrait de ses « attitudes et de ses activités ». Pour s'y préparer, il devrait étudier la vie de chaque individu cité dans le récit de la Bible.

Un homme d'affaires juif, à l'esprit pratique, se demandant ce qu'il fallait penser de la figure du Christ, eut en rêve cette surprenante vision :

> J'ai peur d'écrire, ou plutôt, en écrivant ceci, je suis encore effrayé par cette vision. Mais elle doit avoir eu une signification dans ma vie, et c'est cela que je cherche.
>
> J'ai eu la vision de quelque chose qui avait un rapport avec la mort du Seigneur Tout-Puissant, et alors, quelque chose se produisit exactement un an et demi après.
>
> Que s'est-il passé, et en quoi cela fait-il partie de mon existence présente ?
>
> La mort du Seigneur et l'événement subséquent qui s'est produit un an et demi plus tard me rappelèrent la mort du roi de dix-neuf ans, Tout-Ankh-Amon. Quel rapport peut avoir la mort du Seigneur et un événement subséquent (Mais quel était cet événement) avec la mort d'un pharaon de dix-neuf ans ?

En réponse à ce rêve, Cayce dit au rêveur, comme il le faisait souvent à ceux qui rêvaient d'éléments qui, selon lui, appartenaient à une existence passée, qu'il pouvait résoudre l'énigme de ce rêve en retournant son esprit introspectivement. On ne devait pas être endormi pour prendre contact avec de tels souvenirs.

Le rêveur avait jadis été en étroit contact avec Jésus, mais dans son foyer, et il avait subi le choc terrible de sa mort. Il était alors un tout jeune homme et il lui avait fallu un an et demi pour reconnaître la place de Jésus comme son «Maître». Cela se produisit quand il avait tout juste dix-neuf ans. Il était alors un «profond penseur», et il étudiait les cultures anciennes. Le rôle utile du jeune Tout-Ankh-Amon avait fait sur lui une profonde impression, spécialement par la manière dont il avait ressoudé des familles désunies. Le jeune homme de Palestine, âgé de dix-neuf ans, s'était identifié avec le jeune monarque, et quand les événements traumatisants et les choix de son existence palestinienne lui étaient revenus en flots aujourd'hui, il avait retrouvé aussi les associations avec l'Égypte qui occupaient ses pensées alors. Or, il appartenait à une famille divisée par des disputes sur la signification du Christ pour les Juifs, et il lui fallait regarder sous la surface des apparences et des loyautés pour comprendre les réalités plus profondes qui s'appliquaient. C'est pourquoi son rêve lui avait fait remonter le cours des siècles.

Cayce disait à ceux qu'il entraînait en matière de rêves que l'étude de la réincarnation était tout aussi importante que celle de la vie après la mort. Il présenta ainsi la chose à une femme : «car si les individus se préoccupaient autant de ce qu'ils ont été que de ce qu'ils sont ou de ce qu'ils seront, ceci deviendrait une expérience beaucoup plus intéressante et beaucoup plus utile. Car alors, comme Il l'a prêché, ceux qui sont sur leurs gardes ne permettront pas que leurs foyers, leur «moi» et leurs aptitudes mentales soient mis en pièces.»

Comment se développer par les rêves

Chapitre XI

Un corps sain grâce aux rêves

Quoique Cayce ait mis l'accent sur la puissance de l'« esprit bâtisseur » pour façonner l'existence de chaque individu, il insistait sur la nécessité de tenir compte du corps à chaque étape de sa croissance. Selon sa conception du développement individuel, l'esprit est confortablement emmailloté dans le corps, fortement affecté par la fonction des glandes endocrines, et indirectement affecté par le régime alimentaire, l'exercice, les éliminations, les attitudes et d'autres considérations. Par cette conception, Cayce adoptait une position très proche de la psychiatrie moderne.

Historiquement, sa position à propos du rôle du corps dans le développement de l'homme le rapprochait davantage du judaïsme et de la Bible que de la pensée grecque et des Gnostiques qui avaient alternativement prôné l'adoration de la forme humaine, ou traité le corps en tant que prison de l'esprit, Un jour, dans une interprétation, Cayce affirma que le corps, pour un être humain, est une structure aussi naturelle et aussi essentielle pour l'âme que l'ongle l'est pour le doigt.

Dans cette perspective, les rêves traient évidemment des soucis de la santé physique. Bien entendu, faisait remarquer Cayce, de nombreux rêves traitent de la santé physique en même temps que de soucis d'un autre genre.

Un associé qui n'arrivait pas à réunir rapidement les fonds pour l'hôpital Cayce rêva qu'il était constipé. Cayce interpréta le rêve comme se référant à la fois à la constipation physique qui réclamait des soins, et à la constipation de sa récolte de fonds qui était freinée parce que le rêveur voulait prendre trop d'initiatives par lui-même. Un autre rêveur se vit tomber dans la neige fondante d'une rue où il perdit ses gants, et perdit la trace de son frère. Il voyait ainsi, commenta Cayce, qu'il devait éviter de s'exposer inutilement aux rigueurs de l'hiver, et aussi qu'il devrait suivre de plus près les conseils de son frère, tant en matière de santé qu'en affaires.

Rêver du corps

Un homme d'affaires rêva de façon très précise d'une parente qui venait de quitter l'hôpital après une importante opération chirurgicale.

Nous étions tous allés à la ferme, et elle rentrait à la maison, toute seule, en revenant de chez le docteur. Lorsqu'elle entra dans la pièce, je me cachai derrière la porte pour qu'elle ne me voie pas. Elle était pâle et tremblante, et elle marmonnait quelque chose à propos d'une autre opération. Quelqu'un, dans l'assistance, dit qu'elle était presque hystérique.

Ce rêve, dit Cayce, était un sérieux avertissement à cette parente d'avoir à ralentir ses activités pendant la période postopératoire. Le rêve se situait dans une ferme parce qu'il était «toute sensation» contrairement à un rêve relatif aux activités mentales. On montrait le rêveur qui se cachait, parce que le rêve traitait d'une complication cachée qui était en train de se développer, ce qui nécessiterait une seconde opération si la femme n'était pas prudente. Et elle même était représentée «tremblante et hystérique» pour souligner l'avertissement de même que son espoir intime de guérir sans avoir à supporter à nouveau la douleur de sa première intervention, douleur que l'on pouvait éviter avec de la prudence.

L'avertissement reçut une attention particulière, contrairement à d'autres avertissements de santé à ce qu'il se soumette à un traitement ostéopathique. Cela expliquait, disait Cayce, le rêve dans lequel il allait retrouver quelqu'un dans un hôtel retiré. Le rêve signifiait qu'il devait se soumettre au traitement, même s'il devait éviter que les autres le sachent.

Un rêve très différent était celui d'une femme qui allait être bientôt enceinte.

Je m'apprêtais à aller nager en plongeant d'une plate-forme branlante, d'une structure très fragile. En sautant, ou en essayant de plonger, je pris un fameux plat, c'est à dire que j'atterris sur le ventre. Cela fit très mal.

L'entrée dans l'eau, une variante de la Mer Nourricière, ou de la mère de la vie animale en évolution représentait ici, selon Cayce, un symbole de sa prochaine entrée dans la maternité. Mais son corps, n'avait pas la forme requise. Il avait besoin de physiothérapie et d'exercices pour remettre en place et fortifier certains organes ; de là, une plate-forme branlante. Elle devait s'occuper d'obtenir les soins médicaux nécessaires pour la «plus grande fonction du sexe, la femme».

Comme c'était souvent le cas pour les rêveurs entraînés par Cayce, son second rêve de cette nuit-là traita de la même question.

J'étais de retour à l'Université, et je comptais loger au pavillon des étudiants. Je voulais deux chambres pour vivre avec deux autres filles, et je voulais une salle de bains privée. Je voulais de bon repas. Je décidai de ne pas rester parce que la nourriture était médiocre.

Ici, son rêve montrait le besoin qu'elle avait de se préparer à sa future grossesse — à la fois physiquement comme l'indiquaient les symboles de la nourriture et du bain, et mentalement comme le montraient dans le rêve son désir d'avoir de l'espace et d'être seule.

Son mari avait des éléments oniriques très différents à propos du corps.

Je regardais une grande annonce publicitaire en lampes électriques qui brillait dans Broadway. Elle disait : «La substance de la matière et de l'esprit est une seule et même chose.»

245

Cayce dit : «Cette vérité et sa compréhension devraient être affichées devant l'esprit et le cœur des gens» comme l'indiquaient les lumières, «au-dessus des grandes artères de l'existence».

Dans l'optique de Cayce, la matière et l'esprit constituaient deux des trois ordres de la création (qui étaient, disait-il, «la matière, l'esprit et la force»), et quoique différents, chacun vient du Créateur et lui répond. Pour lui, il n'y avait aucune place pour le dualisme qui déprécie la matière.

Le rêveur continua à rapporter son rêve qui était caractéristique du type philosophique ou réflectif qui apparaissait des dizaines de fois dans les comptes-rendus des rêves de Cayce.

J'ajoutai alors que la différence entre la matière et l'animal est que la matière est une forme matiériellement modifiée de cette substance bien définie tandis que l'animal est cette substance organisée pour se manifester matériellement en tant qu'esprit.

L'opinion du rêveur ressemblait fort à celle de Cayce, car Cayce considérait que toute la création subhumaine se dirigeait lentement vers la conscience avec les règnes minéral, végétal et animal dirigeant successivement la terre dans cet ordre, et ayant besoin de la conscience humaine pour couronner la progression. Le rêveur poursuivit le compte-rendu de son rêve :

Que la différence entre l'animal et l'homme est que le développement de l'organisation de l'animal se limite à la section du processus de la seule substance qui se change en une forme matérialisée, alors que l'organisation de l'esprit humain inclut dans sa forme matérialisée un développement gagné dans toutes les sections du processus de cette seule substance.

Le rêve était correct, selon Cayce. La conscience de l'animal est limitée à ce qui se développe depuis son cycle de vie, alors que la conscience humaine à cause du rôle de l'âme, inclut aussi des éléments appartenant à des domaines tout-à-fait différents de la création. L'homme est fait pour contenir en lui tous les modèles et tous les modes de créativité conçus jusqu'à présent par l'Éternel (il pourrait y en avoir plus un jour), car l'homme est « la plus haute Énergie Créatrice conçue dans le plan matériel. »

Alors Cayce parla de la mort, où la séparation des ordres de la création devient claire. À la mort, « ce qui appartient au domaine matériel reste matériel. Ce qui appartient au domaine spirituel reste spirituel L'homme développe l'âme, dans cette expérience (ou durée de la vie) le long de son plan d'existence. Comme l'animal, le corps humain (à la mort) devient une poussière de poussière. Comme le corps de la bête, tout ce qui est poussière de poussière se meut dans ses forces accumulées pour atteindre sa phase de développement, voyez-vous? Tandis que la force spirituelle va dans sa propre sphère, voyez-vous? Et cependant, tout vient d'Une Seule Source, car nous sommes tous frères. Dans l'esprit de Cayce, la création matérielle a ses propres lois et son propre destin, tout comme l'âme a ses lois et son destin. Les âmes qui sont en ce moment dans des vies terrestres se sont désorientées, et elles essaient trop souvent de vivre à la manière de l'âme selon la manière de l'animal, qui n'est pas une manière sans valeur, mais une manière qui ne leur convient pas dans le plan de création tel qu'il a été établi. La réincarnation est une manière de s'instruire sur les animaux, les corps et la création terrestre tout en suivant la longue destinée de l'âme.

Dans une belle allégorie onirique qui lui était propre, Cayce vit une représentation de ce processus. Il se vit vivre et mourir dans diverses existences sous la forme de divers animaux alternant avec des incarnations comme être humain. Il était un escargot, un poisson, une vache, un chien, un oiseau. Il était aussi un pêcheur, un berger, un garde militaire, un Indien et un soldat de la Guerre Civile. Son interprétation de ce rêve lui apprit spécifiquement qu'il ne fallait pas le prendre au pied de la lettre, mais qu'il était emblématique, quoiqu'on puisse trouver certains aspects des anciennes existences d'homme entrelacés avec l'imaginaire. Ce qu'il voyait était ce qu'un être humain peut apprendre de la création animale, depuis la crainte de l'extermination jusqu'à l'amour maternel, avec la haine des autres espèces et finalement le service rendu aux autres, tout cela étant symbolisé par les animaux du rêve. Il y voyait aussi la grandeur de l'existence humaine et de la camaraderie, même si elles étaient déformées par la confusion avec les enseignements du monde animal.

Les interprétations de Cayce soutenaient immanquablement que les hommes ne s'incarnent jamais dans des corps non-humains. Mais ce rêve avait emmené Cayce dans le monde animal de la manière la plus poignante, pour lui montrer ce que les humains apprennent dans leurs vies terrestres à propos des manifestations de la Force Unique dans les différents ordres de la création. Tout le reste, en dehors des âmes, est voué à se désintégrer et à se réintégrer sans fin. Les âmes, comme leur Créateur dont elles portent l'image éternelle, sont faites pour durer.

Rêver des soucis corporels peut prendre plusieurs formes.

Rêves sur les fonctions du corps

Les rêveurs de Cayce lui soumettaient des éléments oniriques qui se rapportaient à tous les systèmes principaux du corps.

Il y avait des rêves sur la circulation. Un homme rêva qu'une éruption se produisait au moment où il s'était coupé en se rasant et Cayce déclara que ce qu'il avait vu montrait qu'il avait dans le sang des toxines qui exigeaient un traitement ferrugineux. Lorsqu'il rêva plus tard de troubles glandulaires dans la gorge, cela représentait, dit Cayce, une mauvaise fonction endocrine, due à de l'anémie. Lorsqu'il rêva qu'on lui enlevait les amygdales, c'était pour l'avertir qu'il souffrait d'un autre genre d'embarras circulatoire. Un autre rêveur rapporta un rêve dans lequel le fait de manger quelques pâtisseries à une réunion de famille entraînait un échange de gros mots et une bagarre à coups de poings. On lui montrait ainsi, selon Cayce, que l'alcool était bon pour lui sous certaines formes s'il en usait modérément, comme dans la scène de la réception, mais non l'alcool produit dans le sang par un excès de sucreries — ce qui s'était produit au cours de la réception juste avant la bagarre à coups de poings.

Il y avait des rêves gastro-intestinaux. Cayce lui-même avait rêvé d'une petite roue qui avait cessé de tourner dans sa tête parce qu'elle manquait d'huile. L'interprétation disait qu'il voyait comment ses maux de tête provenaient d'un besoin de lubrification des intestins pour combattre la constipation. Un rêveur rapporta qu'une femme-médecin le soignait pour une épine dans le pied, alors qu'il se trouvait dans un magasin où un grand nombre de gens mangeaient de la crème glacée et des sodas. La femme serviable représentait, comme souvent dans les rêves d'homme, un élément de guidance ; dans le cas présent, pour l'éloigner d'un point sensible (Cayce disait en langage familier : « une épine dans le pied » de l'entité) qui était le goût trop prononcé qu'avait le rêveur pour les sucreries.

Il y avait des rêves respiratoires. On désignait au rêveur l'effet d'un rhume en lui montrant des marins qui lavaient le pont d'un navire en rejetant l'eau de la mer. Une infection des bronches étaient représentée par un étouffement. Il y avait des rêves d'hypocondrie, de déficiences sexuelles, de métabolisme altéré, de désordre nerveux.

Rêves à propos des soins corporels

Lorsqu'un rêveur rapporta qu'il avait souffert des jambes, dans un rêve, après un long voyage en chemin de fer, Cayce l'invita à faire plus d'exercices. Lorsque le rêveur lui raconta qu'il avait vu, dans un rêve, son frère paralysé, Cayce dit que cela concernait partiellement un danger pour la santé du frère, mais surtout la tendance qu'avait le rêveur lui-même à être morose à cause du manque de repos et de distractions.

Il y avait des rêves relatifs à un changement de régime alimentaire. Un homme rêva que des tomates feraient du bien à sa femme, et Cayce se déclara d'accord. Un autre se vit apporter une tasse de moka alors qu'il avait commandé une grande tasse de café. Son subconscient lui montrait ainsi qu'il abusait de la caféine pour son système nerveux. Un rêve d'huile de foie de morue incita le rêveur à en prendre, tandis qu'un autre rêve l'invitait à ne pas ennuyer sa femme sexuellement quand elle avait ses règles. Une série de rêves de golf poussa un rêveur à aller en jouer, et un autre décida de mieux s'habiller quand il sortait après avoir rêvé qu'une petite charrette avait roulé sur son imperméable. À la suite de ses rêves, une mère prit davantages de précautions pour empêcher son bébé de tomber, et changea ses habitudes pour pouvoir l'exposer davantage au soleil.

Cayce eut un rêve très net dans lequel il se trouvait à l'église au moment où le service allait commencer, lorsque le sol s'effondra tout à coup. Son interprétation lui dit d'éviter le « service » aux autres à travers ses interprétations jusqu'à ce que son corps soit dans un meilleur état général pour en supporter la tension. Il prit des vacances car sa famille et lui-même se souvenaient trop bien des quelques occasions effrayantes où les transes l'avaient conduit à un coma dont il n'arrivait pas à sortir malgré toutes les suggestion qu'on lui faisait.

Rêves sur les soins médicaux

Un certain nombre de rêves portaient une appréciation sur certains docteurs, les approuvant parfois, ou parfois les désapprouvant, ce qui amenait un changement de médecin. D'autres émettaient un avis sur tels médicaments administrés au rêveur. Un jour, Cayce lui-même rêva d'une complète prescription pharmaceutique en huit éléments pour traiter son rhume, et découvrit que le remède était efficace. Il y avait de spécifiques avertissements oniriques sur la manière d'éviter les dangers d'une épidémie de diphtérie ou de polio. Certains rêves conseillaient des bains de vapeur et le jeûne.

Et, bien entendu, certains rêves préconisaient la prière comme élément de participation à la guérison. Une femme rêva de deux docteurs mais ne put se rappeler que le nom d'un seul. Cayce lui rappela que l'autre, dans le rêve, avait été le «Grand Médecin» dont l'assistance avait été réclamée en même temps que des soins médicaux pour sa mère mourante. Lorsqu'un homme essaya de comprendre, dans un rêve, pourquoi ses prières pour la guérison d'un autre n'avaient pas été efficaces, il rêva que «deux plus deux font quatre» faisait partie du rêve. Cayce expliqua que pour une telle guérison, «deux consciences doivent se manifester par une seule loi psychique ou spirituelle». Le doute ou la crainte dans l'esprit de l'une des deux peut bloquer le fonctionnement d'une loi qui, autrement, est aussi exacte que les mathématiques.

Question : Comment peut-on le mieux utiliser les rêves relatifs au corps?

Cayce n'encouragea jamais ses rêveurs à être leur propre médecin. Il considérait que la plupart de leurs rêves sur le corps étaient destinés à les rendre sensibles à des soucis qu'ils avaient déjà eus mais qu'ils avaient négligés, ou il considérait que ces rêves les poussaient à aller voir leur médecin.

Il ne les incitait pas à considérer que les rêves sur la mort et sur de graves maladies étaient à prendre au pied de la lettre : car souvent le subconscient peut rendre dramatiques par une imagerie aussi effrayante ce qui ne constitue que des tendances aptes à conduire à des ennuis d'ordre médical. Dans les quelques rares cas où il s'agissait vraiment de la mort, il faisait remarquer que les éléments du rêve traitaient moins de soucis matériels que de préoccupations psychologiques et émotionnelles destinées à préparer le rêveur et les autres à affronter la transition qui se préparait.

Il notait la fréquence de certains éléments oniriques relatifs à une véritable fonction corporelle lorsque les rêves portaient sur le corps. Ils mettent alors en lumière la nourriture, ou un médicament, ou la douleur, ou une partie du corps, ou bien ils mettent en scène un médecin ou une infirmière. Les rêves relatifs au corps ne se servent pas d'obscurs symboles. Et ils ne sont pas isolés. Si l'avertissement est sérieux, ils sont répétés, et il arrive même souvent qu'ils soient également donnés à des parents.

Mais le corps peut aussi apparaître sous forme emblématique dans les rêves, disait Cayce. Les pieds peuvent représenter la situation ou la position de quelqu'un. La douleur peut être le symbole de la souffrance. Dans le cas d'un rêveur, des nœuds dans les cheveux représentaient des nœuds dans son raisonnement.

Quelques-uns des rêveurs de Cayce avaient des rêves répétés à propos d'animaux. Il disait que ceux-ci représentaient des fonctions corporelles et aussi, de façon plus significative, les attitudes psychologiques que symbolisaient lesdits animaux. Pour les aider à comprendre ces symboles, il incita certains de ses rêveurs à étudier l'imagerie de la mythologie, et aussi le Livre de la Révélation dans la Bible. Il développa pour eux toute une théorie de fonctionnement des glandes endocrines en fonction de facteurs psychologiques. C'était un aspect étrange de son interprétation des rêves et des symboles, mais pour Cayce en hypnose c'était, tout aussi terre à terre qu'un mal de gorge, qu'une fausse couche ou que les bienfaits de la natation pour un financier sédentaire.

Chapitre XII

L'orientation de la vie par les rêves

Dans l'optique des interprétations de Cayce, aucun homme ne peut ou ne devrait inventer sa propre existence.

Il y a trop d'inconnues pour que la conscience puisse les saisir. Il y a les impulsions, les talents et les problèmes issus des existences antérieures du sujet. Il y a les courants de changement social, politique et religieux qui se meuvent sous la surface des différentes époques de quelqu'un et qui requièrent de la part d'un individu des réponses imprévisibles. Il y a des âmes qui attendent de naître comme enfants ou petits enfants de quelqu'un, si certains choix peuvent être faits. Il y a dans chaque étranger une étincelle de divin qui attend d'être attisée et transformée en flamme. Il y a les désincarnés qui se groupent autour des hommes de bonne volonté et des bons travailleurs, les uns prêts à apprendre, les autres prêts à aider. Il y a même des anges qui doivent être reçus à l'improviste.

Étant données toutes ces inconnues, on ne peut demander à aucun homme d'imaginer la meilleure trajectoire de son existence — ni de sa vocation, ni de son mariage, ni de sa communauté, ni de ses causes, ni de son peuple.

Mais il suffit à tout homme de commencer avec ce qu'il connaît de mieux.

Les âmes ne sont pas jugées selon des critères absolus, disait Cayce. Elles sont jugées sur leur fidélité à leurs propres idéaux, sur leur propre compréhension. Et elles ne sont pas tant jugées sur leurs échecs que sur leur volonté de se relever et d'essayer encore.

Il vaut mieux pour un individu, disait-il souvent, de faire quelque chose de son existence, même s'il se trompe, que de ne rien faire du tout, de simplement aller à la dérive. Car lorsqu'une vie est mise en mouvement sur la base de ce que l'on connaît de mieux, même si cette vision est inadéquate, les forces utiles seront toujours appelées à intervenir, à la fois dans l'individu et en dehors de lui, et elles peuvent redresser sa course dans l'aventure de son développement.

Personne ne doit inventer sa propre existence. Il suffit d'utiliser « ce qu'on a à portée de la main ». « Le reste vous sera apporté ». Car il y a deux forces de secours toujours en action pour guider le déploiement et la dépense d'une existence humaine.

L'une de ces forces est l'étincelle créative originelle de la personne, une force qui a été placée en elle à la création et qui porte en elle un potentiel d'amour et de créativité aussi grand que celui du Créateur Lui-même. L'autre est un esprit de serviabilité, d'incessante créativité, de gentillesse et de sagesse « répandu dans l'Univers » et qui, pour Cayce, était représenté par le Christ parce que, en tant qu'âme, Il en avait donné le plein exemple. Cette autre force « cherche ce qui lui ressemble » dans l'individu lorsqu'elle est autorisée à le faire et elle amplifie tout ce qui est bon à l'intérieur de la personne. Selon les conceptions de Cayce, les rêves sont d'une importance primordiale pour la rencontre de la force créatrice fondamentale d'une personne avec cette autre force qui cherche sans cesse à l'assister.

Un agent de change qui se débattait avec la question de savoir ce que Dieu attend de l'âme humaine eut en rêve une vision vigoureuse et inoubliable dans laquelle Dieu Lui-même lui rendit visite à son appartement. Le rêve commençait par se fixer sur le travail quotidien du rêveur.

Je me trouvais dans ce qui paraissait être une gare de chemin de fer, et j'achetais un tas de bonbons. Je payais 1$ par boîte, et j'espérais les revendre pour 2$ pièce.

Le rêveur voyait là, disait Cayce, sa propre vocation d'acheter et de vendre des valeurs qui lui semblaient souvent du luxe, comme les bonbons au milieu des besoins du monde, mais qui étaient en fait de première nécessité. Il avait déjà dit auparavant au rêveur que Dieu était le Dieu de la Rue autant que du temple ou de l'hôpital. Le rêve se poursuivait en mettant fortement en lumière le désir du rêveur de rendre service aux autres.

> *Tandis que je sortais les bonbons de ma voiture, je vis une femme avec des enfants, elle aussi chargée de paquets. J'eus le sentiment que je devais l'aider à les porter. «Si je pouvais terminer mon travail — sortir tous ces paquets de ma voiture — je vous aiderais» dis-je. «Oh, ça va bien, dit-elle. Nous avons une voiture dehors. Ce n'est pas lourd et ce n'est pas loin.» Je remarquai qu'elle était bien habillée, qu'elle avait une voiture et qu'elle était chargée de ce qui semblait être des batteries de radio. C'était surtout l'enfant qui semblait en porter.*

Il voyait ainsi son désir d'être plus utile que ne le permettaient ses occupations présentes. Mais en affirmant qu'elle pouvait s'en tirer toute seule, la femme lui rappelait que le meilleur service qu'il pouvait rendre aux autres était de les aider à découvrir ce qu'il y avait de meilleur en eux. Il pouvait y arriver en partie en étant un excellent agent de change. Puis, en temps voulu, il serait en mesure d'enseigner et d'écrire en émettant des «messages» qui étaient symbolisés par l'allusion à la radio. Il devait parcourir le chemin du devoir dans sa vie quotidienne et il découvrirait que cela lui apportait la promesse d'une association avec le divin, ce qui était le destin offert à chaque âme. C'était le fardeau de la partie suivante du rêve :

> *Je retournai à mon travail. Il semblait mesquin et peu agréable. Il était nécessaire de travailler, mais il me semblait que ma situation et mon genre de travail étaient médiocres lorsque je me rappelai «la promesse» (faite dans un autre rêve) que je serais «élevé jusqu'à Lui», et j'y puisai une réelle joie. Je commen-*

çai à chanter tout en travaillant et en sortant les boîtes
de ma voiture.

Comme pour souligner cette pensée, le rêve bascula alors vers des conseils pratiques à propos de valeurs : le rêveur vit un de ses partenaires d'affaires faire quelque chose de ridicule à la Bourse.

J'étais assis dans une pièce, à l'étage, avec Wm L. Il
paraissait jouer d'un instrument de musique. Puis il me
demanda si j'avais acheté des titres de Hupmobile.

Le rêveur devait noter, dit Cayce, que l'incongruité de la scène était déjà un avertissement au rêveur à propos de ces valeurs-là.

«Non», répliquai-je. «Je n'en veux pas». «Alors, vous
ne profiterez pas du mouvement dans lequel nous
sommes engagés».

Je vis que l'on vendait des tas de titres d'Hupmobile,
des rames entières sortant du ruban, des milliers d'ac-
tions à la fois. On vendait Hup aux environs de 20-22.

Encore une fois, dit Cayce, l'élément incongru était un avertissement à propos de ces valeurs, quoique celles-ci seraient bientôt très actives, comme le faisait prévoir le rêve. Ceci fut encore souligné davantage par l'impossibilité pour le rêveur de placer son ordre.

Je me précipitai pour acheter 100 actions, mais je ne
pus faire passer l'ordre. Je me précipitai sur le télé-
phone de la Bourse pour placer l'ordre moi-même,
pour acheter 100 actions de Hupmobile au marché
lorsque l'employé de L. me prit le téléphone des mains
comme pour dire : «Ceci n'est pas votre affaire». Il
ajouta : «Je vais transmettre l'ordre pour vous». Ce
qu'il fit. Puis je revins m'asseoir près de L. et je vis qu'il
commençait à jouer de la guitare ou du banjo.

Il était clair, commenta Cayce, que le rêveur était averti de ne pas s'occuper de ces valeurs maintenant. Il devrait plutôt les étudier et utiliser son jugement conscient. Lorsque, plus tard, les perspectives seraient meilleures, d'un point de vue conscient, il pourrait se tourner vers son subconscient pour obtenir confirmation, «et ce qui est nécessaire à l'usage en ce qui le concerne lui sera présenté à ce moment».

Le rêveur devait-il se renseigner sur ces valeurs seulement en rêve, ou également en état de veille? Cayce dit que la suite du rêve lui montrait qu'il pouvait obtenir des directives des deux côtés s'il s'y attelait :

Puis, je fus à la maison. Dans le vieux salon, semblait-il, de notre maison du haut de la ville.

Le décor de la vieille maison et les associations qu'il entraînait servaient à indiquer, selon Cayce, à la fois les valeurs liées à la vie familiale de là-bas et la possibilité de directives conscientes données par le père aujourd'hui décédé du rêveur. Celui-ci comprenait déjà qu'en centrant sa vie sur les valeurs les plus hautres, et grâce au temps et aux soins qu'il leur consacrait en harmonie, il pourrait obtenir une meilleure guidance télépathique qu'il n'en avait eue jusqu'à présent, comme devait le montrer la suite du rêve, avec son allusion à l'unisson par delà les distances.

La radio marchait, et ma mère, mon frère et moi en profitions, les deux premiers dansant sur sa musique et moi assis en train d'écouter. Puis, il sembla que nous ne pouvions pas obtenir d'émetteurs éloignés. J'essayai de régler le poste, et je n'y arrivai pas. J'enroulai quelques fils autour d'une bobine, et j'attachai cet instrument à l'appareil en essayant ainsi d'améliorer la réception, mais cela ne fonctionna pas. Et pourtant, cela aurait dû, cela aurait pu. J'abandonnai et nous recommençâmes à écouter les stations locales.

En aucun cas, le rêveur ne devait abandonner, insista Cayce. Il avait de l'aide à portée de la main.

Puis notre servante entra, et elle dit : « Vous devriez vous rapprocher de la porte d'entrée, car Dieu pourrait venir. Il entrera par là». Mon frère et ma mère lui accordèrent peu d'attention, mais moi, je me levai aussitôt et je m'avançai.

C'était la servante qui faisait l'annonce, dit Cayce, parce que «celui qui veut être le maître doit être le serviteur de tous», et, «un petit enfant les conduira».

Puis, la servante annonça le distingué visiteur : «Dieu» nous rendait visite. Je me précipitai dans le hall, vers la porte. À mi-chemin, je rencontrai Dieu et je sautai vers

Lui, je lui posai les bras autour du cou et je l'étreignis. Il m'embrassa.

La ressemblance avec l'histoire du Fils Prodigue se situait dans la profonde affection du rêveur pour son propre père, qui lui était apparu dans d'autres rêves comme une première vision du «Père Céleste».

Après cela, je remarquai l'aspect de Dieu. C'était un homme grand, bien bâti, bien rasé, bien découplé, vêtu d'un costume brun et coiffé d'un derby gris. Il avait un regard intelligent, l'œil aimable mais perçant. Son expression était ferme et ses traits bien marqués. Il était éclatant de santé, robuste, l'air d'un homme d'affaires consciencieux, mais aimable, juste et sincère. Il n'y avait en lui rien de négligé, d'équivoque, de larmoyant, de sentimental, un homme avec lequel on pouvait dire qu'on aimerait faire des affaires. Il était Dieu dans la chair d'aujourd'hui, un homme d'affaires ou un industriel, pas un ecclésiastique, pas habillé de noir, pas faiblard, un homme fort, sain, intelligent, que je reconnus comme l'homme d'aujourd'hui. Je l'accueillis et que j'étais heureux de le voir. Et dans cet homme droit et superbe, je reconnus, non un homme ordinaire, mais Dieu.

La vision qui avait été donnée au rêveur, dit Cayce était «de celles que l'on avait dans les temps anciens, comme en eut Abraham le jour de la destruction des villes de la plaine». Le rêve avait montré Dieu sous les traits d'un homme, non comme un serviteur, mais comme «un égal en toutes choses et de toutes les manières, par l'aspect, par la conversation, par le costume» de manière à imprimer au fer rouge dans la conscience du rêveur la compréhension que Dieu désire «rendre l'homme, lorsqu'il se présente dans sa plénitude, égal à cette Plénitude». Comme il a été dit : «Nous ferons l'homme à notre propre image» en «donnant à l'homme cette part à la création» au sein de son âme elle-même et dont l'effet sera que «l'homme peut devenir comme Dieu et faire Un avec Lui».

C'était une audacieuse peinture onirique des intentions de la création elle-même, où la destinée de l'homme est de devenir un co-créateur égal avec le divin, mais non le Tout. Le dessin n'en est pas tellement étrange, disait Cayce. Car il a déjà été exposé «lorsque le Fils de l'Homme en chair s'est manifesté dans le monde et S'est fait Un avec l'homme; et cependant Sa volonté, sa Force, Son assistance (qui n'est pas tirée de Lui) viennent d'une Force Toute-Puissante.»

Cette promesse, dit Cayce, n'a rien d'automatique. Chaque personne doit choisir d'écarter tout ce qui l'aveugle, tout ce qui détourna son attention «ce qui empêche l'homme dans sa forme présente de reconnaître la force, la puissance, la manifestation du Dieu qui S'est Lui-même présenté à l'homme dans les démarches quotidiennes de l'existence.» Le problème peut être compris dans la séquence suivante qui se passe au temps de la Prohibition.

Puis nous passâmes devant mon armoire à liqueurs. Elle était à moitié ouverte. Dieu regarda à l'intérieur. Je Lui montrai le placard à moitié ouvert. Puis je pensai : «J'oublie qu'il n'est pas l'homme ordinaire qu'il parait être, mais Dieu, et qu'il sait tout. Aussi, autant lui montrer tout que de faire semblant».

C'était une réponse qui n'était pas sans rapport avec le repentir.

Aussi ouvris-je l'armoire toute grande pour qu'il puisse voir. Je lui montrai mes alcools, particulièrement le gin que j'utilisais pour les cocktails. «En cas de maladie» dis-je à Dieu. «Vous ne serez pas pris de court,» répondit Dieu sur un ton sarcastique.

Mais ce n'est pas seulement l'infraction aux lois, la fraude, la complaisance, l'usage de la drogue qui coupe l'homme de tout contact avec le divin, fit remarquer Cayce. Le rêve lui-même en venait maintenant au problème plus profond de «la déficience de pensée, de manque de tranquille introspection» conduisant l'homme à se priver du «grand amour qui lui est témoigné» et «de la grande force, de la grande puissance qui se manifeste» et «du grand bien que l'on veut voir» briller partout et qui transforme «même ces faiblesses ou ce que l'on peut considérer comme péché.»

Nous entrâmes dans le salon où la radio jouait toujours, et où ma mère et mon frère continuaient à s'amuser. Je voulais leur présenter Dieu, mais ils ne semblaient pas le reconnaître.

«Évidemment qu'ils ne peuvent Le reconnaître,» pensai-je. Comment le pourraient-il s'ils ne croient pas qu'Il s'est fait chair il y a longtemps dans le Christ et qu'Il aurait la science et le pouvoir de se faire chair à nouveau dans un Homme exactement semblable à celui qui était devant moi. S'ils ne comprennent pas comme Dieu S'est fait chair dans le Christ, comment pourraient-ils reconnaître un Dieu de chair aujourd'hui?

Comment pourraient-ils comprendre que la vraie manifestation de la vraie perfection qui est en nous constituait la manifestation de Dieu, qu'il s'agisse d'un homme dans une de ses aptitudes, ou de Quelqu'un d'autre? Aussi ne Le virent-ils pas, ou du moins ne Lui prêtèrent-ils aucune attention.

Cette partie du rêve réclamait une pressante réponse de la part de Cayce qui disait que chaque individu doit «savoir, quand on est à l'unisson avec l'Infini, combien est grande la puissance qui est entrée en action pour pouvoir faire apparaître les manifestations du divin qui sont en soi» — dans ce seul dessein : «que les hommes, les autres, tes frères, puissent savoir que Dieu *est* et qu'Il récompense ceux qui Le cherche avec zèle.» Une telle assistance ne se gagne pas par le mérite et ne se trouve pas en abdiquant son identité. «Non comme un cadeau que l'on achète, ni comme quelque chose qui prendrait la place de l'individu lui-même. Mais comme la conséquence de l'amour du Père pour ses créatures, pour Son Moi Lui-même dans l'âme, la part de Lui qui est en l'homme destiné à être Un avec Lui.»

L'aide que Dieu apporte à l'homme, pense Cayce, n'est pas une assistance vague et abstraite, mais elle est aussi concrète et immédiate que le travail quotidien ou la prière quotidienne, ce que montre la scène suivante du rêve. Car Il était Celui dont on a dit : «Il n'est pas un moineau qui tombe sur le sol sans qu'il en tienne compte».

Je m'assis sur le canapé pour discuter avec Lui. «Vous pourriez travailler plus dur» dit-Il. Je faillis répliquer, puis je me dis que Dieu savait tout et que cela ne servirait à rien. J'approuvai faiblement. «Vous pourriez difficilement en faire moins» continua-t-il.

«Comment vous en êtes-vous tiré avec Hup Motors?» demanda-t-il. Je ne pouvais le dire exactement... pas tellement bien semblait-il. «C'est un achat de L., un conseil de L. n'est-ce pas?» demanda Dieu. Mais je savais que Dieu savait avant même de poser la question. «Oui», répondis-je. «À peu près tout ce que vous avez pu faire récemment fut d'augmenter le capital, n'est-ce pas ?» dit Dieu en me montrant du pouce ma mère à qui je venais d'emprunter de l'argent. «Oui, c'est à peu près tout», dis-je.

Dieu regarda vers la radio. Tandis que, debout, je l'examinais moi-même, Dieu disparut.

De cette manière toute simple, dit Cayce, on avait montré au rêveur par où il devait commencer. Comme la radio rendait possible la transmission d'un être humain à un autre «des choses, des conditions, du bien, du mal qui se trouvent en quelqu'un, combien davantage — à travers les forces infinies — se transmettent les pleurs et les supplications de tout individu vers le Père au Haut des Cieux!»

Il était temps pour le rêveur, notait Cayce, de «prendre des titres» sur lui-même dans la lumière de cette vision, de se considérer comme «le serviteur de l'Unique», mais un serviteur qui trop souvent «ne voit pas, parce que ses yeux sont aveuglés». Cependant, il ne devrait pas désespérer, mais se mettre lui-même à l'unisson, comme le suggérait la radio «car la promesse en a été faite aux fidèles qui Le prient, Lui, le Dispensateur de tous les dons les meilleurs et les plus parfaits.» Les valeurs, c'était Lui qui les donnait, mais bien plus encore. Il pouvait amener toute une vie à s'épanouir, «car en Lui nous vivons, nous nous mouvons et nous avons notre être».

Le poids d'un tel rêve incita tout naturellement le rêveur à regarder de haut les autres qui n'avaient pas reçu une telle faveur. C'est pourquoi, il eut une autre vision qui corrigea ses perspectives. Elle était simple et directe :

Je me mis au lit et j'aperçus devant moi une statue de marbre. Il me semblait qu'elle se tenait juste tout près de moi, ou juste près du lit dans la pièce. C'était une statue sans tête comme certaines statues de marbre de Zeus, le Dieu grec. Comme d'habitude, je m'effrayai (tant la vision était vivace), mais je me sentis rassuré en pensant que ce n'était qu'une image, ou le reflet des lumières que j'apercevais maintenant au plafond. « Simplement une image de ces lumières », dis-je pour me rassurer. Mais la statue demeure, ainsi que les lumières.

Cayce confirma le sentiment qu'avait le rêveur d'une connection entre la statue et les lumières, car il avait vu une représentation de la force spirituelle et des résultats matériels, des lumières qui mettent en valeur les produits et les créations des hommes. Chaque homme, rappela Cayce au rêveur, édifie finalement sa statue du divin avec ce qu'il connait le mieux, quel que soit le nom qu'il lui donne, ou même pas de nom du tout. Qu'il puisse ne pas connaître la source de cette force Unique se déduit du fait que la statue n'avait pas de tête. Mais chacun fait ce qu'il peut pour donner une forme à ce qu'il croit être Tout-Puissant de l'Univers, et aucun homme ne peut raisonnablement juger ou condamner cet effort de son frère.

Chaque individu doit plutôt lutter contre son propre mal, contre ces tentations qui peuvent le blesser, lui et les autres. Elles ne sont pas tellement difficiles à découvrir, dit Cayce au rêveur « car comme il a été bien dit, trois conditions empêchent l'homme sur le plan terrestre de visualiser les éléments spirituels qui se trouvent dans toutes les formes phénoménisées du monde physique : la fierté du regard, la faiblesse de la chair, le désir de la renommée. » Chacun de ces éléments sème le doute et la peur chez l'individu, et lui fait perdre sa perspective, comme le rêveur put le voir dans cette surprenante vision :

Je me trouvais quelque part à je ne sais quel moment. Je contemplais le miracle de la puissance intérieure de tous les phénomènes du Seigneur. Je réfléchissais à la direction des formes de cette puis-

sance, loin du Moi Unique, hypnotisant sa destinée, comme le dit Bergson, de manière à apparaître sous une forme individuelle charnelle et comme un phéno- mène matériel.

Je vis aussi sous cette forme les expériences de ma vie, et j'étais heureux de ma double vision de la forme exté- rieure et du processus interne.

Alors une fille, qui représentait apparemment la sagesse et la conscience de cette puissance intérieure, et qui paraissait parfaitement consciente de mes con- naissances limitées, lança une pierre dans l'espace. Elle passa dans le ciel comme une étoile filante et elle alla frapper quelque animal dans l'espace.

« Il va obtenir quelque chose à quoi il ne s'attend pas » dit la fille en parlant de moi. Et en effet, il en fut ainsi. Car la pierre, ayant frappé l'animal dans l'espace, le précipita sur terre. Ils étaient deux, et ils étaient en cage. Sur terre, ils rampaient sur leur ventre comme un hideux serpent, mais la tête et le cou dressés comme de puissants dragons. Ils se déplaçaient en traînant leurs cages avec eux.

Ailleurs, Cayce avait décrit les dragons comme la somme des passions humaines et des énergies animales, lorsqu'il discutait de la symbiologie du Livre de la Révélation.

Ils s'approchèrent de la fille, puis tout près d'autres choses : et quoiqu'ils semblassent dangereux et que j'eusse très peur pour les choses et les gens dont ces animaux s'approchaient, ils semblaient ne faire aucun mal. En fait, ils arrangeaient même les choses. Com- ment, je ne puis le dire, car je les considérais comme une menace, c'est-à-dire que je les regardais avec crainte tout en observant qu'ils ne faisaient aucun mal. La crainte était en moi, c'était la hideuse interprétation de ce que je reconnaissais en moi. Mais le bien semblait en eux, car ils se transformèrent soudain de hideux animaux en charmants petits enfants qui riaient libre- ment et qui dansaient de joie.

Alors, dit le rêveur, la même conclusion fut présentée d'une manière différente :

> *J'étais dans une maison avec cette fille qui semblait représenter la puissance, l'élan intérieur, le Seigneur de la création — ou, comme ce pouvoir était repré-senté en moi — mon propre subconscient qui, dans une dimension inférieure, est également présent en toutes choses.*
>
> *J'étais dans la maison matérielle et je savais que ma jolie compagne insaisissable s'y trouvait également. Et pourtant, j'avais beaucoup à apprendre à son sujet, et elle décida de me donner une leçon. Eh bien, mainte-nant, je savais qu'elle était là, et je voyais dans ma vision la leçon par laquelle elle voulait me surpren-dre... c'est-à-dire que j'étais supposé ignorer ses plans. Je grimpai les escaliers de la maison et pendant ce temps, la fille dit à quelqu'un : « nous allons lui faire une surprise et lui apprendre. » Tout cela derrière mon dos, si je puis dire. Quand j'entrai dans la pièce, au lieu de la belle fille que j'espérais y trouver, je vis une hideuse face noire, si laide et si féroce que je m'éva-nouis de peur. En revenant à moi, je vis ce personnage transformé à nouveau en une belle fille. Elle se tenait au-dessus de moi, séduisante, souriante, encoura-geante. Heureux — reconnaissant son esprit — je n'en fus pas moins effrayé.*

Le rêveur lui-même avait deviné que le rêve lui montrait comment la peur déforme les expériences humaines, les énergies humaines. Cayce lui dit que c'était exact, et que la peur et l'égoïsme sont prédominants dans ce que les hom-mes appellent l'enfer, « car ils sont ce qui sépare en premier lieu une entité de Dieu. » La fille, comme souvent dans ses rêves, était la force de la vérité dans son existence, et elle l'éduquait.

Les passions humaines peuvent être monstrueuses ou enjouées, hideuses ou séduisantes, et cela dépend entière-ment de ce que les êtres humains en font. En elles-mêmes, elles ne sont que puissance ou énergie. Cayce notait ce thème dans de nombreux rêves qui lui étaient soumis.

Rêves sur les passions

Il y avait de nombreux rêves sur le sexe dans les centaines qui furent soumis à Cayce, et ils utilisaient divers emblèmes. Un rêveur, impliqué dans une aventure illicite, se vit occupé à chasser un brillant cochon blanc. Dans un autre rêve, il se vit tomber dans une trappe et être pris aux jambes dans un réseau de fils... des pièges et des enchevêtrements, selon l'interprétation de Cayce. Un rêveur se vit plus d'une fois en train de jouer un jeu où il y avait ds pointes dans des rainures. Un autre rêvait qu'il se trouvait dans un marais avec sa secrétaire qui essayait de l'en tirer. Lorsqu'elle ne put y arriver, elle dit : « alors, tirez-moi dedans ». C'était un rêve que Cayce n'avait aucun mal à interpréter. Mais Cayce ne dépréciait pas les énergies sexuelles. Il incitait au contraire constamment ses rêveurs à mener des existences bien équilibrées. Une femme qui se refusait à son mari fut priée de considérer le problème par elle-même, et non de s'en remettre à ses interprétations pour se justifier.

La colère aussi a sa place dans les affaires humaines, comme le voyait Cayce en interprétant des rêves pleins d'hostilité. On peut, comme l'avait dit Paul dans le Nouveau Testament, « être en colère, mais on ne peut pécher ». Cependant, la colère, mêlée à la cruauté, à la crainte et à la défensive, a sa propre façon d'empoisonner le coléreux, pas seulement mentalement mais aussi physiquement. Un rêveur qui, dans un rêve, était un général massacrant l'ennemi sans pitié, voyait, disait Cayce, son propre esprit vindicatif qui le conduisait souvent à rêver que le Ku Klux Klan le persécutait.

Le danger de la fixation égoïste était souligné, dit Cayce, dans le rêve d'un homme qui était trop fier de ses ancêtres et de son clan. Il s'accrochait désespérément à sa femme tandis qu'un train suspendu vacillait dangereusement sur sa voie.

Une partie de la réponse à l'appel des passions, selon Cayce, devait être cherchée dans les distractions et l'enjouement. On doit prendre le temps de faire une bonne partie des choses que l'on voit dans les rêves — aller au théâtre, converser avec des amis, lire, jouer au golf, faire des voyages, lire des bandes dessinées — tout ce que l'on sait, par expérience, avoir un effet bénéfique.

Rêves sur la lutte pour la réussite

Un des rêveurs de Cayce eut une mémorable expérience onirique du Christ. Mais dans le rêve, Palm Beach se montra plus fort que le Christ, car le rêveur perdit Sa trace pendant qu'il se pavanait devant des associés riches dans un hôtel balnéaire. Cayce n'eut aucun mal à dégager l'avertissement donné par le rêve. Le même rêveur s'était vu, dans un autre rêve, arriver devant deux ponts, l'un plus haut, l'autre plus bas. Il avait emprunté le plus bas malgré qu'il dût ramper pour le traverser, parce qu'il lui était plus familier. Cayce lui dit que son rêve l'avait placé devant le choix de deux styles de vie.

Mais le choix auquel ses rêveurs étaient confrontés n'était pas entre l'ascétisme et un environnement de bon goût. Cayce ne réprouvait pas la richesse et les bonnes situations, pour autant qu'elles ne soient pas le but suprême. Lorsqu'un rêveur se vit reprocher d'avoir endommagé à New York la façade de l'élégant immeuble de briques de quelqu'un, Cayce lui dit que ses idées allaient certainement embarrasser certains de ses élégants associés. Mais le dommage ne serait pas permanent, ni pour lui ni pour eux, s'il s'en tenait à la vérité, car «Dieu est Dieu, même dans une maison de briques. »

L'attrait de la richesse ne se manifestait pas seulement chez les autres, dans les rêves, mais chez Edgar Cayce lui-même. Plus d'une fois il se vit faire une fugue avec une jolie fille abandonnant sa famille. Outre l'étalage de ses tendances sexuelles, ses rêves lui firent comprendre qu'il avait la tentation de placer la fortune au-dessus d'engagements plus importants. Il n'échappait pas non plus aux rêves de recherche illicite de la renommée, en donnant des conférences dans des clubs de femmes, en localisant des trésors, ou même en prenant contact avec les morts. Il aurait sa place dans l'histoire, lui assuraient ses interprétations, mais pas par de tels actes, plutôt par la qualité des services qu'il rendait aux autres.

Un rêveur qui était de stature légère et de tempérament émotionnel aspirait à être célèbre aux yeux de ses compagnons, comme ses rêves ne cessaient de le lui montrer. Son goût du faste se matérialisa lorsqu'il se vit en zélé capitaine de navire. Un garçon du nom de Tom trouva un moyen différent et meilleur en manifestant sa créativité avec des antennes de radio à travers toute une ville. Montrer aux gens comment mettre de l'harmonie dans leur vie quotidienne constituait un meilleur service que d'être capitaine d'un paquebot de ligne.

L'attrait des capacités psychiques occupait souvent les rêves de ceux qui s'adressaient à Cayce à cause de son exemple et de leurs propres expériences sous sa direction. Mais cet attrait comportait aussi des avertissements. Un homme se vit responsable d'avoir sorti Cayce de transe et de l'avoir abandonné dans un sérieux danger personnel afin de ne pas troubler ses invités par la vue étrange d'un homme en état d'hypnose. Il devrait choisir, dit Cayce, entre l'amour des apparences et le développement d'une réelle aptitude.

L'appel de la sagesse était également irristible chez les rêveurs de Cayce, stimulés qu'ils étaient par l'étendue des connaissances sur lesquelles Cayce s'appuyait. Un homme rêva de la connaissance comme d'un chien qui s'était retourné contre lui et qui l'avait mordu. D'autres rêvaient de la vérité comme d'une belle femme qui descendait les escaliers, ou qui se tenait devant un bar — mais capable de se montrer laide et d'avoir d'impérieuses exigences. Cayce lui-même rêva de la sagesse comme d'un serpent, après que la perte de l'hôpital l'eût guéri de certaines attitudes condescendantes. Dans le rêve, le serpent lui parlait, disant qu'il ne lui ferait plus de mal, après qu'il l'eût chassé avec un grand bâton — « la baguette ou le soutien de la vie » donné à ceux qui sont fidèles à Dieu, disait l'interprétation du rêve.

Il était difficile à Cayce d'entraîner ceux qui avaient des pouvoirs oniriques nouvellement découverts à les utiliser dans une existence équilibrée. Un homme rêva qu'il bénéficiait, dans une partie de golf, de l'assistance d'un désincarné qui lui disait qu'il ne pouvait pas l'aider s'il continuait à aller aussi vite. Le lendemain, après avoir examiné ce rêve, il joua la meilleure partie de golf de sa vie. Le même problème devait être affronté dans les affaires et dans la vie familiale, dit Cayce, aussi bien que dans le développement psychique.

Rêves sur les services rendus aux autres

Un homme enclin à beaucoup de verbiages se trouva embarrassé, dans un rêve, pour unir la sagesse et la serviabilité. Il vit un petit enfant qu'il voulait emmener faire une promenade en canoë. Mais ses intentions étaient contrecarrées par un événement après l'autre. Il voyait, dit Cayce, l'impossibilité de rendre service sans dévouement à la Source. Sans cela, les choses avaient une certaine façon de ne jamais s'arranger, si admirables que furent les intentions.

Un homme d'affaires rêva que son frère s'ennuyait en l'écoutant parler de ses passe-temps favoris. C'était pour lui rappeler, dit Cayce, que si quelqu'un désirait capter l'intérêt des autres, il fallait qu'il commence par s'intéresser à eux. En effet, la valeur ultime de tout ce que le rêveur disait aux autres et faisait pour eux était inconsciemment soupesée par eux en fonction de la qualité de la sympathie qu'il leur manifestait dans les petites choses de la vie.

Un rêveur, livré aux fantasmes de sa grandeur solitaire quand il s'occupait de choses spirituelles, fut l'objet d'un rêve dans lequel il voyait des girls lever la jambe à l'unisson. S'il ne pouvait apprendre à travailler avec les autres au moins aussi bien qu'elles, dit Cayce, son développement n'irait pas très loin. C'était la même pensée, dans un contexte différent, qui poussa Cayce à rêver d'un groupe d'études pendant qu'il leur donnait une séance d'interprétation. Il voyait le visage du Christ et observait la manière dont il changeait à mesure que chacun des membres du groupe recevait un message dans l'interprétation. En réétudiant ces expressions, fut-il dit à Cayce, il pouvait aider chacun des membres du groupe à apprendre quelque chose à propos de son désir ou de son refus de coopérer avec les autres dans les études qui les attendaient.

Les vieilles tensions existant entre Chrétiens et Juifs se trouvaient souvent à l'avant-plan dans les rêves soumis à Cayce par ses rêveurs juifs. L'un d'eux avait pris en rêve une décision que Cayce approuva. Il se trouvait dans une élégante boutique de mode qui commençait à manquer de robes. Il dit au propriétaire qu'il savait où obtenir les robes nécessaires au prix de gros dans une boutique moins huppée de l'East Side qui vendait de l'excellente marchandise. Les boutiques, dit Cayce, représentaient les établissements chrétien et juif qui avaient un impérieux besoin de s'associer à cause de ce que chacun pouvait donner à l'autre.

Mais les changements qui devaient s'opérer pour que l'homme atteigne davantage sa pleine stature dans la civilisation moderne ne devaient pas être effectués par des chefs religieux ou politiques. Lorsqu'un homme riche rêva qu'il allait perdre sa situation et son statut social à cause d'un livre qu'il était en train d'écrire, Cayce lui dit de continuer à écrire le livre et à défendre les idées qu'il représentait. En se voyant pauvre, il avait compris que quiconque veut vraiment servir doit être «tout pour tous». De plus, il voyait autre chose qu'il comprenait intuitivement, c'est que «ce qu'on appelle une classe médiocre dans le monde physique porte en tant que peuple le poids de toutes les nations.» Aussi est-ce des gens ordinaires que doit «venir ce baume et le levain qui fera lever toute la miche.» La clé d'un changement social continu était d'aider les gens ordinaires à s'aider eux-mêmes.

Toute réelle assistance aux autres commence chez soi, disait Cayce à ses rêveurs. Lorsqu'un homme rêvait que sa femme enceinte avait des triplés, c'était pour lui montrer, disait Cayce que «un plus un font trois, pas seulement de la manière dont deux parents font un rejeton, mais de la manière dont un mari et une femme se complètent et produisent plus de bien que la somme de leurs talents individuels réunis.»

Mais les affaires de famille ne constituaient pas des absolus. Quand un homme voyait en rêve que l'on frappait sa mère au visage, on lui dit qu'il sacrifiait son bien-être aux apparences de l'harmonie familiale.

Dans l'opinion de Cayce, le service aux autres est un point central de la destinée humaine. Mais il est soumis à autant de distorsions de mobiles que la passion et le succès. Dans son optique, la serviabilité et l'harmonie marchent main dans la main. Le service sans harmonie mène à la manipulation d'autrui : faire le bien sans aucun profit. Mais l'accord harmonieux sans le service conduit au gonflement du rêveur et à sa paralysie finale, car « savoir et ne pas agir est un péché ».

Rêves sur la vie libre

On trouve, dans les interprétations de Cayce, la promesse d'un style de vie qui assure un esprit libre et joyeux au milieu des lois et des contingences qui gouvernent l'existence humaine.

Cayce lui-même racontait qu'il avait perdu pendant des années tout sentiment de joyeuse liberté, et qu'il l'avait brusquement retrouvé après avoir souffert et s'être reconverti.

Tandis que je méditais au cours de l'après-midi, me revint le même sentiment d'exhubérance que j'avais connu il y a des années, mais que j'avais perdu pendant vingt-cinq ans.

Lorsqu'il soumit cette expérience à une interprétation, il s'entendit dire qu'il avait « assisté au réveil de son moi intérieur à ces forces potentielles qui peuvent devenir les plus actives, aux forces de la méditation. » À partir de ce moment, Cayce accorda une plus grande place dans sa vie à la méditation silencieuse, et il y invita plus souvent ceux qu'il entraînait.

La même interprétation ajoutait spontanément : «Comme il a été dit, lorsque viendront les derniers jours : 'Vos jeunes hommes feront des rêves, vos vieillards auront des visions, vos jeunes filles prophétiseront.' Ceci arrivera bientôt avec les bouleversements qui attendent le monde (1932) dans quelques quarts de siècle. »

Un de ses rêveurs lui rapporta une expérience semblable après avoir travaillé ses rêves pendant plus d'un an.

J'étais en train de lire Varieties of Religious Experience *de James... Je vous soumets ceci, car je ne puis dire s'il s'agit d'une expérience religieuse qui m'est propre ou s'il s'agissait seulement d'une manifestation nerveuse, c'est-à-dire physique ou pathologique.*

Cayce l'interrompit en disant : « C'est une *expérience*, pas les nerfs. » Puis l'homme poursuivit :

Tandis que je lisais, un soudain tremblement me saisit. Je sentais chaque pulsation de mon cœur, de mes nerfs, de mon sang. Je devins conscient de la force vibratoire qui faisait tout bouger à l'intérieur de mon corps. Il me sembla que même la chaise sur laquelle j'étais assis était en mouvement. Je m'étais pas endormi...

Cayce l'interrompit à nouveau, alors que le rapport n'était pas terminé. Il dit à l'homme qu'il avait ressenti l'effet physique de la « consécration du moi, de ses propres impulsions, du moi intérieur de son moi à la manifestation de la Force Unique dans son existence. » Il avait été soumis à une expérience spirituelle authentique. En fait, ajouta Cayce, c'était une expérience que l'on pouvait retrouver « à travers les divers âges du développement de l'homme » et il en proposa les illustations suivantes :

Swedenborg, pendant qu'il étudiait
Socrate, pendant qu'il méditait.
L'apôtre Paul, tandis qu'il méditait sur les événements de l'heure, avec, au fond de lui, l'intention de rencontrer cette force spirituelle qui est en l'homme et qui provoque sa conviction profonde ; l'entité est alors complètement recouverte par l'ombre de la Force telle qu'on l'a vue, voyez-vous ?
Et comme il en était de Bouddah, dans la position où la méditation dans la forêt apportait à la conscience de

l'entité, la Totale Unité de toute force qui se manifeste par ses aspects physiques, dans un monde matériel. Cayce dit au rêveur que, dans ce moment de stimulation, il avait vu et éprouvé le genre de baptême personnel dont il est question dans la Bible : «Mon Esprit porte témoignage de ton Esprit, que vous soyez les Fils de Dieu ou pas.» Cette joie, ce sentiment tremblant de la réalité spirituelle en action dans l'existence humaine, n'avait pas été une déception. Mais elle était destinée à porter des fruits concrets. Car Cayce dit à l'homme qu'à partir de maintenant, il n'obtiendrait pas seulement de meilleurs aperçus de la condition humaine, mais qu'il aurait à conseiller plus de gens qui cherchaient spontanément son assistance dans les petites choses de leur vie quotidienne. Sa prédiction se révéla exacte.

Une telle élévation peut donner à un homme un nouveau sentiment de liberté. «Mais l'amour est la loi, et la loi est amour», lui dit Cayce. La liberté venait le mettre en esclavage — envers ceux qui avaient besoin de lui. Pas un esclavage pénible, pas un esclavage triste, mais un esclavage réconfortant.

Plusieurs mois plus tard, Cayce se référa à nouveau à cette expérience pendant qu'il lisait James, lorsque le rêveur lui rapporta qu'il avait rêvé que son petit bébé n'était pas effrayé. Ce rêve montrait exactement l'aboutissement qui convient à de telles expériences, dit Cayce. «Si vous ne devenez pas comme de petits enfants, vous n'entrerez en aucune façon.» Un tel accord harmonique pouvait véritablement purifier et renouveler un homme, même lorsqu'il avait commis des fautes considérables, jusqu'à ce que son esprit devienne aussi pur que celui d'un enfant.

Le même rêveur avait commis une sérieuse erreur de jugement à propos de titres, qui leur coûta des milliers de dollars à lui et à ses associés. Ce fut la dernière erreur d'une telle ampleur qu'il commit, car elle lui apprit à mieux suivre à l'avenir ses directives intérieures. Mais il se réprimendait de l'avoir commise, comme le montre un petit fragment de rêve qui ne contenait que deux mots : «ma faute». Commentant ce fragment, Cayce insista sur le fait qu'il ne faut jamais s'effrayer des erreurs honnêtement commises si on avait obéi à une saine intention. On pouvait et on devait se libérer d'une telle auto-condamnation, car l'homme n'est pas destiné à s'auto-détruire.

Un homme d'affaires fatigué rapporta le rêve suivant dans les premiers temps de sa collaboration avec Cayce :

Un homme s'approchait de beaucoup de gens, y compris moi-même, dans ce qui semblait être le hall d'un hôtel. La première fois qu'il s'approcha de nous, il avait l'aspect d'un détective, mais comme il arrivait plus près, j'eus le sentiment qu'il était Jésus-Christ.

Ce petit rêve, dit Cayce, avait acquis la pleine force des voies de Dieu pour l'homme sur la Terre. On découvrirait qu'il s'approchait de chaque personne comme l'Homme vers l'homme, sortant de la foule d'un hall d'hôtel. Il serait aussi ordinaire que n'importe quel autre visage entrevu, mais capable de changer chaque individu, chaque groupe, et même les masses et les foules, si on le considérait sérieusement dans une seule existence à la fois. Ses voies pouvaient d'abord sembler restreintes, mais elles ne l'étaient pas. Il venait libérer les hommes. Le rêveur, lui aussi, pouvait se promener parmi ses semblables de la même manière et dans le même dessein, si seulement il décidait de le faire.

Dans l'esprit de Cayce, les rêves qui viennent à un homme qui cherche, peuvent déployer devant lui les structures mêmes de la création s'il a besoin de les comprendre. Il interprétait des rêves qui, disait-il, traitaient de la destinée, de la Force Unique, du mal, du vide extérieur, de la Mère océane et du Père céleste, des lois, de la grâce, de l'âme et de son voyage dans le navire de la psyché. Ce sont là des matières importantes car elles mènent à la compréhension et à la conviction qui peuvent pénétrer jusqu'aux tréfonds de l'esprit et du cœur.

Mais pour orienter sa vie par les rêves, il faut commencer par des choses bien plus proches que ces visions lointaines.

Un tel commencement fut représenté dans l'un des rêves de Cayce, un rêve étrange mais poignant qui lui vint

273

après la fermeture de son hôpital et de son université, à un moment où de nombreux rêves venaient l'encourager.

Il s'agissait d'un vieux cheval qui, dans la vie réelle, était mort depuis vingt ans.

Il escaladait une colline. Nous le détachâmes pour qu'il puisse grimper tout seul, et nous marchâmes derrière lui dans ses traces. Je dis qu'il était heureux qu'on l'ait tout juste ferré, car ainsi ses pieds laissaient des traces dans lesquelles nous pouvions marcher et grimper.

L'interprétation de ce rêve considérait le cheval — c'était souvent le cas dans les interprétations de Cayce — comme le porteur d'un message spirituel. À l'état de veille, Cayce pouvait considérer que son message avait été gaspillé et que sa vie était de peu de signification. Mais il devait avancer pas à pas. Alors, s'il regardait, il verrait que là où il mettait le pied, il y avait des traces pour y marcher. Il y aurait des emplacements faits non seulement par de nouveaux fers, mais par le Messager Lui-même, Celui qui marche devant chaque homme pour le conduire d'un pas sûr, sans cesser de grimper. »

D'une imagerie aussi quelconque que le souvenir d'un vieux cheval, son rêve lui avait façonné une promesse.

Ce fut une promesse bien tenue, car ses meilleures interprétations et les enseignements les plus utiles aux autres devaient encore venir.

C'était un rêve où l'éternel était caché dans l'ordinaire. C'était cette promesse que les interprétations d'Edgar Cayce percevaient dans tous les rêves, pour tous les rêveurs, au cours de ce siècle qui avait redécouvert les rêves.

274

L'A.R.E. aujourd'hui

Grâce à la richesse des éléments contenus dans les dossiers de Cayce ont pu se créer l'Association pour la Recherche et les Éclaircissements (Association for Research and Enlightenment, Inc.) et ses organisatons affiliées, la Presse A.R.E. et la Fondation Edgar Cayce.

La Fondation a entrepris la tâche compliquée d'indexer et de contre-indexer les centaines de sujets discutés dans les interprétations. À cause de leur âge, les papiers se détériorent rapidement, et actuellement, on les microfilme pour les conserver et on les reproduit pour pouvoir les consulter. La matière de ces documents couvre presque tout le champ de la pensée humaine, depuis la valeur des cacachuètes jusqu'a la construction de la Grande Pyramide, de la manière de se débarasser de ses vers jusqu'aux prédictions de l'avenir.

L'Association pour la Recherche et les Éclaircissements est une organisation sans but lucratif, ouverte à tous, et qui est enregistrée selon les lois du Commonwealth de Virginie pour poursuivre la recherche psychique. Elle se consacre à l'étude des interprétations et effectue de nombreuses expériences sur les phénomènes psychiques. Elle coopère aussi dans les domaines de la médecine, de la psychologie et de la théologie. Les membres actifs de l'A.R.E., comme on l'appelle communément, sont des gens de toutes religions et de nombreuses nationalités, y compris de pays étrangers. Il est bizarre de constater qu'ils semblent capables de réconcilier leurs diverses convictions avec la philosophie tirée des interprétations de Cayce. Ils viennent de toutes les couches de la population : il y a des médecins, des avocats, des ecclésiastiques, des artistes, des hommes d'affaires, des enseignants, des étudiants, des travailleurs et des ménagères.

L'Association, dirigée par un Conseil d'administration, organise des conférences au siège de Virginia Beach, et des conférences régionales à New York, à Dallas, à Denver, à Los Angeles et dans d'autres grandes villes.

L'Association et ses organisations affiliées occupent un grand bâtiment de trois étages, de style côtier. Situé au point culminant de Virginia Beach, le bâtiment et son parc occupent tout un quartier urbain et font face à l'Océan Atlantique qui se trouve un peu plus loin. Un nouveau bâtiment a été construit : il abrite une salle de conférences, des classes, des bureaux et la Presse A.R.E.

Des centaines de visiteurs se présentent tous les ans. Avec l'augmentation du nombre des membres de l'A.R.E. et de l'intérêt qu'elle suscite, une équipe de plus en plus importante manipule des volumes d'enquêtes, répond aux demandes particulières, s'occupe d'annoncer les conférences et gère la littérature. On guide les visiteurs dans les locaux et dans le parc avec sa grande véranda couverte de tuiles d'où l'on a vue sur l'Océan. La bibliothèque contient des copies indexées de plus de 90 % des interprétations, et elle est d'un intérêt considérable.

Pour les sceptiques, il y a une réponse toute trouvée dans ces paroles d'Abraham Lincoln : «Aucun homme n'a une mémoire suffisante pour être un bon menteur» pendant quarante-trois ans.

Lithographié au Canada
sur les presses de
Métropole Litho Inc.